Holybird<sup>®</sup>

# HOW TO WIN FRIENDS AND INFLUENCE OTHERS & HOW TO STOP WORRYING AND START LIVING

*Dale Carnegie*

[美] 戴尔·卡耐基/著

袁 玲/译

# 人性的弱点

## 全集

中国发展出版社

**图书在版编目(CIP)数据**

人性的弱点全集/（美）卡耐基（Carnegie, D.） 著；袁玲译.
北京：中国发展出版社,2008.1 第二版(2011.05 重印)

ISBN 978-7-80087-583-0

Ⅰ. 人… Ⅱ. ①卡… ②袁… Ⅲ. 人际交往—成功励志读物

Ⅳ. C912.1 –49

中国版本图书馆 CIP 数据核字(2002)第 039151 号


书　　　名：人性的弱点全集
原 著 者：[美] 戴尔·卡耐基
译　　　者：袁　玲
出 版 发 行：中国发展出版社
　　　　　　（北京市西城区百万庄大街 16 号 8 层　　100037）
标 准 书 号：ISBN 978-7-80087-583-0/Z·66
经 销 者：各地新华书店
印 刷 者：北京领先印刷有限公司
开　　　本：880×1230mm　　1/32
印　　　张：15.75
字　　　数：445 千字
版　　　次：2008 年 1 月第 2 版
印　　　次：2012 年 5 月第 11 次印刷
定　　　价：25.00 元

咨 询 电 话：(010)68990692　68990622
购 书 热 线：(010)68990682　68990686
网　　　址：http://www.develpress.com.cn

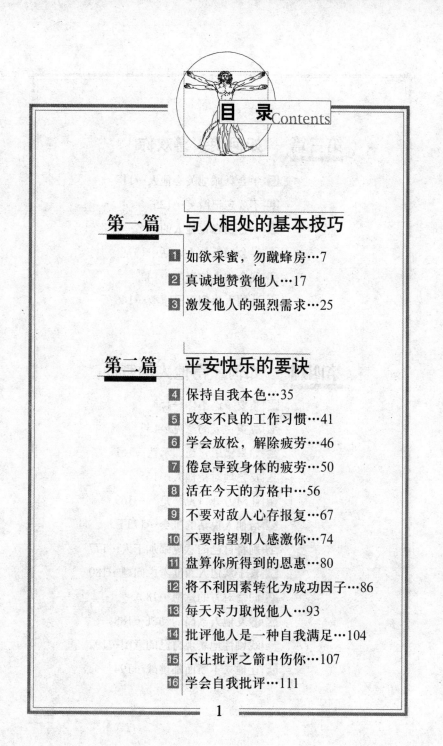

# 目　录 Contents

1

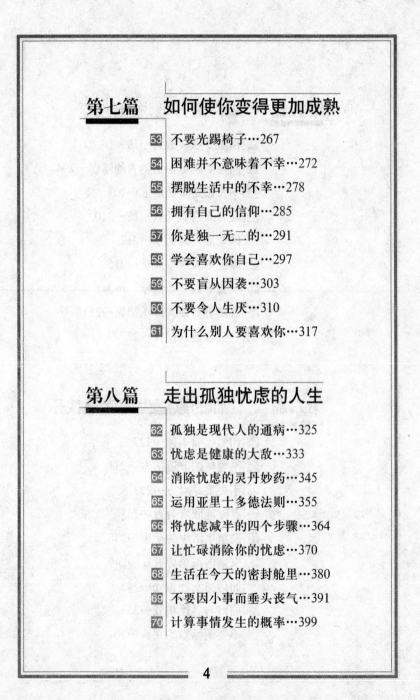

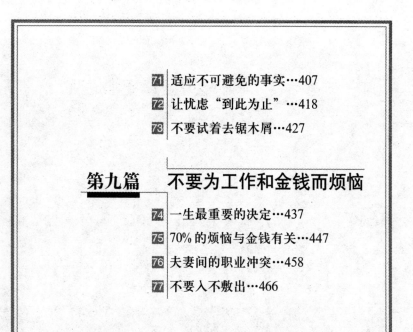

# 序　言

在过去的 35 年中，美国出版家曾印刷过 20 多万种书籍，大多数是极沉闷的，许多是亏了本的。我不是说"许多"吗？一位世界上最大的书局的经理最近对我承认说，他的公司有 75 年的出版经验了，但还是每出版 8 种书就有 7 种书是亏本的。

那么为什么我还要冒险写作此书呢？在我写好之后，你为什么还要费事去读呢？这些问题都很有道理，但读完下文你便一目了然了。

1912 年起，我在纽约为职业成人讲授教育课程。最初，我只开设了演讲术课程——用实际的经验训练成人在商业面洽以及团体中能站着思想，更加清楚、有效、镇定地发表自己的思想。

经过几个季节的培训，我渐渐觉得，这些成人固然急需说话的训练，但他们更迫切需要在日常事务及人际交往方面得到更好的训练。我自己也深切需要这种训练。应付人恐怕是你所遇见的最大问题了，如果你是一位商人，更是如此。是的，即使你是一位会计师、家庭主妇、建筑师或工程师也是如此。数年前在卡耐基基金会的资助下所作的调查研究表明——这一结果后来又由卡耐基技术研究院另外的一项研究所证实——在技术工作方面的工程中，一个人事业的成功，约有 85% 是由于人类工程——即人格和领导他人的能力。

　　有好多年，我每季在费城工程师俱乐部举办课程，并且也在美国电机工程师学会纽约分会开班。总计约有 1500 以上的工程师在我的班训练过。他们既有学历又有知识，为何还要参加我的培训？因为根据多年的观察与经验，他们最后发现，在工程界报酬最高的人往往不是懂得工程学最多的人。例如，我们可以用每周 25－50元的代价雇用工程、会计、建筑，或其他专业的技术人才。市场上永远都有这种人才，但一个除了技术知识之外，要能再具备一些发表自己想法的能力，领导他人的能力，激发他人热忱的能力，那他的收入势必增加。

　　美国石油大王洛克菲勒在事业的鼎盛时期说道：

　　　　应付人的能力也是一种可以购买的商品，正如糖或咖啡一样，而我愿意会付酬购买这种能力。它比世上任何别的东西都多。

　　由经验得知，这话无疑是正确的，因为我自己也费了许多年的功夫去寻求一本实用有效的人类关系学手册。因为一直找不到这种书，我就试写了一本，在我的班里使用，也就是这本书，我希望你会喜欢它。

　　为写作此书，我曾读过所有我能找到的有关材料，此外，我又雇用了一位受过训练的操写员，费了一年半功夫，在各大图书馆中读我所遗漏了的东西，钻研各种心理学专集，浏览千百篇杂志文章，搜索无数人物传记，研究各时代的大人物是如何应付他人的。我读过各时代的伟人传记，自恺撒到爱迪生。关于罗斯福的传记我就读了一百多本。我们不惜时间、金钱，要发现自古以来任何人所已用过的关于交友及影响他人的切实真谛。

我还亲自访问过数十位成功人物和世界著名人物，如马可尼、罗斯福、杨·欧文、盖勃尔、约翰逊等，我要从他们身上探究人际关系的技术。

多年前，我们开始以一套不比明信片大的卡片让学员获得这些应付人的规则。后来又印了一张较大的卡片，然后是一本小册子，再后是一套小书。而现在，经过15年的试验与研究，终于诞生了这本书。

当然，我们这里所定的规则不只是一种理论或揣测。它们颇有奇效，听起来似乎让人不足以为信，但我确实亲自听到或看见过这些原则改变了许多人的生活与事业。

● 一位手下有340个雇员的老板加入了这一训练课程。多年来，他曾没有限制或顾虑地指使、批评和指责雇员。他不会从自己的口中发出仁慈的称道与鼓励。在研究本书的原则之后，这位老板完全改变了他的人生观。他的厂里也充满了一种从未有过的忠诚、热忱与合作精神，340个仇敌变成了340个朋友。

● 无数推销员因为运用了这些原则，他们的销售业绩直线上升。许多人已经开了新户头——他们以前无法奢求的户头。高级职员得到了更大的职权，加多的薪俸。一位高级职员每年薪水增加五千元，因为他实行了这些规则。

● 屡次参加课程训练的妻子们说，自从她们的丈夫受了这种训练后，自己的家庭比以前更加快乐了。

● 男人们常对他们所得的结果感到惊异，全像幻术似的。有时候，他们迫不及待地打电话到我家中来，因为他们不能等待48小时之后，在正常上课的时间报告他们的成就。

……

哈佛著名教授詹姆士曾说：

　　　与我们应当取得的成就相比，我们不过是半醒着，我们现在只利用了身心资源的一小部分。广义地说，人类就是这样地生活着，远在他应有的极限之内。他有着各种力量惯于不会利用。

那些你"惯于不会利用"的力量！本书的唯一目的就是帮助你发现、发展和利用自己的那些潜伏未用的资才。

戴尔·卡耐基

# 第一篇

## Fundamental Techniques in Handling People

## 与人相处的基本技巧

# 1

## 如欲采蜜，勿蹴蜂房

---

**卡耐基金言**

◆ 批评不但不会改变事实，反而会招致愤恨。

◆ 因批评而引起的羞忿，常常使雇员、亲人和朋友的情绪大为低落，并且对应该矫正的现实状况，一点好处也没有。

◆ 尽量去了解别人，而不要用责骂的方式；尽量设身处地去想——他们为什么要这样做。这比起批评责怪要有益、有趣得多，而且让人心生同情、忍耐和仁慈。

---

　　1931 年 5 月 7 日，纽约发生了一桩轰动一时的搜捕事件。警方经过几星期的搜捕，终于将被称为"双枪杀手"的克洛雷在他女友的寓所中擒获，而这位杀手是一个烟酒不沾的人。

　　150 名警方人员与侦探在克洛雷藏匿地点的顶楼展开包围。他们先在屋顶上砸了一个洞，打算用催泪弹把克洛雷逼出来，并且在四周建筑物上架上了机关枪。约一个多钟头后，这幢纽约高级住宅响起了枪声，还有机关枪"哒—哒—哒—"的声音。那位"警察克星"克洛雷就蹲伏在一个大沙发后面，对着警方开枪。上万名市民涌到街道上看热闹，这是纽约市前所未有的壮观场面。

克洛雷就擒后，纽约市警察局长 E·P·马洛里发表谈话时表示：这位双枪恶徒是纽约有史以来最具危险性的罪犯。"他动不动就开枪杀人。"局长如此说道。但是，这个"双枪杀手"对自己的看法如何呢？那天，围攻的警察向公寓开枪的时候，克洛雷正在写信给"有关人士"，他如此写道："在我外衣里面隐藏的是一颗疲惫的心，这是一颗善良的心———一颗不会伤害别人的心。"当他写这封信的时候，鲜血从伤口流出，在纸上留下深红的痕迹。

就在搜捕发生之前，克洛雷还和女友开车在长岛一乡村公路上寻欢。有个警员走上前去，向克洛雷说道："请出示驾驶执照！"

克洛雷一语不发，掏出手枪就是一阵狂射。警员中弹倒地，克洛雷跳下车，从警员身上找出左轮枪，又向倒地不起的尸体开了一枪。这难道就是他自己所说的"在我外衣里面隐藏的是一颗疲惫的心，这是一颗善良的心———一颗不会伤害别人的心"吗？

克洛雷最后被判死刑。当他到达星星监狱（美国关押重罪犯人的监狱）里放着电椅的受刑室时，有没有说"这就是我杀人的代价"？没有！他反而说："这就是我自卫的结果。"

整个事件的关键是："双枪杀手"克洛雷根本不觉得自己有什么错。

"我把一生当中最好的岁月用来为别人带来快乐，让大家有个好时光。可是我得到的却只是辱骂，这就是我变成亡命之徒的原因。"这是阿尔·卡庞说的一段话。他是美国鼎鼎有名的黑社会头子，后来在芝加哥被处决。卡庞也不曾自责过。事实上他自认为造福人民——只是社会误解他，不接受他而已。达奇·舒尔茨的情形也是一样。他是恶名昭彰的"纽约之鼠"，后来因江湖恩怨被歹徒杀死。他生前接受报社记者访问时，也自认为造福群众。

我曾和刘易斯·洛易斯就这个问题通过几次信。罗斯在纽约星星监狱担任过好几年的监狱长，他表示：牢里的犯人很少自认为是坏蛋。他们和你一样，都是人，都会为自己辩解。他们告诉你，为什么要打破保险箱，为什么要开枪杀人。大多数人都能为自己的动机找出理由，不管有理无理，总要为自己破坏社会的行为辩解一番。因此，他们的结论是：他们根本不应该被关进牢里。

假如阿尔、克洛雷、达奇·舒尔茨这帮歹徒，以及许多关在监狱里的亡命男女，他们从不为自己的行为自责过，我们又如何强求日常所见的一般人？

闻名遐迩的心理学家 B·F·史金勒经通过动物实验证明：因好行为受到奖赏的动物，其学习速度快，持续力也更久；因坏行为而受处罚的动物，则不论速度或持续力都比较差。研究显示，这个原则用在人身上也有同样的结果。批评不但不会改变事实，反而只有招致愤恨。另一位心理学家汉斯·希尔也说："更多的证据显示，我们都害怕受人指责。"

因批评而引起的羞忿，常常使雇员、亲人和朋友的情绪大为低落，并且对应该矫正的事实状况，一点也没有好处。

俄克拉何马州的乔治·约翰逊是一家营建公司的安全检查员，检查工地上的工人有没有戴上安全帽是约翰逊的职责之一。据他报告，每当发现工人在工作时不戴安全帽，他便利用职位上的权威要求工人改正，其结果是：受指正的工人常显得不悦，而且等他一离开，便又常常把帽子拿掉。

后来约翰逊决定改变方式。他再看见工人不戴安全帽时，便问帽子是否戴起来不舒服，或帽子尺寸不合适，并且用愉快的声调提醒工人戴安全帽的重要性，然后要求他们在工作时最好戴上。这样的效果果然比以前好得多，也没有工人显得不高兴了。

这类事件真是不胜枚举。我们举个例子：

西奥多·罗斯福和塔夫脱总统之间有段广为人知的争论——他们的不和睦导致共和党的分裂，而将伍德洛·威尔逊送进了白宫。让我们简单地回忆一下这段历史：1908 年，罗斯福搬出白宫，共和党的塔夫脱当选为总统，然后，罗斯福到非洲去猎狮子。当他回到美国后，看到塔夫脱的保守作风，很是震怒。罗斯福除了公然抨击塔夫脱，还准备再度出来竞选总统，并打算另组"进步党"。这几乎导致老共和党的瓦解。果然，紧接而来的那次选举，塔夫脱和共和党只赢得了两个区的选票——佛蒙特州和犹他州，这是共和党有史以来遭受的最大失败。

罗斯福谴责塔夫脱，但是塔夫脱承认自己有错吗？他曾含着眼泪说道："我不知道所做的一切有什么不对。"

我们再举一个"石油保留地贪污案件"的例子。这一案件发生在20世纪20年代早期，曾受报界围剿，也震撼了全美国。事实是这样的：

哈丁（美国第29任总统）政府的内政部长阿尔伯特·胡佛，拥有政府在爱克陵和茶壶敦这两处石油保留地的租赁权——保留地是保留给海军未来使用的。当时，胡佛部长有没有公开招标呢？没有。他把这项令人垂涎的权力完全给了好朋友爱德华·杜黑尼。而杜黑尼也"借"给胡佛部长一笔10万美金的"贷款"。胡佛部长还利用职权调动联邦的海军陆战队，驱逐了在爱克陵附近掘油的其他油商。这些油商迫于武力威胁，只好离开油田进入法院，这才揭发了这桩贪污案件。丑闻轰动了全美国，也毁了哈丁政权。共和党几乎瓦解，阿尔伯特·胡佛也锒铛入了狱。

大家都公认阿尔伯特·胡佛品性不端，但是他表示过悔意吗？没有。事情发生几年之后，赫伯特·胡佛在一次公开演讲时透露，哈丁总统是死于心力交瘁，因为有个朋友出卖了他。这话传到胡佛太太耳朵时，她从椅子上跳起来，挥着拳头，又哭又叫，"什么？哈丁被胡佛出卖？没有！我的丈夫没有出卖任何人。就算这屋里装满了黄金钞票，我的丈夫也绝不心动。相反的，他才是被人出卖，才会落得这么狼狈的下场。"

你看，人就是这样，做错事的时候只会怨天尤人，就是不去责怪自己。我们也都如此。所以，明天你若是想责怪某人，请记住阿尔·卡庞、"双枪杀手"克洛雷和阿尔伯特·胡佛等人的例子。让我们认清：批评就像家鸽，最后总会飞回家里。也让我们认清：我们想指责或纠正的对象，他们会为自己辩解，甚至反过来攻击我们，或是像塔夫脱所说："我不知道所做的一切有什么不对。"

1865年4月15日的早晨，亚伯拉罕·林肯躺在一家廉价租屋的睡床上，濒临死亡边缘。这所住屋就在福特别墅的对街，也就是约翰·布斯枪杀林肯的地方。林肯颀长的身躯斜躺在松垮的睡床上，墙上挂着一帧制作简陋的罗莎·彭皓尔的名画《马集》，屋里一盏显得阴郁的煤气灯闪着昏黄的光芒。

当林肯咽下最后一口气时，陆军部长史丹顿说道："这里躺着的是人类有史以来最完美的统治者。"

林肯善于与人相处的秘密是什么呢？我花了10年时间研究林肯的一生，而且花了3年时间写作、修订了一本书《林肯的另一面》。我自信，我对林肯的性格和居家生活所做的研究，比任何人都要详尽彻底，尤其对林肯待人处世的方法更有心得。林肯喜欢批评人吗？不错。他住在印第安纳州湾谷的时候，年纪尚轻，不仅喜欢评论是非，还写信写诗讽刺别人。他常把写好的信丢在乡间路上，使当事人很容易发现。

林肯在伊利诺州的春田镇当过见习律师后，仍然喜欢在报上公开抨击反对者，不过只是偶尔而已。

其中，有封信所导致的后果，使他刻骨铭心，永生难忘。

1842年秋天，他又写文章讽刺一位自视甚高的政客詹姆士·席尔斯。他在《春田日报》上发表了一封匿名信嘲弄席尔斯，全镇哄然引为笑料。自负而敏感的席尔斯当然愤怒不已，终于查出写信的人。他跃马追踪林肯，下战书要求决斗，林肯本不喜欢决斗，但迫于情势和为了维持荣誉，只好接受挑战。他有选择武器的权利，由于手臂长，他选择了骑兵的腰刀，并且向一位西点军校毕业生学习剑术。到了约定日期，林肯和席尔斯在密西西比河岸碰面，准备一决生死。幸好在最后一刻有人阻止他们，才终止了决斗。

这是林肯终生最惊心动魄的一桩事，也让他懂得了如何与人相处的艺术。从此以后，他不再写信骂人，也不再任意嘲弄人了。也正是从那时起，他不再为任何事指责任何人。

南北战争期间，林肯好几次调兵遣将，更换波多马克军的将领——马克克兰、波普、伯恩赛德、胡克和米地——但是这些将领接二连三出错，几乎使林肯陷入绝境。全国有半数人无情地指责林肯用人不当，但林肯"毫不怨天尤人，宽容地保持缄默"。他最喜欢的一句名言是："你不论断他人，他人就不会论断你。"

当时，林肯夫人都极力谴责南方人。林肯答道："不用责怪他们，同样的情况换上我们，大概也会如此而为。"

1863 年 7 月 1 日到 3 日，盖茨堡战役打响了，到了 7 月 4 日晚上，李将军开始向南方撤退。当时乌云密布，随即暴雨倾盆而下。李将军带着败兵逃到波多马克河边，只见前方是高涨的河水，后方是乘胜追击的政府军，李将军进退无据，真是陷入了绝境。林肯见了，知道这是天降的大好良机，只要打败李将军的军队，战争很快就可以结束了。于是，他满怀希望地下了一道命令给米地将军，要他立刻出击李将军，不用通知紧急军事会议。林肯不但用电报下令，并且另派专差传讯，要米地马上行动。

米地将军有没有马上行动呢？正好相反。他完全违背林肯的命令，先行通知紧急军事会议。他迟疑不决，故意拖延时间，用尽了各种借口，拒绝攻打李将军。最后，水退了，李将军和军队越过波多马克河，顺利南逃。

林肯勃然大怒，"这是怎么一回事？"林肯对着儿子劳勃特咆哮，"老天，这究竟是怎么回事？他们就在伸手可及的地方，只要我们伸出手，他们必定跑不掉的。难道我说的话不能让军队移动半步？在这种情况下，什么人都可以打败李将军，就是我也可以让李将军俯首就擒。"

极端失望之余，林肯坐下来给米地写了一封信。记住，这时的林肯，言论措辞都比以前保守自制。所以，这封写于 1863 年的信，已表达了林肯内心的极端不满。

亲爱的将军：

　　我不相信你对李将军逃走一事会深感不幸。他就在我们伸手可及之处，而且，只要他一就擒，加上我们最近获得的胜利，战争即可结束。现在，战争势必延续下去，上星期一你不能顺利擒得李将军，如今他逃到波多马克河之南，你又如何能保证成功呢？期盼你会成功是不明智的，而我也并不期盼你现在会做得更好。良机一去不复返，我实在深感遗憾。

你以为米地将军读了这封信之后，会有什么表示？

令人意外的是，米地将军从没有读过这封信，因为林肯并没有把这封信寄出去。这是后来，别人在一堆文件中发现的。

"我的猜测是……这仅是我的猜测……"林肯在写完这封信之后，望着窗外，心里想，"慢着，也许我不该这么性急。坐在安静的白宫里发号施令很容易，如果我身在盖茨堡，像米地一样每天看见许多人流血，听见许多伤兵哀嚎，也许就不会急着要攻打敌人了，如果我个性像米地一样畏缩，大概也会做同样的决定吧！无论如何，现在木已成舟，把这封信寄出，除了让我一时觉得痛快以外，没有别的用处。米地会为自己辩解，会反过来攻击我，这只有使大家都不痛快，甚至损及他的前途，或逼他离开军队而已。"

于是，就像我所说的，林肯把信搁到一边，惨痛的经验告诉他：尖锐的批评和攻击，所得的效果都等于零。

西奥多·罗斯福说，在他当总统的时候，凡是遇到难解的问题，就会望着挂在墙上的林肯像自问："如果林肯处于我的情况，他会如何解决这个问题？"

以后，每当我们想指责他人的时候，请拿出一张5美元钞票，望着上面的林肯像自问，"如果林肯碰到这个问题，会如何解决？"

我年轻时，总喜欢让别人留下深刻印象，所以写了一封可笑的信给理查德·哈丁·戴维斯。他当时刚出现在美国文坛上，颇引人注意。那时，我正好帮一家杂志撰文介绍作家，便写信给戴维斯，请他谈谈他的工作方式。在这之前，我收到一个人寄来的信，信后附注："此信乃口授，并未过目。"这话留给我极深的印象，显示此人忙碌又具重要性。于是，我在给戴维斯的信后也加了这么一个附注："此信乃口授，并未过目。"实际上，我当时一点也不忙，只是想给戴维斯留下较深刻的印象。

戴维斯根本不劳心费力地写信给我，只把我寄给他的信退回来，并在信后潦草地写了一行字："你恶劣的风格，只有更增添原本恶劣的风格。"的确，我是弄巧成拙了，受这样的指责并没有错。但是，身为一个人，我觉得很恼羞成怒，甚至 10 年后我获悉戴维斯过世的消息时，第一个念头仍然是——我实在羞于承认——我受到的伤害。

以后，假如你想引起一场令人至死难忘的怨恨，只要发表一点刻薄的批评即可。让我们记住，我们所相处的对象，并不是绝对理性的动物，而是充满了情绪变化、成见、自负和虚荣的东西。

英国著名小说家托马斯·哈代曾因受到苛刻的批评而放弃写作，另一位英国诗人托马斯·查特敦年轻的时候并不圆滑，但后来却变得富有外交手腕，善与人应对，因而成了美国驻法大使。他的成功秘诀是："我不说别人的坏话，只说人家的好处。"

只有不够聪明的人才批评、指责和抱怨别人——的确，很多愚蠢的人都这么做。但是，善解人意和宽恕他人，需要有修养自制的功夫。托马斯·卡莱尔说过："伟人是从对待小人物的行为中显示其伟大的。"

鲍勃·胡佛是个有名的试飞驾驶员，时常表演空中特技。一次，他从圣地亚哥表演完后，准备飞回洛杉矶。根据《飞行作业》杂志的描述，胡佛在 300 英尺高的地方时，刚好两个引擎同时出现故障。幸亏他反应灵敏，控制得当，飞机才得以降落。虽然无人伤亡，飞机却已面目全非。

胡佛在紧急降落之后，第一个工作是检查飞机用油。正如所料，那架第二次世界大战的螺旋桨飞机，装的是喷射机用油。

　　回到机场，胡佛求见那位负责保养的机械工。年轻的机械工早为自己犯下的错误痛苦不堪，一见到胡佛，眼泪便顺着面颊流下。他不但毁了一架昂贵的飞机，甚至差点造成3人死亡。你可以想像胡佛当时的愤怒。这位自负、严格的飞行员，面对不慎的修护工作显然要大发雷霆，痛责一番。但是，胡佛并没有责备那个机械工人，只是伸出手臂，围住工人的肩膀说："为了证明你不会再犯错，我要你明天帮我修护我的F-51飞机。"

　　在家庭生活中，一般为人父母者，也很喜欢责备小孩。你也许认为我会说"别责备小孩"。不是，我要说的是，在责备之前，请你读一篇有名的文章——《父亲备忘录》。

## 父亲备忘录

　　听着，孩子，我有一些话想要对你说。此时你睡得正熟，一只小手掌压在脸颊下，你的额头微湿，蜷曲的金发贴在上面。我偷偷溜进你的房间，因为刚才在书房看报的时候，内心不断地受到斥责，终于带着愧疚的心情来到你的床前。

　　我想了许多事，孩子，我常常对你发脾气。早上你穿好衣服准备上学，胡乱用毛巾在脸上碰一下，我责备你；你没有把鞋子擦干净，我责备你；看到你把东西乱扔，我更生气地对你吼叫。

　　早餐的时候也一样，我常骂你打翻东西、吃饭不细嚼慢咽、把两肘放在桌上、奶油涂得太厚等等。等到你离开餐桌去玩，我也准备出门，你转过身，挥着小手喊："再见，爸爸!"我仍皱着眉头回答："肩膀挺正!"

　　到了傍晚，情况还是一样。我走在路上，偷偷观察你，看见你跪在地上玩玻璃弹球，脚上的长袜都磨破了。我不顾你的颜面，当着别的孩子的面叫你回家。并对你吼道，长袜子是很贵的，你要穿就得爱惜一点! 想想看，孩子，这话居然出自为人之父的口里!

　　记得吗? 就是刚才，我在书房里看报，你怯生生地走过来，眼里带着惊惶的神色，站在门口踌躇不前。我从报端上望过去，不耐烦地叫道："你要什么？"

你不说一句话，只是快步跑过来，双手搂住我的脖子亲吻。你小手臂的力量显示出一份情爱，那是上帝种在你心田里的，任何漠视都不能使它凋萎。你吻过我就走了，吧嗒吧嗒地跑上楼。

孩子，就是那时候，报纸从我手中滑落，我突然觉得害怕。我怎么养成了一个坏习惯啊！挑错、呵斥的习惯——这就是我对待一个小男孩的方法！孩子，不是我不爱你，只是我对你期望过高，不自觉地用自己年龄的标准去衡量你了。

其实，你的本性里有许多真善美。你小小的心灵就像刚从山头升起的阳光一样无限明亮，这一点可以从你天真自然、不顾一切跑过来亲吻、道晚安的动作看出来。孩子，今晚其余的一切都不重要了，我在黑暗中跪到你床边，深觉愧疚！

这是一种无力的赎罪。我知道你未必懂得我所说的这一切。但是，从明天起，我会认真地做一个真正的父亲！要和你结为好朋友，你痛苦的时候同你一起痛苦，欢乐的时候同你一起欢笑。我会每天告诉自己："他只不过是个男孩——一个小男孩！"

我实在不该把你当成大人，孩子，像我现在看到的你，疲倦地蜷缩在床上，完全还是婴孩的模样。记得昨天你还躺在妈妈怀里，头靠在妈妈肩上，我要求的实在太多太多了。

让我们尽量去了解别人，而不要用责骂的方式吧！让我们尽量设身处地去想——他们为什么要这样做。这比起批评责怪还要有益、有趣得多，而且让人心生同情、忍耐和仁慈。

"了解就是宽恕，"约翰博士说，"上帝本身也不愿论断人，直到末日审判来临。"

你我又何必如此呢？因此，从现在开始，请你记住待人处世的第一大原则：

**不要批评、责怪或抱怨他人。**

# 2

## 真诚地赞赏他人

**卡耐基金言**

◆ 天底下只有一种方法可以促使他人去做任何事——给他想要的东西。

◆ 在你每天的生活之旅中，别忘了为人间留下一点赞美的温馨，这一点小火花会燃起友谊的火焰。

◆ 爱默生说："我遇见的每一个人，或多或少是我的老师，因为我从他们身上学到了东西。"

天底下只有一种方法可以促使人去做任何事。你可以用枪威逼他人，要他乖乖交出手表；可以用"炒鱿鱼"来威胁员工听你的话——直到你不在跟前；也可用体罚或恐吓的办法使小孩服从于你。但是，这些粗劣的办法只能带来一种极为不良的后果。

而真正要他人做事的唯一方法就是，给他想要的东西。那么，一个人到底想要什么呢？

按照弗洛伊德的说法，一个人做事的动机不外乎两点：性冲动和渴望伟大。美国学识最渊博的哲学家之一，约翰·杜威则有另一种说法，他认为，人类本质里最深远的驱动力就是"希望具有重要性"。请记住这句话——"希望具有重要性",这一点非常重要,本书后面还会常常提到。

那么,一个人到底需要什么?其实,所求并不多。但不可否认,有少数几样东西的确是你极希望拥有的。一般来讲,大多数人需要的东西包括:

- 健康的身体;
- 食物;
- 睡眠;
- 金钱和金钱可以买来的东西;
- 未来生活的保障;
- 性满足;
- 儿女的幸福;
- 被人重视的感觉。

以上这些需要除了一项以外都不难满足。人们对这项需求的根深蒂固、迫切热望绝不亚于对食物和睡眠的需要。它就是弗洛伊德所说的"渴望伟大",或是杜威所说的"希望具有重要性"。

林肯曾在写信时提到,"人人都喜欢受人称赞"。威廉·詹姆士也说过:"人类本质里最殷切的需求是渴望被人肯定。"他不用"希望"、"需要",或是"盼望"等字眼,而用的是"渴望"这个词。

这种渴望不断地啃噬着人的心灵,少数懂得满足人类这种欲望的人便可以将他人掌握在手中。这种"希望具有重要性"的感觉,也是人类与禽兽最大的分野。

我小时候住在密苏里州乡间,父亲养了几只品种优良的红色大猪和一头血统优良的白牛。我们带着猪和牛参加美国中西部一带的家畜展览,并且获得了特等奖。父亲把特等奖蓝带别在一块白色软洋布上,逢人便拿出来炫耀一番。

倒是猪和牛并不在乎赢来的蓝带,父亲却十分珍惜,因为那使他有"深具重要性"的感受。如果我们的祖先没有这种"希望具有重要性"的渴望,就不会有当今的一切文明,我们同禽兽也不会有什么两样。

　　就是这种渴望，促使一位未受教育、极度贫苦的杂货店员，去研究他在一只满置杂物的大木桶底下找出那本曾花费他5角钱所买得的法律书。你也许已经听说过这位杂货店员是谁，他的名字叫林肯。就是这种渴望促使狄更斯写下了不朽的作品；就是这种渴望鼓舞克利斯多福·瑞爵士（英国著名建筑家）在石头上设计出诗篇；就是这种渴望使洛克菲勒聚集了耗之不尽的财富；也是这种渴望，使你们镇上的有钱人建造了超出实际所需的大房子；也是这种渴望，使你想要最新款式的衣装、最新年代的汽车，还有炫耀一下你聪明的孩子；也是这种渴望，驱使许多青年男女加入了不良帮派。曾担任过纽约市警察局长的莫洛尼指出，许多年轻罪犯十分自负，他们被捕后的最大愿望就是想在报上大出风头，和那些运动健将、影视明星或政治人物的照片同时出现在报端。至于以后的牢狱生涯如何，似乎与他们无关。

　　假使你告诉我，你是如何满足这种"具有重要性"的需要的，我就可以告诉你，你是怎样的一个人。因为那决定了你的人格，是对你最具有意义的事。举个例子来说，洛克菲勒让自己觉得"具有重要性"的方法，是捐钱在国外建立一所现代化医院，造福那些未曾谋面的穷苦人民。另一个人名叫狄令格，他让自己感到"具有重要性"的方法，是走上邪途，成为抢劫银行的匪徒和杀手。在美国联邦调查局追缉他的时候，他逃到密苏里州一处农舍，对着惊惶的农民说道："我是狄令格！"似乎对身为第一号社会公敌的身份感到自豪，"我不会伤害你们，但是，你们要知道我就是狄令格！"

　　是的，狄令格和洛克菲勒最大的不同之处，就是他们采用了不同方法，让自己感到"深具重要性"。

　　历史上的这类例子不胜枚举。就连乔治·华盛顿也喜欢人家称呼他"美国总统阁下"；哥伦布要求女王赐予"舰队总司令"的头衔；凯瑟琳女皇拒绝接受没有注明"女皇陛下"的信函；林肯夫人在白宫的时候，有一次对格兰特夫人咆哮道："没有我的邀请，你居然敢出现在我的面前！"1928 年，好几个百万富翁资助拜尔德将军到南极大陆探险，因为他们知道，那些封冻的山岭将会用他们的名字命名。作家雨果最热衷的莫过于希望有朝一日巴黎能改名为雨果市。甚至连著名的莎士比亚，也千方百计为自己的家族获得一枚象征荣誉的徽章。

也有人用病痛来求取别人的注意和同情，而让自己显得重要。我们以麦肯利夫人为例子，美国第 25 届总统威廉·麦肯利的夫人，常常要求丈夫不理国家大事，只留在房里陪她，抚慰她入睡。有一次因为修补牙齿，她坚持要丈夫留下来陪她。后来因为总统先生与国务卿海·约翰有约，不能留下，夫人还因此大闹了一场。

有些专家指出，人的精神异常，是想在幻觉中寻求肯定自己的重要性，这在残酷的现实生活中是得不到的。全美国因精神疾病导致的伤害，比其他疾病的总和还多。

精神失常的原因是什么？没有人能回答这个大问题。但是，我们知道有些疾病，比如梅毒，会损及脑细胞而造成精神异常。事实上，半数的精神疾病可归咎于生理因素，诸如脑部障碍、酒精、毒素和外伤等。

但一个令人惊骇的事实是，另一半精神异常的人，脑部器官完全正常。根据死后的验尸，如果把这些人的脑部组织放在显微镜下观察，这些组织绝对和你我的脑部组织一样健康。那么，这些人为什么会精神失常呢？

我向一家著名精神病医院的主治医师请教这一问题。他极受推崇，也极具权威性。但是他很坦然地告诉我，他不知道为什么人会精神变得异常，没有人能肯定地指出原因。但是这位医师指出，许多人由于不能在现实生活中获得"被肯定"的感觉，因而他们到另一种世界去寻求，这就是我们所说的精神失常。他还给我讲了一个例子：

我现在有个病人，她的婚姻极不美满。她渴望得到爱、性满足、孩子和社会地位。但现实生活摧毁了她所有的希望。她的丈夫并不爱她，甚至不愿同她一道用餐，却又要她把食物端到楼上房间让他享用。这位女士没有孩子，没有社会地位，于是她发疯了。在她想像的世界里，她与丈夫离了婚，恢复了本性。现在，她甚至想自己同一位英国贵族结了婚，所以要大家称她为史密斯夫人。

由于她渴望有孩子，所以每天晚上都想像自己有个小宝贝。每次我去看她时，她都说，"医师，我昨天生了个小宝贝。"

现实生活一度摧毁了她的梦幻之船，但在另一个充满阳光与神妙岛屿的世界里，她的梦幻之舟又再度扬帆，驶进快乐的港湾。

这是一出悲剧吗？我不知道。医师告诉我："如果我真能矫正她的病状，我也不会去做的。因为她现在快乐多了。"

查理·夏布是全美少数年收入超过百万美元的商人。1921 年，安德鲁·卡耐基慧眼独具，提名夏布为新成立的"美国钢铁公司"第一任总裁时，夏布才 38 岁（夏布后来离开了"美国钢铁公司"，接管当时陷入困境的"贝氏拉罕钢铁公司"，经过他的重新部署，果然使这家钢铁公司变为全美获利最大的公司之一）。

为什么安德鲁·卡耐基每年要花 100 万聘请夏布先生呢？这几乎等于每天支付 3000 多美元。难道夏布先生确实是个了不起的天才？还是夏布先生对钢铁生产比别人懂得多？都不是。夏布先生亲自告诉我，在他手下工作的许多人对钢铁制造其实都懂得比他多。

夏布说他之所以获得高薪，主要是因为他善于处理人事，管理人事。我问他如何做到这一点，他跟我讲了下面这段话——这段话应该铭刻到铜版上，悬挂在每个家庭、学校、商店和办公室里。只要我们还活着，这段话就会改变你我的生活面貌。

我想，我天生具有引发人们热情的能力。促使人将自身能力发展到极限的最好办法，这就是赞赏和鼓励。

来自长辈或上司的批评，最容易丧失一个人的志气。我从不批评他人，我相信奖励是使人工作的原动力。所以，我喜欢赞美而讨厌吹毛求疵。如果说我喜欢什么，那就是真诚、慷慨地赞美他人。

这就是夏布成功的秘诀。但是，一般人是怎么做的呢？正好相反，假如他们不喜欢一件事，必定对下属大吼大叫；如果喜欢，就默不吭声。就像俗语所说的："好事无人知，坏事传千里。"

"我广泛接触过世界各地不同层面的人。"夏布说道，"我发现，无论多么伟大或尊贵的人，他们和平常人一样，在受到认可的情况下，比在遭受指责的情形之下，更能奋发工作，效果也更好。"

这也是安德鲁·卡耐基先生杰出成功的主要原因。夏布指出，卡耐基常常公开称赞他人，私底下也是如此。卡耐基甚至在墓碑上也不会忘记恭维别人，他为自己所写的墓志铭是这样的："这里躺着一个人，他懂得如何迎奉比他聪明的人。"

真诚的赞赏是约翰·洛克菲勒成功管理人事的首要秘诀。举例来说，爱德华·贝德福特是洛克菲勒的合伙人之一，在南美的一次生意中，他使公司损失了100万美元。洛克菲勒当然可以指责贝德福特，但是他并没有这样做，他知道贝德福特已经尽力了——再说事情已经发生并且过去了。所以洛克菲勒另找其他的事称赞贝德福特，说他节省了60%的投资金额，"这太好了，"洛克菲勒赞美说，"我们并不能总是像巅峰时期那么好。"

我的剪报中有个小故事，虽然并不是真的，却跟真的一样，所以我还是予以公开。

有个农妇在劳累了一天之后，为干活的几个男人准备了一大堆干草当晚餐。愤怒的男人质问她是否发疯了，农妇答道："嘿，我怎么知道你们会在意呢？20年来，我一直煮饭给你们吃，你们从不吭声，也从没告诉我你们并不吃干草啊！"

几年前，有人对离家出走的妇女进行过研究。你知道这些妇女离家的主要原因是什么吗？——"没有人领情"。我相信，离家出走的男人也大概是相同的理由。虽然我们也常常心里感谢另一半所做的一切，却从来没有说出自己的感激之情。

有个朋友的妻子参加了一种自我训练与提高的课程，回家后，她要先生列出6种能让太太变得更加理想的事项。这位先生说道："这个要求真让我吃惊。坦白地说，要我举出6件事实在简单不过——天晓得，我太太可是能列出上千个希望我变得更好的事项——但是，我没有这么做，我告诉她：'让我想想看，明天早上再告诉你。'

"第二天早上，我起了个大早，打电话要花店送六朵红玫瑰给我太太，并且附上纸条写着：'我想不出有哪六件事希望你改变，我就喜欢你现在的样子。'

"傍晚回家的时候，你想谁会在门口等着我呢？对啦，我太太！她几乎含着眼泪等着我回家。没必要再说什么了，我很高兴没有照她的请求趁机批评一番。

"星期天她再次去上课的时候，她把事情经过向他人讲述出来，许多太太走过来告诉我：'这真是我听到过的最善解人意的事。'我也因此体会到赞赏的力量。"

佛罗伦兹·齐格飞是百老汇最有看头的歌舞剧家，具有一项"使美国女孩增添光彩"的超绝能力。好几次，他把原本没有人愿意多看一眼的平凡女孩，变成千娇百媚、风情万种的舞台明星，他深深知道赞美和信心的价值，常用殷勤、体贴的力量打动女士们的心，使她们相信自己确实美丽。他十分看重现实，把歌舞女郎的周薪由30元升到175元；他也很浪漫，首演之夜，必致电给主要明星，还送每个歌舞女郎一大束红蔷薇。

我一度屈从时尚，绝食了6天6夜。这当然不容易做到，不过，到了第6天晚上，已不像第二天晚上那么饥饿难熬了。你我都知道，如果让家人或雇员6天不进食，我们一定有犯罪感。但是，我们却常常对家人或雇员6天、6星期、甚至60年都从不表示赞赏，这份精神鼓舞不是同食物一样重要吗？

我们会照顾儿女、朋友、甚至雇员的身体，但是我们可曾照顾过他们的自尊？我们给他们牛肉、马铃薯，以使之补充体力，但是，却忽略了感谢他们的言语。这样的言语胜似晨星的美妙音乐，永远在他人的记忆深处歌唱。

在日常生活中，我们通常忽略的美德之一便是赞赏他人。有时候，儿女从学校带回一份好成绩单，我们忘了称赞他们；当孩子们第一次烤了一个蛋糕或做了一个鸟笼，我们也忘了鼓励他们。对孩子们来说，父母的注意和赞赏是最令他们高兴的。

下一次，你在餐馆里见到盘中漂亮的装饰，不妨告诉厨师他们做得多好；当疲惫的店员耐心地拿出货物给你看时，也别忘了称赞他们。

每位演讲者、公共发言人都知道，当他们倾其所有给听众，却得不到一丝赞赏时，他们的内心有多失望。同样的情形发生在办公室、店铺和工厂的员工，甚至我们的家人和朋友，他们也会有同样的感受，甚至加倍难受。别忘了一点，我们接触的是人，他们都渴望被人赞赏。给他人以欢乐，这是合情合理的一种美德。

在你每天的生活之旅中，别忘了为人间留下一点赞美的温馨，这一点小火花会燃起友谊的火焰。当你下次再度来访时，会惊奇地发现它会留下多么明显的痕迹。

伤害别人不仅不能改变他们，更不能鼓舞他们。下面是一则古老的格言，我剪下来贴在镜子上，每天都看它几回：

人的生命只有一次，所以，任何能贡献出来的好与善，我们都应现在就去做。不要迟缓，不要怠慢，因为你就活这么一次。

爱默生说过："我遇见的每一个人，或多或少是我的老师，因为我从他们身上学到了东西。"

如果这话对爱默生来讲都正确可行，那么对我们每个人则更是如此。让我们不要老是想着自己的成就、需要，而应尽量去发现别人的优点，然后不是逢迎，而是出自真诚地去赞赏他们。要"真诚、慷慨地赞美"，而人们也会把你的言语珍藏在记忆里，终生不忘。

因此，如果你想学会待人处世，那就记住第二大原则：

**真诚地赞赏他人。**

# 3

## 激发他人的强烈需求

---

**卡耐基金言**

◆ 天底下只有一种方法可以影响他人，就是提出他们的
  需要，并且让他们知道怎样去获得。

◆ 成功的人际关系在于你捕捉对方观点的能力；还有，
  看一件事须兼顾你和对方的不同角度。

◆ 能设身处地为他人着想，了解别人心里想些什么的
  人，永远不用担心未来。

---

夏天的时候，我常到缅因州一带去钓鱼。我很喜欢吃鲜奶油草
莓，但因为某种奇怪的理由，我发现鱼只爱吃虫，所以，当我钓鱼
的时候，我想的不是自己要吃什么，而是鱼儿要吃什么。我没有用
鲜奶油草莓当诱饵，而是用虫和蚱蜢，然后我便可以向鱼儿说：
"你们要不要尝尝看？"

想要他人为你做些什么，何不也用同样的办法呢？

第一次世界大战期间，英国首相劳埃德·乔治正是采用了这种
做法。有人问他，许多战时领袖——像威尔逊、奥兰多和克里蒙梭
——都逐渐在人们心中褪色，而他如何仍能位居要津？乔治回答，

如果一定要归诸一个原因的话，那就是，你要钓到什么样的鱼，就得用什么样的诱饵。

为什么要提到我们的需要？那是多么幼稚、荒唐。不错，你注意的当然是自身的需要，但除了你自己，可能再没有人感兴趣了。我们也正和你一样，只注意自己的需要！

所以，天底下只有一个方法可以影响人，就是提出他们的需要，并且让他们知道怎样去获得。

记住从明天起，要想让某人做某事——举个例来说，假如你不愿孩子抽烟，千万别唠唠叨叨说一番大道理。只要告诉他们，抽烟可能使他们进不了棒球队，或跑不赢百米赛。

这方法绝对值得你牢记心头，无论对方是小孩、小牛或大猩猩。

有一天，爱默生和儿子想把一头小牛弄进谷仓里。他们犯了"只想到自己的需要"的错误——爱默生用力推，儿子用力拉。但是，那头小牛也正好和他们一样，只想到自己所要的，所以两腿拒绝前进，坚持不肯离开牧草地。有个爱尔兰妇女见了，虽然她不会写什么散文集，却比爱默生更懂得"马性"或"牛性"。她把自己母性的指头放进小牛嘴里，一面让它吸吮，一面轻轻地把它推入谷仓里。

打从你生下来开始，你的一举一动都在表示你所要的东西。也许你会问，有次我捐了许多东西给红十字会，这总不会是在为自己着想吧？不错，这个行为仍不例外。你把东西捐给红十字会，是因为你想要帮助别人，想要完成一件美好、不自私、高尚的行为。

如果不是这种念头强过你需要金钱的念头，你就不会把东西捐献出去。当然，也很可能是因为你不好意思拒绝别人的要求。但是，可以很肯定地说，你的捐献行为一定是由于你想要什么。

哈利·欧佛瑞在极具启发性的《影响人类行为》一书中写道：

行为乃发自我们的基本欲望……不论在商场、家庭、学校或政治上。对那些自认为"说客"的人，有句话可以算是最好的建议：

要首先引起别人的渴望。凡是能这么做的人，他就能左右逢源，永不寂寞。"

安德鲁·卡耐基，那个常为贫穷所苦恼的苏格兰少年，最初的工作每小时只有两分钱，后来却捐出了3.65亿美元。他很早就懂得影响他人的唯一方法就是处处为人设想，看他们需要什么。卡耐基只上了4年学校，却深谙处世之道。

卡耐基有两个侄子在耶鲁大学读书，常常忙得忘了写信回家，完全不理会家人的担心。安德鲁·卡耐基为此打赌100元，说他可以要这两位侄子马上回信，虽然他在信里提也不提这一点。于是他写了一封闲话家常的信，末了还提到附上5元钞票一张，送给他们当礼物。

当然，他忘了把钞票放进信封里。

很快回信就来了，两个侄子感谢"亲爱的安德鲁伯伯"，然后——下面的情况不用讲，你们也都知道了。

另外还有个史坦·诺瓦克的例子。

诺瓦克先生住在俄亥俄州的克里夫兰，有天下班回家，看见最小的儿子吉姆躺在客厅地板上又哭又闹。原来吉姆第二天就要上幼儿园，而他说什么也不愿意去。诺瓦克本能的反应是把孩子赶到房里，警告他最好乖乖上学去，除此以外别无选择。但是，这晚他想到，这个方法并不是叫儿子喜欢上学的方法。他想："假如我是吉姆，什么东西会吸引我到学校去呢？"于是他和太太列出许多吉姆喜欢做的事，如画画、唱歌、结交新朋友等，然后付诸行动。"我们都到厨房的大桌子上画指画——我太太、另一个孩子鲍勃和我，大家画得兴高采烈。果然没多久，吉姆也来瞧热闹了，并且要求加入行列。'啊，不可以，你得先到幼儿园去学怎么画才行啊！'为了激起他更大的兴趣，我把刚才列在纸上的项目，逐一用他能够了解的话去打动他——当然最后告诉他，这些东西幼儿园里都有。第二天，我起了个大早，一下楼发现吉姆坐在客厅椅子上。'你在这里做什么？'我问。'我等着上学去啊！我不希望来不及。'全家人的努力，终于引起吉姆的渴望，这是威胁和争论所不能达到的。"

明天，你也许有机会要求某人做某事。记住，在你开口之前，先停下来问你自己："我怎样才能让这个人想去做这件事？"

这一问题会让我们不至于过分急躁，要不只会为了自己的需要而做徒劳无益的唠叨。

有次，我向纽约一家饭店租下大厅，准备作一个为期 20 天的季节性系列演讲。就在日期快到的时候，我突然接到通知，要我必须付比一般情况下多 3 倍的价钱。那时，我的票已印好送出，所有通知也都发出去了。我自然不愿多付增加的费用，但是，同饭店谈我的需要有什么用呢？他们只注意自己的需要。于是，一两天后，我直接去见经理。

"接到你们的来信，我感到十分震惊。"我说道，"但是，我并不责怪你们，换了你们的处境，说不定我也会这么做。你身为经理，当然得为饭店的利益着想，如果不这么做，上面一定会开除你的。现在，让我们拿张纸来，写下这件事对你们将产生的利与弊。"

我取过一张信笺，在上面从中画出两栏，一栏上面写"利"，另一栏上面写"弊"。我在"利"栏下面写上："大厅可做他用"，并且说明："你们的好处是大厅可以空下来，另外租给人跳舞或开会，这比只租给我们开演讲会的收入高些。假如我将大厅占用了 20 个晚上，这当然表示你们失去了可能会有的大生意。"

"现在，让我们看看弊的部分。首先，由于我付不起你们要求的租金，当然要另外择地举行。这就意味着你们将得不到我的这笔收入。第二点，这一系列的演讲，会吸引许多受过教育的文化人士来到饭店，这是极好的广告机会。实际上，假如你们在报上做广告，每次得花 5000 美元，而且不一定能吸引这么多人前来参观，这对饭店来说，不是很值得吗？"

我一面说，一面在"弊"栏写下刚才说的两点。我把那张纸递给经理，说道："希望你仔细考虑一下，并请尽快把最后的决定通知我。"

第二天，回信来了，告诉我租金只上涨50%，而不是原来的3倍了。我丝毫没有提到自己的需要便获得减价，我一直谈到的是对方的需要，并且告诉他们如何得到。

假如当时我像一般人的直接反应一样，怒气冲冲跑进办公室里咆哮："什么，你们把租金上涨了3倍，这是什么意思？你们知道我的票和通知都印好了，可现在一口气涨了3倍！太岂有此理了！太不讲道理了！我拒绝付钱！"

这样的结果会怎么样呢？当然是唇剑舌枪争闹一番——而且你也知道争闹的结果是什么。纵使我说服对方，使他相信他的观点是错的，但是自尊心也必然使他不愿意作出太大的让步。下面是亨利·福特对处理人际关系所提出的忠言：

成功的人际关系在于你能捕捉对方观点的能力；还有，看一件事须兼顾你和对方的不同角度。

这话真是金玉良言，我愿意再重述一遍："成功的人际关系在于你能捕捉对方观点的能力；还有，看一件事须兼顾你和对方的不同角度。"

这道理十分简单明了，每个人应该都能一眼看出此话不假。但是，这世界仍有90%的人在90%的时间里忽视其重要性。

现实中有没有这方面的例子？明天早上看看你接到的信件，便可以发现大部分人都不顾及这个重要原则。下面这封信是一家货运总站的管理人员写的，我们来看看这封信对收件人到底会产生一种什么样的影响。

敬启者：

敝公司的卸货总站，因许多货物皆于傍晚时分到达，致使效率减低。大量的货物同时到达，会造成某些货物不能按时运送。贵公司于11月10日送来510件货物，皆同时于下午4:20分抵达。

我们恳请贵公司合作，克服因大量货物迟运而造成的种种困难。我们请贵公司早点送货，或是让部分货车在上午抵达，以便我们能尽快处理。

　　这样的安排想必亦对贵公司有利。由于卸货迅速，贵公司的作业亦必能在同一天内完成，不至迟延。

你最忠诚的 JD 管理人

　　这封信的收件人，奇瑞格公司的业务经理爱德华·瓦米伦阅读此信后，告诉我他的看法。

　　这封信并没有达到它所想要的效果。信的开头叙述总站的难处，一般说来，很难引起我们的兴趣。它要求合作，却又没有考虑到我们的种种不便，一直到最后才提到可以加速卸货，我们的作业也可以在同一天内完成等等。

　　把他人关心的问题放到最后才提到，不但很难达到要求合作的效果，反而更容易导致他人的反感。

　　我们来看看可不可以把这封信重写一遍，以增强效果。我们不浪费笔墨，大谈自己的苦经，就依照亨利·福特所讲的："捕捉对方的观点，从双方不同角度去看一件事。"下面是这封信的另一种写法，虽不一定是最好，但可以看出已大有改进。

亲爱的瓦米伦先生：

14 年来，贵公司是我们的好主顾，我们十分感谢贵公司的惠顾，也愿意继续提供最迅速、最有效率的服务。

　　但是，贵公司在 11 月 10 日下午，由于大批运货同时于午后到达，致使我们不能做最有效率的服务。因为尚有其他公司的运货亦于此时送达。这样难免造成拥挤，货车得等候较长的时间才能卸货，致使有些货物不能按时运送，我们感到十分遗憾。我们希望尽量避免此种情形发生。如果可能的话，希望贵公司的货车能在上午抵达，这样便不会造成拥挤，货物能及时处理，我们的员工也可以准时下班，享受由贵公司出产的美味面条和通心粉。

　　当然，无论你们的货物何时到达，我们都会尽可能提供最迅速、最热诚的服务。

我们知道您很忙，请不用急着回这封信。

你最忠诚的 JD 管理人

许多推销人员，每天踏破铁鞋，疲惫沮丧，但所获并不多。为什么？因为他们心里想的都是自己的需要。他们不知道你我并不想买什么东西，如果想的话，也一定会自己出门。顾客总喜欢主动采买——而非被动购买。

但是仍然有许多销售人员，终其一生不知道怎样从顾客的角度去看事情。

几年前，我住在纽约一处名叫"森林山庄"的小社区内。一天，我匆匆忙忙跑到车站，碰巧遇见一位房地产经纪人。他经营附近一带的房地产生意已有多年，对森林山庄很熟悉。我问他知不知道我那栋灰泥墙的房子是钢筋还是空心砖，他回答说不知道，然后给了张名片要我打电话给他。第二天我接到这位房地产经纪人的来信。他在信中回答我的问题了吗？这问题只要一分钟便可以在电话里解决，可是他却没有。他仍然在信中要我打电话给他，并且说明他愿意帮我处理房屋保险事项。

他并不想帮我的忙，他心里想的是帮他自己的忙。

阿拉巴马州伯罕市的霍华·卢卡斯告诉我，有两位同在一家公司工作的推销员，是如何处理同样一件事务的。

好几年前，我和几个朋友共同经营了一家小公司。就在我们公司附近有家大保险公司的服务处。这家保险公司的经纪人都分配好了辖区，负责我们这一区的有两个人，姑且称他们卡尔和约翰吧！

有天早上，卡尔路经我们公司，提到他们公司专为公司主管人员新设立的一项人寿保险。他想我们或许会感兴趣，所以先告诉我们一声，等他搜集更多资料后再过来详细说明。

同一天，在休息时间用完咖啡后，约翰看见我们走在人行道上，便叫道："嗨，陆克，有条好消息告诉你们。"他跑过来，很兴奋地谈到公司新开办了一项专为主管人员设立的人寿保险（正是卡尔提到的那种）。他给了我一些重要资料，并且说，"这项保险是最新的，我要请总公司明天派人来详细说明。我们先在申请单上签名送上去，好让他们赶紧办理。"他的热心引起我们的兴趣。虽然都对这个新办法的详细情形还不甚明了，却不知不觉上了钩，反而因为木已成舟，而更相信约翰必定对这项保险有最基本的了解。约翰不仅把保险卖给我们，而且卖的项目还多了两倍。

这生意本是卡尔的，但他表现得还不足以引起我们的关注，以致被约翰捷足先登了。

这是个充满竞争、充满经营机遇与风险的世界，所以，少数表现得不自私、愿意帮助别人的人，便能得到极大益处，因为很少有人会在这方面跟他竞争。欧文·杨是个著名律师，也是美国有名的商业领袖。他说过："能设身处地为他人着想，了解别人心里想些什么的人，永远不用担心未来。"

因此，如果你想学会待人处世，请记住第三大原则：

**首先想到他人的需求。**

# Secrets to Be Happy and Ease

# 平安快乐的要诀

# 4

## 保持自我本色

北卡罗莱纳州的爱迪丝·阿尔雷德太太曾给过我一封信。她在信中写道：

我是一个极为敏感羞怯的女孩，我长得太胖，两颊丰满，这使我看起来更胖，我的母亲非常古板，她认为把衣服穿得太漂亮是一种愚蠢，而且衣服太合身容易撑破，不如做得宽大一点，她也让我如此打扮。我从不参加任何聚会，也没有什么值得开心的事。上学后，我也不参加同学们的任何活动，甚至运动项目也不加入。我害羞至极，总觉得自己跟别人"不一样"。

长大后，我嫁了一位比我大几岁的先生，但我还是没有任何改变。我丈夫的家是一个稳重而自信的家庭。我想要像他们那样，但就是做不到。我努力模仿他们，也总是不能如愿。他们几次尝试帮我突破自己，却总是适得其反，把我推到更坏的处境。我越来越紧张易怒，害怕见到任何朋友。一听到门铃声我都会惊慌！后来我是彻底地失败了。我对自己很清楚，只怕丈夫有一天会发现真相，所以每次在公共场合，我都尽量显得开心，甚至装得过了头。我知道自己表现过度，因为事情过后的几天里我会累得半死。最后，我实在怀疑自己是否还有继续生存的必要，于是我开始想到自杀。

那么是什么事改变了这位几乎自杀的妇人呢？只是一句偶然的话。爱迪丝太太继续写道：

改变我一生的只是偶然的一句话，有一天，我的婆婆和我谈到她是如何教育子女的，她说："不论遇到什么事，我都坚持让他们保持自我本色……""保持自我本色！"这几个字像一道灵光闪过脑际，我发现所有的不幸都起源于我把自己套入了一个不属于自己的模式中去了。

一夜之间我变了！我开始保持自我本色。我努力研究自己的个性，认清自己，并找出自己的优点。我学会怎样配色与选择衣服样式，以穿出自己的品味。我主动结交朋友。我加入一个团体——开始只是一个小团体——当他们请我主持某项活动时，我也很害怕。不过我每次上台，都得到了更多的勇气。这是一段相当漫长的过程——但现在我比过去快乐很多。当我教育我自己的儿女时，我一定把这些历经苦难才学到的教训告诉他们：不论发生什么事，永远保持自我本色。

保持自我本色这一问题，"与人类历史一样久远了。"詹姆士·戈登·基尔凯医生指出，"这是全人类的问题。"很多精神、神经及心理方面的问题，其隐藏的病因往往是他们不能保持自我。安吉罗·派屈写过 13 本书，发表了几千篇有关儿童训练的文章，他曾说过："一个人最糟的是不能成为自己，不能在身心中保持自我。"

可是这种模仿他人的现象在好莱坞就相当严重。好莱坞著名导演山姆·伍德曾说过，最令他头痛的事是帮助年轻演员克服这个问题：保持自我。他们每个人都想成为二流的拉娜·特勒斯或三流的克拉克·盖博，"观众已经尝过那种味道了，"山姆·伍德不停地告诫他们，"他们现在需要点新鲜的。"

山姆·伍德在导演《别了，希普斯先生》和《战地钟声》等名片前，好多年都在从事房地产，因此他培养了自己的一种销售员的个性。他认为，商界中的一些规则在电影界也完全适用。完全模仿别人绝对会一事无成。"经验告诉我，"山姆·伍德说，"尽量不用那些模仿他人的演员，这是最保险的。"

我也问过保罗·伯恩顿，一家石油公司的人事主任，求职者所犯的最大错误是什么。他面试过的人超过 6000 人，也写过一本《求职的六大技巧》，所以对这个问题他应该知道得很清楚。他回答说："求职者所犯的最大错误，就是不能保持自我。他们常常不能坦诚地回答问题，只想说出他认为你想听的答案。"可是那一点用也没有，因为没有人愿意听一种不真实的、虚伪的东西。

我知道有一位公共汽车驾驶员的女儿就是很辛苦才学到这个教训。她想当歌星，但不幸的是她长得不好看，嘴巴太大，还长着暴牙。她第一次在新泽西的一家夜总会里公开演唱时，直想用上唇遮住牙齿，她企图让自己看来显得高雅，结果却把自己弄得四不像，这样下去她就注定要失败了。

幸好当晚在座的一位男士认为她很有歌唱的天分，他很直率地对她说："我看了你的表演，看得出来你想掩饰什么，你觉得你的牙齿很难看？"那女孩听了觉得很难堪，不过那个人还是继续说下去，"暴牙又怎么样？那又不犯罪！不要试图去掩饰它，张开嘴就唱，你越不以为然，听众就会越爱你。再说，这些你现在引以为耻的暴牙，将来可能会带给你财富呢！"

凯丝·达莱接受了那人的建议，把暴牙的事抛诸脑后，从那以后，她只把注意力集中在观众身上，开怀尽情演唱，后来成为电影及电台中走红的顶尖歌星，现在，别的歌星倒想来模仿她了。

威廉·詹姆士曾说过："一般人的心智能力使用率不超过10%，大部分人不太了解自己还有些什么才能。与我们应该取得的成就相比，其实我们还有一半以上是未醒着。我们只运用了身心资源的一小部分。人往往都活在自己所设的限制中，我们拥有各式各样的资源，却常常不能成功地运用它们。"

既然你我都有这么多未加开发的潜能，又何必担心自己不像其他人。你在这世上是独一无二的。以前既没有像你一样的人，以后也不会有。遗传学告诉我们，你是由父亲和母亲各自的23条染色体组合而成，这46条染色体决定了你的遗传，每一条染色体中有数百个基因，任何单一基因都足以改变一个人的一生。事实上，人类生命的形成真是一种令人敬畏的奥妙。

即使你父母相遇相爱孕育了你，也只有300万亿分之一的机会有一个跟你完全一模一样的人，也就是说，即使你有300万亿个手足，他们也都跟你不同。这只是猜测吗？当然不是，这完全是科学的事实。如果你不相信，那就读读这方面的书。

我很有资格谈这个主题，因为我自己就有过深切的体会，而且是一次痛苦昂贵的经历。当我由密苏里州的玉米田来到纽约时，我报名美国戏剧学院。我向往成为一位演员。我当时有个自作聪明的主意，通往成功的捷径，这么简单易行的道理，真搞不懂别人怎么会想不到。这个主意是，好好研究当时的几位名演员，把他们的优点都集合起来变成我自己的。多蠢啊！害我花了好几年时间模仿别人后，才发现我学不了任何人，我只能成为我自己。

那样的惨痛经验总该让我一辈子不模仿别人了吧！但是，不，我实在太愚蠢了，我得再经历另外一次痛苦。几年后，我写一本有关公众演说的书。我又有了同样愚蠢的想法，就是借用其他书的一些主意，汇编成一本书，一本包罗万象的书。于是我弄来一批有关公众演说的书，花了一年的时间吸收他们的想法，变成我的文章。

最后，我再次发现自己又当了一次傻瓜。把别人的想法变成自己的文章，只会把文章弄得枯燥乏味，不会有人读的。于是我把这一年的工作成绩全丢进废纸篓里，从头再来。

做你自己！这也是美国作曲家欧文·柏林给后期的作曲家乔治·格希文的忠告。柏林与格希文第一次会面时，柏林已声誉卓著，格希文却只是个默默无闻的年轻作曲家。柏林很欣赏格希文的才华，以格希文所能赚的3倍薪水请他做音乐秘书。可是柏林也劝告格希文："不要接受这份工作，如果你接受了，最多只能成为个欧文·柏林第二。要是你能坚持下去，有一天，你会成为第一流的格希文。"

格希文接受了忠告，并渐渐成为当代极有贡献的美国作曲家。

像查理·卓别林这样的人，以及其他所有的人都曾经学到这个教训，而且多数人得先付出代价。

卓别林开始拍片时，导演要他模仿当时的著名影星，结果他一事无成，直到他开始成为他自己，才渐渐成功。鲍勃·霍伯也有类似的经验，他以前有许多年都在唱歌跳舞，直到他发挥自己的才能才真正走红。当玛丽·马克布莱德第一次上电台时，她试着模仿一位爱尔兰明星，但不成功。直到她以本来面目———一位由密苏里州来的乡村姑娘———才成为纽约市最红的播音明星。

吉瑞·奥特利一直想改掉自己的得州口音，打扮得也像个城市人，他还对外宣称自己是纽约人，结果只能招致别人背后的讪笑。后来他开始重拾三弦琴，演唱乡村歌曲，才奠定他在影片及广播最受欢迎的牛仔的地位。

你在这个世界上是一个崭新的自我，为此而高兴吧！善用你的天赋。归根究底，所有的艺术都是一种自我的体现。你只能唱你自己、画你自己。你的经验、环境和遗传造就了你。不管好坏，你只有好好经营自己的小花园，也不论好坏，你只有在生命的管弦乐中演奏好自己的一份乐器。

爱默生在他的短文《自我信赖》中说过：

一个人总有一天会明白，嫉妒是无用的，而模仿他人无异于自杀。因为不论好坏，人只有自己才能帮助自己，只有耕种自己的田地，才能收获自家的玉米。上天赋予你的能力是独一无二的，只有当你自己努力尝试和运用时，才知道这份能力到底是什么。

另一位诗人道格拉斯·马洛奇如是说：

如果你不能成为山巅上一棵挺拔的松树，

就做一棵山谷中的灌木吧！

但要做一棵溪边最好的灌木；

如果你不能成为一棵参天大树，

那就做一片灌木丛林吧！

如果你不能成为一丛灌木，

何妨就做一棵小草，给道路带来一点生气！

你如果做不了麋鹿，

就做一条小鱼也不错！

但要是湖中最活泼的一条！

我们不能都做船长，总得有人当船员，

不过每人都得各司其职。

不管是大事还是小事，

我们总得完成分内的工作。

做不了大路，何不做条羊肠小道，

不能成为太阳，又何妨当颗星星；

成败不在于大小——

只在于你是否已竭尽所能。

平安快乐的第一条原则：

**切勿模仿他人。发现自我，保持自我本色吧！**

# 5

## 改变不良的工作习惯

人并非生来就具有某些恶习和不良习惯，而是后天慢慢养成的。对于我们的生活和事业来讲，有些习惯虽然不好，但它们可能无碍大事，不会产生直接的冲突和严重危害；而有些则是我们获得幸福与成功的大敌。对于后者，我们应该努力改正，并坚决摒弃，否则，这些恶习会影响我们终生。

### 不良的工作习惯之一：办公桌上乱七八糟

芝加哥和西北铁路公司总裁罗兰·威廉斯说过："那些桌上老是堆满东西的人会发现：如果你把桌上清理干净，只保留与手头工作有关的东西，这样会使你的工作进行得更加顺利，而且不会出错。

我把这一点称为好管家，这也是迈向高效率的第一步。"

如果你到华盛顿的国会图书馆参观，就会看到天花板上有几个醒目的大字，那是诗人波普所写的。

秩序是天国的第一要律。

秩序也应是商界和生活的第一要律。但事实果真如此吗？只要我们稍加留心就会发现，很多人的桌上老是堆满了文件和资料，可有些东西一连几个星期也不曾看一眼。一位新奥尔良的报刊发行人告诉过我，他的秘书有一天为他清理办公桌的时候，终于找到了失踪两年的打字机。

当你的办公桌上乱七八糟、堆满了待复信件、报告和备忘录时，就会导致你慌乱、紧张、忧虑和烦恼。更为严重的是，一个时常担忧万事待办却无暇办理的人，不仅会感到紧张劳累，而且会引发高血压、心脏病和胃溃疡。

宾州大学药剂研究教授约翰·斯脱克博士在美国药剂协会宣读过一份报告《机能性神经衰弱所迸发的器官疾病——病人的心理状态需要什么？》，这份报告共列举了11种情形，其中第一项是："强迫性履行义务的感觉，没完没了的一大堆待办事项。"

但是，这种"没有止境，做不完又必须做"的感觉，又怎么可能凭借清理桌面这种如此简单的方法而加以避免呢？对"连续不断的待办事件"，真的必须处理完毕吗？著名的精神病医师威廉·萨德勒提起过这么一件事，他有一个病人，就是用了这个简单方法而免除了精神崩溃。

这位病人是芝加哥一家大公司的高级主管，第一次去见萨德勒的时候，整个人充满了紧张、焦虑和郁闷不乐。他工作繁忙，并且知道自己状态不佳，但他又不能停下来，他需要帮助。

"这位病人向我陈述病情的时候，电话铃响了，"萨德勒医师说道，"电话是医院打来的。我丝毫没有拖延，马上作出了决定。只要能够的话，我一向速战速决，马上解决问题。挂上电话不久，电话铃又响了，又是件急事，颇费了我一番唇舌去解释。接着，有位同事进来询问我有关一位重病患者的种种事项。等我说明完毕，我向这位病人道歉，让他久候。但是这位病人精神愉快，脸上流露出一种特殊的表情。

"别道歉，医师。"这位病人说道，"在这10分钟里，我似乎明白自己什么地方不对了。我得回去改变一下我的工作习惯……但是，在我临走之前，可不可以看看您的办公桌？"萨德勒医生拉开桌子的抽屉，除了一些文具外，没有其他东西。

"告诉我，你要处理的事项都放在什么地方？"病人问。

"都处理了。"萨德勒回答。

"那么，有待回复的信件呢？"

"都回复了。"萨德勒告诉他，"不积压信件是我的原则。我一收到信，便交代秘书处理。"

6个星期之后，这位公司主管邀请萨德勒到其办公室参观。令萨德勒吃惊的是，他也改变了——当然桌子也变了，他打开抽屉，里面没有任何待办文件。"6个星期以前，我有两间办公室，三张办公桌，"这位主管说道，"到处堆满了有待处理的东西。直到跟你谈过之后，我一回来就清除了一货车的报告和旧文件。现在，我只留下一张办公桌，文件一来便当即处理妥当，不会再有堆积如山的待办事件让我紧张忧烦。最奇怪的是，我已不药自愈，再不觉得身体有什么毛病啦！"

前联邦最高法院院长查理·伊文凡说："人不会因为过度劳累而死，却会因放荡和忧烦而去。"不错，放荡会消耗人的精力，而忧烦——因为这些人不曾把工作做完——确实为害最烈。

### 不良的工作习惯之二：做事不分轻重缓急

遍布全美的都市服务公司创始人亨利·杜赫提说过，人有两种能力是千金难求的无价之宝——一是思考能力，二是分清事情的轻重缓急，并妥当处理的能力。

白手起家的查理·鲁克曼经过12年的努力后，被提升为派索公司总裁一职，年薪 10 万，另有上百万其他收入。他把成功归功于杜赫提谈到的两种能力。鲁克曼说："就记忆所及，我每天早晨 5 点起床，因为这一时刻我的思考力最好。我计划当天要做的事，并按事情的轻重缓急做好安排。"

全美最成功的保险推销员之一弗兰克·贝特格，每天早晨还不到 5 点钟，便把当天要做的事安排好了——是在前一个晚上预备的——他定下每天要做的保险数额，如果没有完成，便加到第二天的数额，以后依此推算。

长期的经验告诉我，没有人能永远按照事情的轻重程度去做事。但我知道，按部就班地做事，总比想到什么就做什么要好得多。

假使萧伯纳没有为自己定下严格的规定，保持每天写出 5 页稿纸的文字，他可能永远只是个银行出纳员。他度过了 9 年心碎的日子，9 年总共才赚了 30 块钱稿费，平均每天才一分钱！由于他一直把写作当成最重要的事去做，终于成了世界著名的作家。就连漂流到荒岛上的鲁滨逊也不忘每天定下一个作息表呢！

### 不良的工作习惯之三：将问题搁置一旁，而不是马上解决或做出决定

赫威尔是我以前的学生，后来成为美国钢铁公司董事会的董事之一。他告诉我，董事会开会常常拖拖拉拉，许多问题被提出来讨论，却很少作什么决定，以致大家得把一大堆报告带回家研究。

后来，赫威尔说服董事长作出了一个规定：一次只提一个问题，直到解决为止，决不拖延。表决之前或许需要研究其他资料，但为了让问题真正得以解决，除非前一个问题得到处置，否则不讨论第二个问题。这种办法果然奏效：备忘录上的有待处理的事项解决了，行事表上也不再排满预定处理的进度。大家不必再抱一大堆资料回家，也不用被尚未解决的问题弄得惴惴不安。

这不仅是美国钢铁公司董事会的好方法，也是你我适用的有效原则。

### 不良的工作习惯之四：不会组织、授权与督导

在日常工作中，许多人常因不懂得授权他人，因而提早进入失败的坟墓。这些人事必躬亲，结果被那些烦琐细节所淹没，难怪他们常常感到匆忙、忧烦、急躁和紧张。我知道学会授权给别人是非常困难的，至少对我是这样。尽管如此，身为主管的人员还是得学习如何委派他人，否则永远免不了疲于奔命，因为你终究只是一个人！

一个大企业的高级主管，如果不懂得组织、授权与督导，通常在五六十岁即死于心脏疾病——这是长期紧张忧烦的结果。

所以，要使你不至于过度劳累与忧烦，那你就应该从现在开始养成良好的工作习惯：

- 把你的桌面清理干净，只保留与目前工作有关的物品；
- 按照事情的轻重程度去做；
- 当你碰上问题，要马上解决，或作个决定，不要搁置一旁；
- 学习如何组织、授权与督导。

不要忘记，快乐并非取决于你是什么人，或你拥有什么，它完全来自于你的思想。因此，每天早晨，先想想你应该感恩的事。你的未来大半由你今天的思想所决定。所以，让你的心中注满希望、自信、真爱与成功的想法。

如果你想获得平安快乐，请记住第二大原则：

**养成良好的工作习惯。**

# 6

## 学会放松，解除疲劳

有一个难以令人置信的事实：仅只劳心的工作，并不会让人感到疲倦。这听起来似乎令人不可思议，但在几年前，科学家们就想找出一个问题的答案——人类大脑在不降低工作效率的情形下究竟能支持多久？令人惊奇的是，这些科学家发现：血液通过活动的脑部时，一点都没有疲劳现象！如果你从正在劳动的工人血管中取出血液样本，你会发现里面充满了"疲劳毒素"，因而产生疲倦现象。但是，假如你从爱因斯坦身上取出一滴刚经过脑部的血液而加以观察，会发现里面根本没有任何"疲劳毒素"。

截至目前为止，我们知道，大脑可以"工作了 8~12 个小时后，情况仍然一样好。"大脑是全然不会累的……那么，人为什么会经常感到劳累，是什么让你觉得累呢？

精神病理学家宣称，大多数疲劳现象源于精神或情绪的状态。英国著名的精神病理学家哈德菲尔德在其《权力心理学》一书中写道："大部分疲劳的原因源于精神因素，真正因生理消耗而产生的疲劳是很少的。"美国著名的精神病理学家布利尔更加肯定地宣称："健康情况良好而常坐着工作的人，他们的疲劳百分之百是由于心理因素，或是我们所说的情绪因素。"

这些久坐的工作者的情绪因素是什么？喜悦？满足？当然不是！而是厌烦、不满，觉得自己无用、匆忙、焦虑、忧烦等。这些情绪因素会消耗掉这些长期坐着的工作人员的精力，使他们容易罹患感冒、精力衰退，每天带着头痛回家。不错，是我们的情绪在体内制造紧张而使我们觉得疲倦。

大都会生命保险公司在他们的宣传单上指出："辛勤工作很少会导致疲劳，尤其是那种经过休息或睡眠之后都不能解除的疲劳——忧虑、紧张、心乱才是导致疲劳的三大原因，而我们却常常以为是身体或精神的操劳引起的——记住，紧绷的肌肉本身就在工作。所以，放松自己吧！节省精力去做更重要的事。"

现在，请你暂时停下来，检视一下自己。当你读到这句话的时候，是不是正对着书本皱眉？你有没有觉得两眼间的肌肉紧缩起来？你是不是很轻松地坐在椅子上？还是绷紧双肩？你脸上的肌肉紧不紧张？除非你的全身像只旧布娃娃一样松弛，否则你现在就是正在制造精神紧张和肌肉紧张。你正在制造精神紧张和精神疲劳！

为什么你在从事脑力工作的时候，会制造出这些不必要的紧张呢？丹尼尔·乔塞林说道："我发现症结在哪里了——几乎是全世界的人都相信，工作认不认真，在于你是否有一种努力、辛劳的感觉，否则就不算做得好。"于是，当我们聚精会神的时候，总是皱着眉头，绷紧肩膀，我们要肌肉做出努力的动作，其实那与大脑的工作一点也没有关系。

一个令人吃惊的可悲事实是，无数不会浪费金钱的人，却在鲁鲁莽莽地虚掷浪费自己的精力。那么，什么才是解除精神疲劳的方法？放松！放松！再放松！要学习在工作的时候让自己放松！

学会放松，这是一件容易之事吗？其实容易。你可能要花一辈子时间改掉目前的习惯。这种努力是值得的，因为你的一生可能因此而发生很大的改变。威廉·詹姆士在一篇文章中说道："美式的生活让人过度紧张，快动作、高节奏、强烈极端的表达方式……这或多或少是些坏习惯。"

紧张是一种习惯，放松也是一种习惯。坏习惯可以改正，好习惯可以慢慢养成。那么，你怎么放松自己呢？是从大脑开始？还是从神经开始？都不是，你应该从肌肉开始放松。为了说得具体一点，我们假定由眼睛开始，先把这一段文字读完，然后向后靠，闭上眼睛静静地对你的眼睛说："放松，放松，不皱眉头，不皱眉头，放松，放松……"你不停地慢慢地重复约一分钟……

现在，你是不是发现两眼的肌肉开始听话了？是不是感到有只手将紧张挥之而去？不错，这一效果近乎神奇。但就在刚才经过的一分钟里，你已窥知了自我放松的秘诀与奥妙。这种方法同样可用于颚部、颈部、脸上的肌肉、双肩或整个身体。但是，最重要的器官还是在眼睛。芝加哥大学的艾德蒙·贾可布森博士说过，一旦你能放松眼部肌肉，就能忘掉一切忧烦！其理由是，眼睛消耗的能量为全身神经消耗能量的 1/4。许多视力颇佳的人常因"眼睛疲劳"而导致视力减退，因为他们增加了眼睛的紧张。

著名小说家薇姬·鲍姆说，小时候，她摔跤伤了膝部和腕部，有个老人把她扶起，这老人当过马戏班的小丑，一面帮她掸掉身上的灰土，一面说："你之所以会受伤，是因为你不懂得怎样放松自己，你要把自己当成一只旧袜子一样松弛。过来，我教你怎么做。"

老人教薇姬和其他小孩子怎么跌倒，怎么前后翻滚。他不停地叮咛："把自己想像成一只松垮垮的旧袜子，你就会松弛下来！"

其实，你可以随时随地放松自己，只是不要去费力要求自己放松下来。放松就是释放所有的紧张和努力。要想轻松自在，先得由放松自己的两眼和脸部开始，口里不断重复："放松……放松……松弛下来……"你可以感到一种活力从脸上肌肉逸出，进入身体内部。你远离压力，好像婴孩般自由自在。

这就是女高音歌唱家嘉丽·克西的经验。海伦·杰普森告诉我，有演唱会之前，见到嘉丽·克西坐在椅子上，全身肌肉放松，下颚整个松弛地往下垂。这是个绝佳的好习惯，可以让她在出场前轻松下来，而不会容易疲累。下面4个建议可以帮助你学会放松自己：

1.随时保持轻松，让身体像只旧袜子一样松弛。我在办公桌上就放着一只褐色的袜子，好随时提醒自己。如果找不到袜子，猫也可以。你见过睡在阳光底下的猫吗？它全身软绵绵的，就像泡湿的报纸。懂得一点瑜珈术的人也说过，要想精通"松弛术"，就要学学懒猫。我从未见过疲倦的猫，或精神崩溃，因无法入眠、忧虑、胃溃疡而大受折磨的猫。

2.尽量在舒适的情况下工作。记住，身体的紧张会导致肩痛和精神疲劳。

3.每天自省四五次。并且自问："我做事有没有讲求效率？有没有让肌肉做不必要的操劳？"这样会使你养成一种自我放松的习惯。

4.每天晚上再做一次总的反省。想想看："我感觉有多累？如果我觉得累，那不是因为劳心的缘故，而是我工作的方法不对？"丹尼尔·乔塞林说过："我不以自己疲累的程度去衡量工作绩效，而用不累的程度去衡量。"他说，"一到晚上觉得特别累或容易发脾气，我就知道当天工作的质量不佳。"如果全世界的商人都懂得这个道理，那么，因过度紧张所引起的高血压死亡率就会在一夜之间下降，我们的精神病院和疗养院也不会人满为患了。

因此，平安快乐的第三大原则是：

**放松自己，消除疲劳。**

# 7

## 倦怠导致身体的疲劳

**卡耐基金言**

◆ 我们的疲劳往往不是由工作引起，而是由于忧烦、挫
折和不满等。

◆ 每天时时跟自己交谈，可以引导自己思考什么是勇气
和幸福，什么是平安和力量；每天跟自己谈些需要感
谢的事，这样，你的心灵就会海阔天空，快乐欢畅。

　　引起疲劳的主要原因之一是倦怠感。下面让我们看看爱丽丝的
例子。

　　爱丽丝是个公司职员，一天，她回家时显得精疲力竭、疲惫不
堪。她真的是疲惫不堪——头痛、背痛、不想吃饭，只想上床睡
觉。经不住母亲一再要求，爱丽丝才坐到餐桌旁……突然，电话铃
响了，是男朋友邀她去跳舞！这时爱丽丝的眼睛顿时亮了起来，整
个人变得神采飞扬。她冲上楼，换好衣服出门，一直到凌晨3点才
回家，她看起来一点也不显得疲倦，而且因兴奋过度而无法入睡。

　　爱丽丝瞬间的两种截然不同的表现足以说明了某种问题。就在
8个小时以内，爱丽丝是不是真像她所显现的那么疲倦不堪呢？当

然是的，因为她对工作感到厌倦，抑或对生命也感到厌倦。在我们这个世界上，也许有成千上万个爱丽丝，你或许就是其中之一。情绪上的态度比生理上的操劳更易使人产生疲倦。几年前，乔瑟夫·巴马克博士在《心理学档案》发表了一篇实验报告，阐述了倦怠感是如何导致疲劳的。巴马克博士要几个学生通过一系列枯燥无味的试验，结果学生们都感到不耐烦想瞌睡，并且抱怨头痛、眼睛疲劳、坐立不安，有些人甚至觉得胃不舒服。难道这些都是"想像"出来的？当然不是。这些学生还做了新陈代谢的检测，检测结果表明：当人们感到厌倦的时候，身体血压和氧的消耗量显著降低。而当工作较为没趣和富有吸引力时，代谢现象加速。

对此现象我也有过亲身经验，最近我到加拿大落基山上的路易丝湖畔度假，连续几天到珊瑚湾钓鱼，一路上穿过高于头顶的灌木丛，跨过倒在地上的横木——总共 8 小时的颠簸困行，我一点也不觉得疲累。为什么呢？因为我太兴奋了，总是预想自己即将获得的战果——6 条剽悍的大鳟鱼！假使我对钓鱼不感兴趣，你想我会感觉如何呢？在海拔 7000 英尺高的原始地方，一定把我累坏了。

但是，厌倦感比艰辛的登山活动更容易让你疲劳。有一位储蓄银行的总裁金曼先生告诉我一件事。

1953 年 7 月，加拿大政府要求加拿大登山俱乐部提供指导人员，训练威尔斯亲王森林警备队的队员，金曼先生正是指导员之一。他和其余被选中的指导员——年龄在 42～59 岁之间——带领那群年轻队员踏上征途。他们越过冰河，走过雪地，用绳子登上40 米高的险峻峭壁。他们共攀越了迈克峰、副总统峰，还有加拿大落基山脉小呦喝山谷一带几个不知名的山峰。经过 15 个小时的登山活动，这群年轻力壮的队员个个精疲力竭。

这些人的疲劳现象是否因为肌肉过度劳累？难道突击队员训练没有把他们的肌肉训练得结实一点？当然不是，他们之所以精疲力竭，是因为他们不喜欢爬山，以致好几个队员连东西都不吃就睡着了。倒是那些年龄大上二三倍的指导员还不致如此，那他们累吗？

当然，可是他们并没有精疲力竭。他们吃过晚饭，谈了好几个小时有关白天的经历。他们没有精疲力竭，因为他们喜欢爬山。

哥伦比亚的爱德华·桑戴克博士主持了一项有关疲劳的实验。他持续不断安排一些令人感兴趣的事务，让一群年轻人保持近一星期不睡觉，他最后在报告中得出的结论是："厌倦是唯一降低工作能力的原因。"

如果你从事的是脑力工作，使你疲劳的并不是因为已经完成的工作量，反而可能是你没有做的工作量。举例来说，上星期的某一天，你的工作老是被打断，久候的信件没有回音，约会取消了，一件件的麻烦事……那天，每样事都不对劲，你好像什么事也没有完成。因此，回家的时候你精疲力竭，头痛欲裂。

第二天，办公室里诸事顺利，你比前一天完成了好几倍的工作。但是，回家的时候你仍然精力充沛，兴致高昂。你一定有过这种经验，我也是。因此，我们可以得出一个结论：我们的疲劳往往不是由工作而起，而是由于忧烦、挫折和不满等。

当我写这段文字的时候，我刚看了一部重映的音乐喜剧电影《演戏船》。安迪是那艘名叫"棉花号"演戏船的船长。他在颇有哲学味道的插曲中说道："能够做自己做的事，这种人是幸运的。"因为这些人有更多的活力，更多的幸福，而又没有忧虑和疲劳。有兴趣就有活力，和唠叨的妻子或丈夫同行一小段路，要比和知心好友同行 10 英里路还累呢！以下我们再看一个例子。

有位女速记员在俄克拉何马州吐尔萨市的一家石油公司工作。她每月总有好几天要处理一些枯燥无味的东西，如填写租约表格、整理统计资料等，这些工作实在太无聊，她不得不变通方式地工作，以使之有趣一些。她每天跟自己比赛，先计算早上填写多少表格，下午再尽力超过这一数目，然后计算每天的工作量，第二天再想办法做得更好。结果呢？她比别的速记员都做得快。她因此得到了什么呢？称赞？不是。感谢？不是。升迁？不是。加薪？也不是。但这种方式的确帮她不致因对工作厌烦而产生疲劳，也的确对她产生了鼓舞作用。因为她毕竟尽力使一件原本枯燥无味的工作变得有趣，而自身也充满活力，对工作更有兴趣，能在一段自在的时刻里得到快乐与享受。

下面是另一位女速记员的故事。她是伊利诺州艾姆赫斯的维莉·戈登小姐，她写了这么一封信给我：

"我的办公室里有4位速记员，每个人都被分派处理某些特定信件。有时候，我们会被那堆信件搞得头昏脑涨。一天，某部门的助理坚持要我把一封长信重新打出来，我不愿意。我告诉他，信根本不用重打，只要把错别字改正过来就可以。他却说，如果我不做，他照样可以找到人去做！我真气坏了，但不得不重新打字，因为我想到是有一个人会趁机取代这个工作，而且公司是付了钱要我工作的。于是我觉得好过些，只好假装自己喜欢这个工作——虽然我假装喜欢自己的工作，那么，我真的就多少有点喜欢它了。我也发现，一旦我喜欢自己的工作，就能做得更有效率。所以现在我很少需要加班。这种新的工作态度，使大家认为我是个好职员。后来，某部门主管需要一名私人秘书，就选上了我——因为他说，我总是高高兴兴地去做额外的工作！这种心态的改变所产生的力量，实在是我最重要的大发现，也的的确确奇妙无比！"

戈登小姐正是利用了汉斯·瓦辛格教授的"假装"哲学。他教我们"假装"自己感到快乐——诸如此类的方法。如果你"假装"对工作感兴趣，这种态度往往会使你的兴趣弄假成真。这种态度还能减少疲劳、紧张和忧虑。

几年前，哈伦·霍华作出了一个改变终身的决定。这也是把枯燥的工作变得有趣的例子。

有一年轻人名叫山姆，他在一家工厂专做卸螺丝钉的工作。他觉得很乏味，本想停止不做，又怕找不到别的工作，只好想办法让自己对工作感兴趣。他和旁边操纵机器的工人比赛速度。有个工人负责磨平螺丝钉头，另一个负责修平螺丝钉的直径大小，他们比赛看谁完成的螺丝钉多。有个监工对山姆快速的工作留下了印象，没多久便提升他到另一部门，而且这只是一连串升迁的开始。30年后，山姆，应该称萨缪尔·佛克兰先生，成了波文机器制造厂的厂长。假如当初他没有改变工作方式，也许仍然只是个机械工。

著名的广播新闻分析家卡腾本告诉我，当年他22岁时，在横渡大西洋的运牛船上工作，负责给牛喂饲料和水。他先在英国完成了一趟自行车长途旅行，后来抵达巴黎，在饥饿而又身无分文的情况下，他把照相机典当了5法郎，在巴黎的《纽约前锋报》上刊登了一则求职广告，后来，他得到了一份销售立体幻灯机的工作。我还记得那些老式的立体镜，可以用来同时看两张一模一样的图片。由于立体镜的两个镜片把两张图片同时反照在另一镜片上，两张图片就造成一种立体效果。如果我们从远处看，立体的透视效果更是让人叹为观止。

卡腾本就在巴黎挨家挨户推销这种立体幻灯机。他不会讲法文，却在第一年就赚了5000法郎的佣金，成为当年法国年薪最高的推销员之一。卡腾本说，这一年的经验对他本身很有帮助，可与在哈佛就读一年的收获相比。他告诉我，经过这次锻炼，他甚至可以把国会记录推销给法国主妇呢！

这次经验使他对法式生活有了直接和详细的了解，对以后在广播中分析欧洲事件有着重大的帮助。

他为什么可以不懂法语而成为专业的销售员呢？他的做法是：先要雇主把与推销产品有关的法语写下来，然后牢牢记住，等他挨家挨户按门铃的时候，总会有家庭主妇出来应门，他便把背下来的台词重复一遍，腔调当然滑稽可笑。每当他拿出图片来示范，主妇不免会问些问题，他就耸耸肩说："一个美国人……一个美国人……"然后取下帽子，指着贴在上面的法文推销词。法国主妇觉得好笑，他也跟着笑……并且拿出更多的图片出来示范。卡腾本把这些事告诉我的时候，承认这个工作行之不易。他说，支撑他突破重重困难坚持下去的因素只有一个：他决意要使工作变得饶有兴味。每天早上出发前，他对着镜子说："卡腾本，如果你要吃饭的话就得做这个工作。既然你一定要做，何不做得高兴一点呢？每次按门铃的时候，何不假装自己是个演员，而有个人正看着你表演？总而言之，你所做的就像在舞台上表演一样有趣，所以，为什么不在这上面投之以兴趣和热诚？"卡腾本说，这些鼓舞信心的话很有作用，使他原本讨厌的工作变成了有趣的探险，而且获益不小。

　　我问卡腾本先生，是否有什么话要对渴望成功的青年人说说。他回答道："是的，就是每天早上不妨和自己说说话。我们常常说身体的运动很重要，以至还没睡醒就起床到处走动。但是，我们更需要的是精神、心智上的运动，以便促使我们付诸行动。所以，每天不妨给自己说些鼓舞信心的话。"

　　这话听起来可笑、肤浅，或是孩子气吗？一点也不。相反的，这在心理学上是绝对正确的。18世纪以前，马库斯·阿勒留在《沉思录》中有这么一句话："生命是由思想组成的。"这句话在今天也仍然正确无疑。

　　每天时时跟自己交谈，可以引导自己思考什么是勇气和幸福，什么是平安和力量；每天跟自己谈些需要感谢的事，这样，你的心灵就会海阔天空，快乐欢畅。

　　想些该想的事，会使你的工作变得并不那么可厌。上司喜欢下属对工作充满兴趣，那样才会为他赚更多的钱。但是，我们不用管上司要什么，我们只想想对工作感兴趣能为我们带来什么就可以了。记住，你有一半清醒的时间花在工作上，如果你不能从工作中得到快乐，可能也很难从别处得到。时时提醒自己，对工作保持兴趣，这不但可以免除忧虑，从长远处看，还可能使你得到升迁加薪的机会。纵使不能，它还是可以减低疲劳，并且帮助你欢享安闲自在的时光。

　　因此，平安快乐的第四大原则是：

**不要对事情感到倦怠，而应使之充满乐趣。**

# 8

## 活在今天的方格中

---

**卡耐基金言**

◆ 你所认为的，并非真正的你；反倒是你怎么想，你就
是什么样的人。

◆ 行动似乎跟着感觉走，其实行动与感觉是并行的，如
果意志控制行动，也就能间接控制感觉。

◆ 只要将一个人内心的态度由恐惧转为奋斗，就能克服
任何障碍。

---

几年前，我在电台接受访问时回答了一个问题："你一生中最
大的教训是什么？"

这很容易回答：至今我所得到的最大教训是——人的思想的重
要性。如果我了解你的思想，我当然就了解你这个人。我们的思想
造就我们这个人。我们的态度决定我们的命运。爱默生说："人是
思想的产物"……人也不可能变成别的，不是吗？

我现在彻底相信，我们所需要面对的最大问题，事实上几乎也
是我们所需面对的唯一问题就是——选择正确的思想。如果我们能
做到，就已经步上解决问题的捷径。马卡斯·奥理欧斯不但是统治

罗马的皇帝，同时也是一位伟大的哲学家，他只用了一句话作总结
——这也是决定人类命运的一句话："思想决定一生。"

如果思想是快乐的，我们当然就是快乐的。如果脑子里想得凄惨，我们就会凄惨。有恐惧的想法，就会心生恐惧。病态的思想真的会令人生病。如果想到的是失败，我们就注定要失败。想着自怜，人人都避之唯恐不及。诺曼·文森特·皮尔说："你所认为的，并非真正的你；反倒是你怎么想，你就是什么样的人。"

你认为我宣扬的是天真的乐观主义吗？不，人生还不至于那么单纯。我倒是真的想提倡以积极的态度代替消极的态度。换句话说，我们应该关心自己的问题，而非担忧。这二者之间有什么差别呢？每次我在纽约拥挤的街道上跟人摩肩接踵时，我都很注意，但并不担忧。关注意味着要认清问题，并冷静地采取步骤处理它，忧虑只是慌乱地兜圈子。

一个人可以极关切一个严重的问题，但仍昂首阔步，正常度日。罗威尔·托马斯就是这样。我有幸认识他并推荐过他的影片。他与助手们起码到过六处战场拍摄纪录片。最精彩的是，他拍劳伦斯与阿拉伯军队的纪录片，以及艾伦比征服圣地的影片。以"巴勒斯坦的艾伦比与阿拉伯的劳伦斯"为题的演讲，在伦敦及世界各地都造成了轰动。伦敦的歌剧节为了他后延了6周，好让他继续在皇家歌剧院娓娓叙述他那惊心动魄的故事并展示影片。造成伦敦的轰动之后，在世界各国掀起了一阵旋风。后来，他又花了两年时间拍摄印度与阿富汗生活的纪录片。不幸的事却接踵而至，最不可能的事也发生了，他在伦敦宣告破产。当时我跟他在一起。我记得我们只能在一起吃顿便宜的晚餐。如果不是托马斯去向一位艺术家朋友借了点钱，我们连那一顿也吃不起。

这个故事要说的是，罗威尔·托马斯在巨大的债务与挫折下，也只是关切自己的问题，而并非真正忧虑。他知道如果自己被击倒，他将对任何人都一文不值，包括他的债权人在内。每天早晨出门前，他一定买一朵花插在扣洞内，在牛津街上抬头挺胸，他拥有

积极的心态，有勇气，拒绝被挫折打倒。对他来说，挫折是人生的一部分——如果你要达到成功的巅峰，这是一种有意义的磨炼。

心理状况对我们的生理能力有着不可思议的影响力。著名的英国心理学家哈德菲尔德在他的书中提到："我请来三个人，请他们测试心理对生理的影响，我们用测力计来测量。"他请他们全力握住测力计，并给他们三种不同的状况。

在正常的清醒状况下，他们的平均抓力为101磅。

当他们被催眠，并告诉他们都很衰弱时，就只有29磅的抓力——只有正常体力的1/3（3人中有一个是拳击冠军，被催眠时告知他很衰弱后，觉得自己的手臂很瘦小，像婴儿的一样）。

第三次测试时，告诉他们，他们在催眠中都非常强壮，平均抓力可达142磅。当他们心中充满积极有力的思想时，每人平均都提升了将近50%的体力。

这正是心理态度不可忽略的力量。

为了说明思想的力量，让我告诉你一个惊人的故事，我可以为这故事写一本书，不过我只在此简述一下。

一个十月的夜晚，内战刚结束不久，一个无家可归的女人格洛佛太太在街上茫然游荡，她晃到一位退休船长的太太——韦伯斯特太太家门口，敲门。

门开处，韦太太看到一个可怜的瘦小女人，体重不会超过100磅，一身皮包骨。陌生女人解释说，她正在找个落脚处歇下来，思考并解决日夜困扰她的问题。

韦伯斯特太太说道："那就在这里留一宿吧！这座大房子里只有我一个人。"

后来，韦太太的女婿刚好从纽约来此地度假，发现了格洛佛太太住在家里，当即咆哮说："我可不要一个无赖住在家里！"他把这无家可归的女人赶出门去了。她在雨里呆站了几分钟，只好在街上找个遮蔽处。

这个故事的惊人之处是，被韦太太女婿比尔·艾利斯赶出去的这个"无赖"，后来竟成为世界上极具思想影响力的一位女性：玛丽·贝克·艾迪，后来有几百万信徒——因为她正是基督科学教派的创始人。

不过，当时生命对她而言只是一连串的病痛、愁苦与悲伤。第一任丈夫在婚后不久即去世了。她又遭第二任丈夫遗弃，不过这第二任丈夫爱上了有夫之妇后，最后死于贫民窟。她只有一个儿子，可是因为贫病交加，不得不在他4岁时，把他送给别人抚养，她失去了与她儿子的一切联系，31年来未曾再见过他。

因为自己健康情形太差，几年来她一直对自己声称的"心灵治疗科学"极感兴趣。不过，真正戏剧性的转折是发生在麻省的那一个寒夜里，她一个人在街上踟蹰，却在结冰的人行道上滑倒，摔得人事不知。她的脊椎受到重伤，引起全身痉挛。连医生都宣告她快死亡，即使发生奇迹，她活了下来也将终生瘫痪。

几乎是躺在床上等死的玛丽，打开她的《圣经》，她认为是受到圣灵的引导，使她看到了《马太福音》的一段话："于是，他们带了一位不能行走的人，躺在床上来到耶稣跟前……耶稣对他说：'孩子，平安吧！我已赦免你的罪……站起来——拿着你的床，回家去吧！'于是那人就起身回去了。"

后来她宣称，耶稣的话在她内心产生了一股力量，那是一种真正的信念，一种治愈的力量，使她"立即可以下床走路"。

玛丽说道："那次的经历，引导我发现如何治疗我自己还有别人的方法……我有科学上的把握，认为这都是人内心的力量，是一种心理现象。"

就这样玛丽创始了一种新宗教：基督科学——一位女性创立的伟大宗教信仰——现在已流行于全世界。

你现在一定在想："这个卡耐基已经皈依基督学教了。"不，你搞错了，我不是基督科学派的教友。只不过，我年事愈长，愈深信思想的巨大力量。许多年教授成人的经验里，我知道人真的可以改变想法，来克服忧虑、恐惧甚至各种病痛，并改变自己的人生。我知道！我确信！我看过这种改变不下数百次，我看过这么多次，我一点都不再怀疑了。

举个例子来说，因为思想的力量而改变的奇妙事件，就发生在我的一位学员身上。他精神崩溃过，原因是因为忧虑。这位学员告诉我：

我担心每一件事，我担心自己太瘦，担心自己掉头发，担心永远没钱成家，我想我当不了一位好父亲，我怕失去我想娶的女友，我担心过得不够好，我担心别人对我的印象。我忧虑，因为怕自己得了胃溃疡，不能再工作，不得不辞职。我在自己内心不断施加压力，像个没有安全阀的压力锅。压力大到无法承受时，只有爆发了，如果你精神崩溃过……希望你永远没有过，没有任何生理上的病痛可以与心理痛苦相提并论。

我的情况极为严重，甚至没办法与家人谈话。我无法控制自己的思绪。我内心充满恐惧，一点点小声音都令我惊跳起来。我逃避所有的人。无缘无故的，我就可以号啕痛哭一场。

每一天都是煎熬，我觉得所有的人都遗弃我——甚至包括上帝。我很想投河了此余生。

后来我决定到佛罗里达州去，我希望换个环境也许会对我有所帮助。当我上了火车，我父亲交给我一封信，告诉我到了那里才能打开来看。我到达佛州时正是观光热季。反正订不到旅馆房间，我就租了个车房，我到迈阿密去找工作，不过没找到。于是我就成天在海滩上消磨时间，实在比在家里的情景还惨。我打开信封看看爸爸说些什么。纸条上写着："孩子，你已离家1500英里，不过并没有什么改变，对吗？我知道，因为你把你的烦恼带去了，那烦恼就是你自己。你的身心都健全，打败你的不是你所遭遇的各种状况，而是你对这些状况的想法。一个人的想法决定他是个什么样的人。当你想通了这一点，我儿，就回家来吧！因为你必已痊愈。"

爸爸这封信把我搞火了，我希望得到的是同情，不是任何指示。我气得当下就决定绝不再回家。当晚我在迈阿密街头晃荡时，经过一座教堂，里面正在作弥撒。反正无处可去，我就进去了，正听到有人念道："战胜自己的心灵比攻占一个城市还要伟大。"我坐在天主的圣殿里，听着跟我父亲信上所写的同样的道理——这些力量终于扫除了我心中的一些困扰。这一生我第一次神清气明。我发现自己愚不可及，认清自己，使我吃了一惊，原来我一直想改变整个世界及其中的每一个人，其实唯一需要改变的只是我的想法罢了。

　　第二天一早，我就收拾行李，打道回府了。一周后，我回到了工作岗位。4个月后，我娶了那位我一直担心失去的女友。现在我们是有5个孩子的快乐家庭。在物质与精神方面，我都受到眷顾。精神状态不佳的那段时间，我担任晚班工头，带领只有18个人的小部门。现在，我在卡通公司任主管，辖有450多位员工。人生越来越富足。我知道自己更能掌握人生的真谛。即使有时会有一些不安的情绪（像每个人一样），我会告诉自己又该调适自己了，于是又能平安无事。

　　我得承认自己很庆幸有过崩溃的经历，因为那次的痛苦使我发现思想的力量比身心的力量巨大得多。现在我有办法运用思想的力量，而不是受它所害。我现在知道我父亲是正确的，因为他说过使我受苦的并非情况本身，而是我对情况的想法。一旦我真正体会到这一点，我就治愈了，而且永不再犯。

　　以上是这位学员的故事。我现在深深相信，我们由人生体会到的心灵的平安与喜乐，不是因为我们身处何处，或在做什么，或我们是谁，完全只是由我们的心理态度所决定的。外在的环境影响实在非常有限。让我们以老约翰·布朗为例，他曾强占了美国一个军工厂，并企图鼓动奴隶叛乱，而被判绞刑，他坐在自己的棺木上被送往刑场，在他旁边的警长很紧张，布朗却极为平静，看着弗吉尼亚州崇山峻岭衬着蓝天，他说："多么壮丽的国家，我从来没有真正看清楚过。"

　　或者以史考特为例——他是第一位抵达南极的英国人，他们的回程几乎是人类所经历的最严酷的考验。他们途中断了粮，也缺少燃料。他们寸步难行，因为吹过极地的狂风已肆虐了 11 个昼夜——这风威力强大到可以切断南极冰崖。史考特一队人知道自己活不下去，他们原先准备了一些鸦片以应付这种情势。因为一剂鸦片可以叫大家躺下，进入梦乡，不再苏醒。可是他们没有这么做，反而是在欢唱中去世。我们之所以知道，是因为 8 个月后，一个搜索队找到了他们，并从冰冻的遗体上发现了一封告别书，而告别书上是这么写的。

如果我们拥有勇气和平静的思想，我们就能坐在自己的棺木上犹能欣赏风景，在饥寒交迫时犹能欢唱。

失明了的弥尔顿在 300 年前就发现了同样的真理：

心灵，是它自己的殿堂，

它可成为地狱中的天堂，

也可成为天堂中的地狱。

拿破仑与海伦·凯勒都是弥尔顿的最佳诠释者。集荣耀、权力、富贵于一身的拿破仑说道：

在我的生命中，找不到 6 天快乐的日子。

反观既聋且哑又盲的海伦·凯勒却曾在她的书中写道：

我发现人生是如此美妙！

活了半百，如果我真的学到了什么，那就是："除了你自己，没有别人能带给你平安。"

我只是重复爱默生短文《自我依赖》的精彩结尾：

一次政治性的胜利，地产收益提高了，你病体康复，久未晤面的朋友出现了，或任何其他外来的事物，使你士气高昂，你以为好日子就在前面。切勿轻信，世事并非如此，除了你自己，没有别人能带给你平安。

斯多喀学派宗师爱比克泰德曾经警告我们，祛除不当的心思，比割除身上的毒瘤还更重要。

爱比克泰德说这话是 19 世纪前，不过现代医学还是支持他的说法。罗宾森医生宣称5位住进霍普金医院的病人中就有4位受到情绪及压力的困扰，对器官失调之类的病更是正确。"归根究底，其实都归咎于对生活的调适不当。"他说。

伟大的法国哲学家蒙田把下面这句话奉为一生的圭臬："伤害人的并非事件本身，而是他对事件的看法。"而对事件的看法完全取决于我们自己。

我到底在做什么？当你情绪困扰，神经紧绷，我还是会告诉你，你可以改变你的心理态度吗？正是如此！还不只如此，我还可以告诉你怎么做，也许要费一点事，但没有什么秘诀。

威廉·詹姆士是实用心理学的顶尖大师，他曾有过这样的心得：

行动似乎跟着感觉走，其实行动与感觉是并行的，多以意志控制行动，也就能间接控制感觉。

也就是说，我们虽然不能一下决心，就能立即改变情绪，但是我们确实可以做到改变行动。当我们改变行动时，就能自动改变感觉。

他的解释是："如果你不开心，那么，能变得开心的唯一办法是开心地坐直身体，并装作很开心的样子说话及行动。"

这简单的小魔法真有效吗？你自己去试试看吧！先在你的脸上堆起一个大大的真正的微笑，放松肩膀，好好地深吸一口气，再唱首歌。如果不会唱，就吹口哨，不会吹口哨的，就哼唱。很快的，你就会明白威廉·詹姆斯的意思——如果你的行为散发的是快乐，就不可能在心理上保持忧郁。

这点小小的基本真理可以为我们的人生带来奇迹。

我认识加州的一位女士，如果她知道这个秘密，24小时内就能清除她心中的阴霾。她老了，是位寡妇——我承认这实在很悲哀——可是她是否作出快乐的样子呢？当然没有，如果你问她好，她会说："嗯，我还好啊！"但她脸上的表情及声音都表示："噢！老天哪！你看我这人多么倒霉啊！"她几乎是在责备你在她面前太快乐了。其实，比她不幸的妇女还多得很：她丈夫遗留给她的保险金够她过一辈子，她已成家的子女也给了她一个家。但是我很少看到她笑，她抱怨她的3位女婿小气自私——虽然她每次都在他们家住上好几个月。她又埋怨她女儿从来不送她礼物——虽然她自己把钱守得死紧，"为了我自己要养老！"她实在是自虐其人。非如此不可吗？最遗憾的正是这一点——她完全可以把自己从不幸、痛苦的老妇转变为家中受尊敬爱戴的慈祥家长——只要她愿意改变。所有这些改变只要从一个行动开始，就是做出开心的样子，做出可以付出一点爱心的样子——而不是将自己桎梏在痛苦的深渊中。

恩格勒特先生因为发现了这个秘密而能活到今天。恩格勒特先生十年前得了猩红热，康复后，却发现自己得了肾炎。他遍访很多医生，偏方也都试过了，却医不好病。

不久，他又得了一种并发症，血压上升，他去看医生，医生告诉他，他的血压上升到214。当然情势很危急，他最好先安排后事。他说：

我回了家，查了我的保险都还有效，我办了告解，接着陷入消沉。我把每个人都弄得不痛快。我太太及全家一片愁云惨雾，我自己也不能自拔。过了一个星期自怨自艾的日子，我对自己说："你简直像个傻瓜！你可能一年内都死不了，为什么不让眼前的日子好过点？"

我放松肩膀，挂上微笑，做出一切正常的模样。我得承认开始都是装出来的，不过我一直强迫自己开心，结果不但对我家人有益，更帮助了我自己。

首先我发现，我开始觉得好些了，简直像我假装的一样好，情况越来越好，直到今天——过了我的死期很长时间了。我不但开心、健康、活着，连血压也下降了！我能确定的一件事是：如果我一直让"快死了"的想法萦绕心中，医生的预测一定不会错的。相反的，我让我的身体有机会自愈，完全是因为我的态度改变了。

让我问你一个问题：如果只要想得开心积极，就能救回这个人的生命，我们何必还要为一点芝麻小事去烦躁呢？如果只要过得开心就能创造快乐，又何必让自己及周围的人难过呢？

几年前，我读过一本小书，对我的人生有深远的影响。那是詹姆斯·艾伦所著《思想的力量》，以下是其中的一段：

人如果改变对事与人的看法，事与人就对他发生改变……如果一个人的想法有激烈的改变，他会惊讶地发现生活中的状况也有急速的改变。人的内心都有一股神奇的力量，那就是自我……所有的人都是自己思想的产物……人提升了自己的思想，才能上进，克服并完成某些事。拒绝提升思想的人只有滞留在悲惨的深渊中。

创世纪中，上帝赐予人类统治大地的权力，这是一份伟大的赠与，我却对这种伟大的权力没有什么兴趣。我只希望能先统治我自己——控制自己的想法，克服自己的恐惧，控制我的心智与精神。最神奇的是，我知道自己可以自我控制到相当高的程度，因为，任何时候，只要我控制自己的行为，就能控制自己的反应。

让我们一起谨记威廉·詹姆斯的名言：

只要将一个人内心的态度由恐惧转为奋斗，就能克服任何障碍。

让我们为自己的快乐奋斗！

让我们遵循下列建设性的思想，而争取最大的快乐。这份计划称为"活在今天"。我认为它非常能振奋人心，因此已送出了好几百份。只要我们能照着去做，多半的忧虑即将消逝，相对地增加我们生活的乐趣。

### 活在今天

1. 今天我要很开心。因为林肯说过："多半的人都可以决定自己要有多快乐。"快乐源于人的内心，它并非外来之物。

2. 今天我要调适自己，而非调整世界来配合我。我要让自己配合我的家庭、事业与机运。

3. 今天我要照顾自己的身体。我要运动、关心它、滋养它、不滥用它、不忽略它，使它成为我心灵的殿堂。

4. 今天我要强化我的心灵。我要学习，不让心灵闲置，我将阅读需要专注、思想与努力的读物。

5. 今天我要由三方面操演我的心灵：我要默默地为某人做一件好事。再起码做两件我不想做的事，照威廉·詹姆士所说的，只是为了让心灵演练，不致怠惰。

6. 今天我要使自己怡人。我要使自己看来愉悦，穿着合宜，轻声慢语，举止恰当，多予赞赏，少作批评，不找任何事的毛病，也不想挑任何人的缺点。

7. 今天我要全心全意只活这一天，不去想我整个的人生。一天工作12小时固然很好，如果想到一辈子都得如此，可能会先吓坏我自己。

8. 今天我要制订计划。我要计划每小时要做的事。可能不能完全遵行，但我还是要计划，为的是避免仓促及犹豫不决。

9. 今天我要给自己保留半小时轻松时间。我要用这半小时祈祷，想想我人生的远景。

10. 今天我将无所畏惧，特别是我不怕更快乐，更享受人生的美好；也不怕失去爱人，相信我爱的人亦爱我。

想要培养更加平安快乐的心理态度，第五大原则是：

**想得开心、做得开心，你就真的会觉得开心。**

# 9

## 不要对敌人心存报复

---

**卡耐基金言**

◆ 即使我们没办法爱我们的敌人，起码也应该多爱自己
　一点。我们应该不让敌人控制我们的心情、健康和容
　貌。

◆ 要想真正宽恕忘却我们的敌人，最有效的办法还是诉
　诸比我们更强大的力量。如果我们可以忘记一切，侮
　辱也就无足轻重了。

◆ 永远不要对敌人心存报复，那样对自己的伤害将大于
　对别人的伤害。

---

　　几年前的一个晚上，我游览黄石公园，并与其他观光客一起坐
在露天座位上，面对茂密的森林，我们期待看到森林杀手灰熊的出
现。它走到森林旅馆丢出的垃圾中去翻找食物。骑在马上的森林管
理员告诉我们，灰熊在美国西部几乎是所向无敌，大概只有美洲野
牛及阿拉斯加熊例外。但我却发现有一只动物，而且只有一只，随
着灰熊走出森林，而且灰熊还容忍它在旁边分一杯羹，它是一只很
臭的鼬鼠。灰熊当然知道只须一掌就能把它毁掉，那它为什么不去

做呢？因为经验告诉它划不来。

　　我也发现了这一点。我在农场上长大，曾在围篱旁捉到一只臭鼬。到了纽约，也在街上碰过几个两条腿的臭鼬，痛苦的经验告诉我两种都不值得碰。

　　当我们对敌人心怀仇恨时，就是付出比对方更大的力量来压倒我们，给他机会控制我们的睡眠、胃口、血压、健康，甚至我们的心情。如果我们的敌人知道他带给我们多大的烦恼，他一定要高兴死了！憎恨伤不了对方一根汗毛，却把自己的日子弄成了炼狱。

　　猜猜看下面这句话是谁说的：

　　如果有个自私的人占了你的便宜，把他从你的朋友名单上除名，但千万不要想去报复。一旦你心存报复，对自己的伤害绝对比对别人的要大得多。

　　这话听起来像是哪位理想主义者说的。其实不然，这段话曾出现在纽约警察局的布告栏上。

　　报复怎么会伤害自己呢？有好几种方式。《生活》杂志记载报复可能毁了你的健康。《生活》杂志如是说：“高血压患者最主要的个性特征是仇恨，长期的愤恨造成慢性高血压，引起心脏疾病。”

　　耶稣说：“爱你的敌人。”他可不只是在传道，他宣扬的也是本世纪的医术。当耶稣说：“原谅他们77次”，他是在告诉我们如何避免罹患高血压、心脏病、胃溃疡以及过敏性疾病。

　　我朋友最近得了严重的心脏病，医生命她卧床休养，交代她不论发生任何情况都不得动怒。医生知道如果心脏衰弱，任何一点愤怒都会要人的命。真的会要人命吗？几年前华盛顿一位餐厅老板就因一次愤怒而亡。一份警方报告说：“威廉·法卡伯曾是咖啡店老板，因厨子坚持用碟子饮用咖啡，竟一怒而亡，因为他急怒之下抓起左轮枪追杀厨子，既而导致心脏衰竭，倒地不起。验尸报告宣告心脏衰竭的起因是愤怒。”

　　当耶稣说“爱你的敌人”时，他也是在告诉我们如何改进自己的容貌。我看过，我相信你也看过——一些人的容貌因仇恨愤懑而布满皱纹或变形。再好的整形外科也挽救不了，更远不及因宽恕、温柔、爱意所形成的容颜。

仇恨使我们连美食当前也食不知味。《圣经》上是这么说的："充满爱意的粗茶淡饭胜过仇恨的山珍海味。"

如果我们的仇人知道他能消耗我们的精力，使我们神经疲劳、容颜丑化，搞得我们心脏发病、提早归西，他难道不会拍手偷笑吗？

即使我们没办法爱我们的敌人，起码也应该多爱自己一点。我们不应该让敌人控制我们的心情、健康以及容貌。莎士比亚说过：

仇恨的怒火，将烧伤你自己。

当耶稣要求我们原谅敌人77次时，他也在谈生意。举例来说，我桌上正有一封来自瑞典乌普萨拉的乔治·罗纳先生的来信。几年来他在维也纳从事律师工作，一直到第二次世界大战才回到瑞典。他身无分文，急需找到一份工作。他能说写好几种语言，所以他想找个进出口公司担任文书工作。大多数公司都回信说因为战争的缘故，他们目前不需要这种服务，但他们会保留他的资料等等。其中有一个人却回信给罗纳说："你对我公司的想像完全是错误的。你实在很愚蠢。我一点都不需要文书。即使我真的需要，我也不会雇用你，你连瑞典文字都写不好，而且你的信错误百出。"

罗纳收到这封信时，气得暴跳如雷。这个瑞典人居然敢说他不懂瑞典话！他自己呢？他的回信才是错误百出呢。于是罗纳写了一封足够气死对方的信。可是他停下来想了一下，对自己说："等等，我怎么知道他不对呢？我学过瑞典文，但它并非我的母语。也许我犯了错，我自己都不知道。真是这样的话，我应该再加强学习才能找到工作。这个人可能还帮了我一个忙，虽然他本意并非如此。他表达的虽然糟糕，倒不能抵消我欠他的人情。我决定写一封信感谢他。"

罗纳把他写好的信揉掉，另外写了一封："你根本不需要文书员，还不厌其烦地回信给我，真是太好了。我对贵公司判断错误，实在很抱歉。我写那封信是因为我查询时，别人告诉我你是这一行的领袖。我不知道我的信犯了文法上的错误，我很抱歉并觉得惭愧。我会再努力学好瑞典文，减少错误。我要谢谢你帮助我自我成长。"

几天后，罗纳又收到回信，对方请他去办公室见面。罗纳如约前往，并得到了工作。罗纳自己找到了一个方法："以柔和驱退愤怒"。

我们可能不能神圣到去爱敌人，但为了我们自己的健康与快乐，最好能原谅他们并忘记他们，这样才是明智之举。

我有一次问艾森豪威尔将军的儿子，他父亲是否曾怀恨任何人。他回答："没有，我父亲从不浪费一分钟去想那些他不喜欢的人。"

有一句老话说，不能生气的人是傻瓜，不会生气的人才是智者。

前纽约市长威廉·盖伦就以此作为他从政的原则，他曾遭枪击，险些致命。当他躺在病床上挣扎求生时，他还说："每晚睡前，我必原谅所有的人与事。"听起来太理想化，太天真了吧？那么，我们再听听德国哲学家叔本华的思想吧，他在《悲观论》中把生命比喻为痛苦的旅程，然而在绝望的深渊中他仍说："如果可能，任何人都不应心怀仇恨。"

我有一次请教巴洛克——他曾任美国六任总统的顾问，包括威尔逊、哈丁、柯立芝、胡佛、罗斯福以及杜鲁门——他遭受政敌攻击时，有没有受到困扰？"没有任何人能侮辱我或困扰我，"他回答说："我不允许他们这么做。"

也没有任何人能侮辱我们或困扰我们——除非我们自己允许。

棍棒石头可以打断我的骨头，但语言休想动我分毫。

几个世纪以来，人类总是景仰不怀恨仇敌的人。我常到加拿大的一个国家公园，欣赏美洲西部最壮丽的山景，这座山是为了纪念英国护士爱迪丝·卡韦尔于 1915 年 10 月 12 日在德军阵营中殉难而命名的。她的罪名是什么？她在比利时家中收留照顾一些受伤的法军与英军，并协助他们逃往荷兰。在她即将行刑的那天早上，军中的英国牧师到她被监禁的布鲁塞尔军营中看她，卡韦尔喃喃说道："我现在才明白，光有爱国情操是不够的。我不应该对任何人怀恨或怨怼。"4年后，她的遗体被送往英国，并在威斯敏斯特教堂内举办了一场纪念仪式。我曾在伦敦住过一年，常到卡韦尔的雕像前，读着她不朽的话语："我现在才明白，光有爱国情操是不够的，我不应该对任何人怀恨或怨忿。"

要想真正宽恕并忘却我们的敌人，最有效的办法还是诉诸比我们强大的力量。因为我们可以忘记一切的事，当然侮辱也显得无足轻重了。让我再举个例子。

1918年，密西西比州有一位黑人教师兼传教士琼斯即将被处以死刑。几年前我拜访了琼斯亲手创办的学校，并向学生作过演说。现在它已成为一所全国有名的学校，但我要说的这个故事是很早以前的事。当时还是第一次世界大战的时候，密西西比州中部流传的谣言说，德军将策动黑人叛变。琼斯被控策动叛乱，并将被处以死刑。一群白人在教堂外听到琼斯在教堂内说道："生命是一场战斗，黑人们应拿起武器，为争取生存与成功而战。"

"战斗！""武器！"够了！这些激动的白人青年冲入教堂，用绳索套上琼斯，把他拖了一英里远，推上绞台，燃起木柴，准备绞死他，同时也烧死他。有人叫道："叫他说话！说话！说啊！"于是琼斯站在绞台上，脖子上套着绳索，开始谈他的人生与理想。他1907年由爱达荷大学毕业。他谈到自己的个性、学位，以及令他在教职员中受人欢迎的音乐才能。毕业时，有人请他加入旅馆业，有人愿出钱资助他接受音乐教育，都被他拒绝了。为什么？因为他热衷于一个理想。受到布克·华盛顿的故事的影响，他立志去教育他贫困的同胞兄弟。于是他前往美国南方所能找到的最落后地方，也就是密西西比州的一个偏僻地方，把他的手表当了1.65美元，他就在野外树林里开始办学校。琼斯面对这些准备处死他的愤怒人们，诉说自己如何奋斗，为教育这些失学的孩子，想将他们训练成有用的农人、工人、厨子与管家。他也告诉这些白人，在他兴学的过程中，谁曾经帮助过他——一些白人曾经送他土地、木材、猪、牛，还有钱，协助他完成教育工作。

事后，有人问琼斯恨不恨那些拖他准备绞死、烧死他的人？他的回答是，他当时忙着诉说比自己更重大的事，以致无暇憎恨。他说："我没空争吵，也没时间反悔，没有人能强迫我恨他们。"

当琼斯如此真诚动人的谈话，特别是他不为自己求情，只为自己的使命求情时，暴民们开始软化了。最后有个老人说："我相信这年轻人说的是真的，我认得他提到的几个人。他在做善事。是我们错了。我们不应该吊死他，而应该帮助他。"老人开始在人群中传帽子，向那些想吊死琼斯的人募了52美元，因为琼斯说："我没空争吵，也没时间反悔，没有人能强迫我恨他们。"

19世纪前，爱比克泰德就曾指出，我们收成的就是我们所栽种的，命运总不放过，要我们为自己的罪行付出代价。爱比克泰德说：

长远而论，每个人都会为自己的错误付出代价。能将此长埋于心的人，就能不对人发怒、愤懑、诽谤、责难、攻击或怨恨。

从赫登的《林肯传》中可以看出，林肯"从不依自己的好恶去判断人。他总是认为他的敌人也像任何人一样能干。如果有人得罪他，或对他不逊，但却是最合适的人，林肯还是会请他担任该职位，就像对朋友一样毫不犹豫……我想他从未因为个人的反感，或是他的政敌而撤换一个人。"

林肯委任相当高的职位给曾侮辱过他的人——包括麦克兰、史瓦德、史丹顿以及蔡斯。按赫登的说法，林肯相信："没有人应因其作为受到赞扬或责难，因为我们每一个人都受到教育的条件及环境所影响，我们所形成的习惯与特征造就了我们的目前及未来。"

也许林肯是对的。如果你我像我们的敌人一样承袭了同样的生理、心理及情绪的特征，如果我们的人生也完全一样，我们可能会作出跟他们完全一样的事，因为我们不可能会做出别的。让我们以印第安人的祈祷词提醒自己："伟大的神灵！在我穿上别人的鹿皮靴走上两星期路以前，请帮助我不要判断与批评他人。"因此与其恨我们的敌人，让我们还是怜悯他们，并感谢上天没有让我们跟他们一样经历同样的人生。与其诅咒报复我们的敌人，何不给他们谅解、同情、援助、宽容以及为他们祈祷。

我是在一个每晚念《圣经》并作睡前祈祷的家庭中长大的。我还仿佛听到我父亲在孤单的密苏里农家中，念着耶稣说过的话，只要人们还重视这个理想，就会继续引用这段话："爱你的敌人，祝福那些诅咒你的人，善待仇恨你的人，并为迫害你的人祈祷。"

我父亲一生都在说耶稣的这段话，它们赐给他内心的平安，这个世界上许多有权有势的人都无缘享有这样的平安。

要培养内心的平安与快乐，请记住第六大原则。

**永远不要对敌人心存报复，那样对自己的伤害将大过对别人的。**

# 10

## 不要指望别人感激你

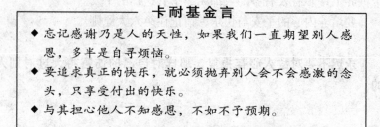

**卡耐基金言**

◆ 忘记感谢乃是人的天性，如果我们一直期望别人感
　恩，多半是自寻烦恼。

◆ 要追求真正的快乐，就必须抛弃别人会不会感激的念
　头，只享受付出的快乐。

◆ 与其担心他人不知感恩，不如不予预期。

　　我最近碰到一个义愤填膺的人，有人警告我碰到他 15 分钟内
就一定会谈起那件事，果然如此。令他气愤的事发生在 11 个月前，
可是他还是一提起就生气。他简直不能谈别的事。他为 34 位员工
发了 10000 美元圣诞节奖金——每人差不多 300 美元，结果没有一
个人谢谢他。他抱怨说："我很遗憾，我居然发给他们奖金。"

　　一位圣人说过："一个愤怒的人，浑身都是毒。"我衷心同情面
前这位浑身是毒的人。他有 60 岁了。人寿保险公司统计我们还能
活着的年数平均是目前年龄与 80 岁之间差数的三分之二。这位仁
兄——如果他够幸运——大概还可活十四五年。结果他浪费了有限
的余生中的将近一整年，而为过去的事愤恨不平，我实在同情他。

　　除了愤恨与自怜，他大可自问为什么人家不感激他。有没有可能是因为待遇太低、工时太长，或是员工认为圣诞奖金是他们应得的一部分。也许他自己是个挑剔又不知感谢的人，以致别人不敢也不想去感谢他。或许大家觉得反正大部分利润都要缴税，不如当成奖金。

　　不过反过来说，也可能员工真的是自私、卑鄙、没有礼貌。也许是这样，也许是那样。我也不会比你更了解整个状况。我倒是知道英国约翰逊博士说过："感恩是极有教养的产物，你不可能从一般人身上得到。"

　　我的重点是：他指望别人感恩乃是一项一般性的错误，他实在不了解人性。

　　如果你救了一个人的性命，你会期望他感恩吗？你可能会——可是塞缪尔·莱博维茨在他当法官前曾是位有名的刑事律师，曾使78个罪犯免上电椅。你猜猜看其中有多少人曾登门道谢，或至少寄个圣诞卡来？我想你猜对了———一个都没有。

　　耶稣基督在一个下午使10个瘫子起立行走——但是有几个人回来感谢他呢？只有一位。耶稣基督环顾门徒问道："其他9位呢？"他们全跑了，谢也不谢就跑得无影无踪！让我来问问大家：像你我这样平凡的人给了别人一点小恩惠，凭什么就希望得到比耶稣更多的感恩呢？

　　如果跟钱有关，那就更没指望啦！查尔斯·舒瓦伯告诉我，他曾帮助过一位银行出纳，这位银行出纳挪用银行基金去做股票而造成亏损，舒瓦伯帮他补足金额以免吃官司，这位出纳员是否感谢他呢？是感谢他，但只是一阵子，后来他还跟这位救过他的人作对——就是这位曾经救他脱离牢狱之灾的人。

　　你如果送你亲戚100万美元，他应该会感谢你吧？安德鲁·卡耐基就资助过他的亲戚，不过如果安德鲁·卡耐基重新活过来，一定会很震惊地发现这位亲戚正在诅咒他呢！为什么呢？因为卡耐基遗留了3亿多美元的慈善基金，但他只继承了100万美元。

人间之事就是这样。人性就是人性——你也不用指望会有所改变。何不干脆接受呢？我们应该像一位最有智慧的罗马帝王马库斯·阿列留斯一样。他有一天在日记中写道：

"我今天会碰到多言的人、自私的人、以自我为中心的人、忘恩负义的人。我也不必惊讶或困扰，因为我还想像不出一个没有这些人存在的世界。"

他说的不是很有道理吗？我们天天抱怨别人不会知恩图报，到底该怪谁？这是人性。所以不要再指望别人感恩了。如果我们偶尔得到别人的感激，就会是一个惊喜。如果没有，也不至于难过。

忘记感谢乃是人的天性，如果我们一直期望别人感恩，多半是自寻烦恼。

我认识一位住在纽约的妇人，一天到晚抱怨自己孤独。没有一个亲戚愿意接近她，而我也不怪他们。你去看望她，她会花几个钟头喋喋不休地告诉你，她侄儿小的时候，她是怎么照顾他们的。他们得了麻疹、腮腺炎、百日咳，都是她照看的，他们跟她住了许多年，还资助一位侄子读完商业学校，直到她结婚前，他们都住在她家。

这些侄子回来看望她吗？噢！有的！有时候！完全是出于义务性的。他们都怕回去看她，因为想到要坐几个小时听那些老调，无休无止的埋怨与自怜永远在等着他们。当这位妇人发现威逼利诱也没法叫她的侄子们回来看她后，她就剩下最后一个绝招——心脏病发作。

这心脏病是装出来的吗？当然不是，医生也说她的心脏相当神经质，常常心悸。可是医生也束手无策，因为她的问题是情绪性的。

这位妇人需要的是关爱与注意，但是我以为她要的是"感恩"，可惜她大概永远也得不到感激或敬爱，因为她认为这是应得的，她要求别人给她这些。

有多少人都像她一样，因为别人都忘恩负义，因为孤独，因为被人疏忽而生病。他们渴望被爱，但是在这世上真正能得到爱的唯一方式，就是不索求，相反的，还要不求回报的付出。

这听起来好像太不实际、太理想化了，其实不然！这是追求幸福的最好的一种方法，我知道，因为我亲眼见到我家庭中发生的状况。我的父母乐于助人，我们很穷，所以老是窘于欠债，可是虽然穷成那样，我父母每年总是能挤出一点钱寄到孤儿院去。他们从来没有去拜访过那家孤儿院，可能除了收到回信外，也从来没有人感谢过他们，不过他们已有所偿报，因为他们享受了帮助这些无助小孩的喜悦，并不希冀任何回报。

我离家外出工作后，每年圣诞节，我总会寄张支票给父母，请他们买点自己喜欢的东西，可是他们总也不买。当我回家过圣诞时，父亲会告诉我，他们买了煤、日用品送给城里一个有很多小孩的贫苦妇人。施予而不求回报的快乐是他们所得到的最大的快乐。

我深信我父亲已符合亚里士多德所谓的享受快乐的理想人。亚里士多德说："理想人会享受助人的快乐。"

要追求真正的快乐，就必须抛弃别人会不会感恩的念头，只享受付出的快乐。

为人父母者一向怨恨子女不知感恩。

即使莎剧主人翁李尔王也不禁喊道："不知感恩的子女比毒蛇的利齿更痛噬人心。"

可是如果我们不教育他们，为人子女者怎么会知道感恩呢？忘恩原是天性，它像随地生长的杂草。感恩则有如玫瑰，需要细心栽培及爱心的滋润。

如果子女们不知感恩，应该怪谁？也许该怪的就是我们自己。如果我们从来不教导他们向别人表示感谢，怎么能期望他们来谢我们？

我认识一位住在芝加哥的朋友，他在一家纸盒工厂工作得很辛苦，周薪不过 40 美元。他娶了一位寡妇，她说服他向别人借了钱送她两个前夫的儿子上大学。他的周薪得用来支付食物、房租、燃料、衣服及缴付欠款。他像苦力一样苦干了四年，而且从不埋怨。

有人感谢他吗？没有，他太太认为是理所当然的，那两个儿子当然也是一样。他们一点也不觉得对这位继父有任何亏欠，即使只是道谢一声。

这怪谁呢？这两个儿子吗？也许！可是这位母亲不是更不该吗？她认为这两个年轻的生命不应该有这种义务的负担，她不要她的儿子"由负债"开始他们的人生。因此她从没想到要说："你们的继父资助你们念大学，多好的人啊！"相反的，她的态度却是，"噢！那是他起码该做到的。"

她以为没有加给他们任何负担，可是实际上，她让他们产生了一种危险的想法，认为这个世界有义务让他们活下去。果然后来，有一位男孩想向老板"借"点钱，结果身系囹圄。

我们一定得记住，孩子是我们造就的。举例来说，我姨母从来不抱怨儿女不知感恩。我小的时候，姨母把她母亲接去照料，同时也照料她的婆婆。我现在仍记得两位老人家坐在壁炉前的情景。她们有没有麻烦我姨母呢？我想一定不少，不过你从她的态度上一点也看不出来。她真的爱她们，对她们嘘寒问暖，让她们感觉到家的温暖。而她自己还有6个子女，但她从不觉得自己做了什么伟大的事。对她来说，这一切只不过是再自然不过的事，是正确的事，也是她愿意做的事。

我这位姨母已经孀居了二十几年，她的五位成年子女都欢迎她，希望她到他们家去一起住。她的子女们对她钟爱极了，从不觉得厌烦。是出于"感恩"吗？当然不是啦！这是真正的爱！这几位子女从孩童时代就生活在慈善的气氛中。现在需要照顾的是他们的妈妈，他们回报同样的爱，不是再自然不过了吗？

让我们不要忘了，要想有感恩的子女，只有自己先成为感恩的人。我们的所言所行都非常重要。在孩子面前，千万不要诋毁别人的善意。也千万别说："看看表妹送的圣诞礼物，都是她自己做的，连一毛钱也舍不得花！"这种反应对我们可能是件小事，但是孩子们却听进去了。因此，我们最好这么说："表妹准备这份圣诞礼物，一定花费了不少时间！她真好！我们得写信谢谢她。"这样，我们的子女在无意中也学会养成赞赏和感激的习惯了。

要想使自己平安快乐，下面是第七大原则：

**寻求快乐的唯一途径是不要期望他人感恩，付出是一种享受施与的快乐。**

# 11

## 盘算你所得到的恩惠

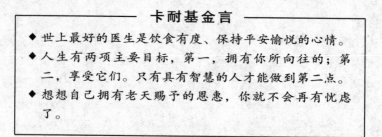

**—— 卡耐基金言 ——**

◆ 世上最好的医生是饮食有度、保持平安愉悦的心情。

◆ 人生有两项主要目标，第一，拥有你所向往的；第二，享受它们。只有具有智慧的人才能做到第二点。

◆ 想想自己拥有老天赐予的恩惠，你就不会再有忧虑了。

　　我认识哈洛德很久了，他住在密苏里，曾经是我巡回演讲的经理，我们有一次在堪萨斯城相遇，他送我回农庄。我在途中问他是如何克服忧虑的，他说了一个使我终身难忘的故事。

　　我以前经常担忧，不过1934年春的某一天，我在一条街上所看到的一幅景象驱逐了我所有的烦恼。前后过程不到10秒钟，不过这10秒钟内，我所学到的比过去10年还多。我经营一家杂货店已经两年了，不但用光了所有的积蓄，还欠下了一大笔债，得7年才能付清。杂货店正是那天的前一个周六停止营业的。我正打算到银行借点钱，好动身到堪萨斯城找个工作。我像只斗败的公鸡，失去了斗志和信心。忽然间，我看到对街过来一个没腿的人，他坐在一块小木板上，下面用溜冰鞋轮做了四个滚轮，两手各拿一块木头在地面上支撑划动自己。他过了街，正要把自己抬高几英寸以越过马路到人行道来。正当他费力抬高他身下的木板时，他的眼光与我相遇，并向我灿然一笑。"早安，先生！今天天气真好，不是吗？"他的声音里充满了朝气。我看着他，不禁感到自己是多么富有。我有两条腿，我可以走路，我对我的自怜感到羞耻。我告诉自己，就这一个失去了双腿之人还能开心、快乐、充满自信，我既然还有双腿，当然也可以做得到。我顿时觉得精神多了。原来我只打算借100美元，现在我有勇气要求借200美元。本来我只打算试试看能不能找个工作，但现在，我有信心宣布我要去找个工作。我拿到借款，也找到了工作。

现在我在浴室的镜子上贴了一段话，每天早上刮胡子时都要念一遍：

我正在因为自己没有鞋而难过，忽然遇见一个没有双脚之人，我的难过顿时消失了。

美国飞行家雷肯贝克曾在太平洋漂流了21天，有一次我问他，他从那个经历中得到的最大教训是什么。他的回答是："那次经历给我的最大教训是，只要有足够的饮水与食物，你就不该再有任何抱怨。"

《时代》杂志有一篇文章提到在南太平洋受伤的一位士官的故事。他的喉咙被碎片击中，接受7次输血。他写了一个小条子给医生，"我能活下去吗？"医生回答："可以的。"他又写道，"我还可以讲话吗？"回答也是肯定的。他再写了一张纸条："那我还操什么心呢？"

你何不现在就问自己："我到底在烦恼什么呢？"你多半会发现，你担心的事既不重要，也没意义。

我们的生活中大概90%的事情都进行得很顺利，只有10%有问题。如果我们想要快乐，只需集中注意力在那90%的好事上，不去看那10%就可以了。如果我们想要烦恼、抱怨、得胃溃疡，那只要集中注意力在 10% 的不满意之处，而忽略那 90% 也就可以了。

在英国的许多教堂里都可以看到这两个字："思恩。"我们的心中也应该深深铭记着这两个字。想想所有我们应该感谢的事，并真正感谢。

《格列佛游记》的作者史威福特可以算得上是英国文学史上最悲观的人，他觉得自己根本不该出生，生日时他常穿着黑色的丧服守斋。即使在那样的绝望中，他仍没有忘记只有快乐的心境可以带来健康。他曾宣称：

世上最好的医生，是饮食有度、保持平安与愉悦的心情。

我们如果愿意，大可为自己所拥有的一切——可能胜过阿里巴巴的宝藏而感到满足开心。给你一亿元交换你的双眼，如何？两只脚值多少钱？你的双手呢？听觉呢？你的子女？你的家庭？算算你所拥有的资产，你一定会发现，即使给你世上所有的财富，你也不会愿意出让自己现在拥有的这些。

但是，我们会感谢自己所拥有的一切吗？噢！不！叔本华说：

我们很少想我们所拥有的，却总是想自己缺失的。这种倾向实在是世上最令人不幸的事之一。它带来的灾难只怕比所有的战争疾病都重大。

有一位居住在新泽西州的帕玛先生告诉我下面这则故事：

我从陆军退伍不久就开始自己做生意，我日夜辛勤工作，情况很不错。可是接着麻烦来了，我得不到零件与原料，我担心生意支持不下去，我烦恼极了，也变得尖酸刻薄——当然，当时我并不自觉，但后来我才发现自己差点因此失去一个温暖的家。有一天，一位年轻的行动不便的残疾人跟我说："你不觉得羞愧吗？看你这个样子，好像世上只有你一个人有麻烦似的。即使你真得停止营业一阵子，那又怎么样？供货正常后，你还可以再开始呀！你真该为你所得到的感谢了！可是你还老是怨天尤人，我多想能像你一样，看看我！我只有一条手臂，半边脸也被炮火毁容了，而我并不抱怨。

你再不停止怨天尤人，你不但会丢掉生意，还会赔上你的健康，你的家庭及朋友！"

这些话真如当头一棒，我这时才意识到自己拥有的已够多了，我终于能提醒自己不再重蹈覆辙。

我的朋友露丝，也因为成天烦恼自己所欠缺的而差点酿成悲剧。

几年前，我们在哥伦比亚大学的新闻写作班上认识了，她给我讲述了她的一个经历：

我的日子排得很紧凑，在亚利桑那州立大学学习风琴，在城里主持一个演说训练班，又在另一个城里讲授音乐欣赏，我忙着出席宴会、跳舞，在星空下骑马驰骋。直到一天早上，我完全崩溃了。医生说："你得卧床休息一年。"他一点没有让我相信，我会再恢复健康。

在床上躺一年！简直是个废物，倒还不如死了算了。我惊恐极了，为什么这种事会发生在我身上？我做了什么对不起他人之事，而要受这种报应？我哭了好久怎么也无法接受。不过，我还是很遵从地按照医生的嘱咐卧床休息。邻居鲁道夫是一位艺术家，他来看我，告诉我说："你以为在床上躺一年就很悲惨，其实大可不必这样想，你可以利用这段时间真正了解自己，这几个月，你在心灵上的成长可以抵得上你过去的几十年。"我慢慢平静下来，开始努力建立另外一套价值观。我阅读一些启发人心的书。一天我听到收音机里播音员在节目中说道："你所表现出来的永远只是你内心世界的反映。"我以前听过这种话不知道有多少次了，但这次才真正深植内心。我开始去想些令我活下去的想法——一些开心、健康的想法。每天早晨一醒过来，我就强迫自己想一遍我所拥有的应该对这一世界充满感激之事：我的身体没有疼痛，我有个可爱的小女儿、我的视力、我的听觉、收音机里悦耳的音乐、有看书的闲暇、美味的食物、一些好朋友，来看我的客人很多，医生不得不限制一次只能容许一位来访——而且还有时间限制。

许多年以来，我都能过着丰富、活跃的生活，现在我深深地感谢躺在床上的那一年，那是我在亚利桑那州最有价值、最快乐的一年。那一年中我养成了一种习惯，每天早上先清点一下自己所拥有的幸福，到现在我还沿袭这个习惯。这已成为我最宝贵的财产。我得承认在害怕死亡之前，我并没有真正活过。

我亲爱的露丝，你可能并不知道，你学到的教训和200年前英国作家约翰逊所发现的是完全一样的。约翰逊曾说过：

能看到每件事情的最好一面，并养成一种习惯，这真是千金不换的珍宝。

我得提醒各位，说这句话的人可不是职业性的乐观主义者，事实上，他二十几年来深受焦虑、饥饿、穷困之苦，遵照这句箴言终于成为当时最著名的作家与评论家。

罗根·史密斯有一句智慧之言："人生有两项主要目标，第一，拥有你所向往的；然后，享受它们。只有最具智慧的人才能做到第二点。"

你想知道怎样把在厨房洗碗的琐事变成令人兴奋的经验吗？推荐你读一读达尔所著的《我要看》。

这本书的作者是一位失明50年的老妇人。她写道："我仅存的一只眼上布满了斑点，所有的视力只靠左侧一点点小孔。我看书时，必须把书举到脸面前，并尽可能靠近我左眼左侧的视觉区域。"

但是她并不打算接受怜悯，也不想享受特别的待遇。小时候，她想和小朋友一起玩游戏，可是看不到任何记号，等到其他小朋友都回家了，她才趴在地上辨认那些记号。她把地上划的线完全熟记，并成为玩这个游戏的佼佼者。她在家自修，拿着放大字体的书，靠近脸，近得睫毛都挨得到书页。她修完了两个学位：明尼苏达大学的学士及哥伦比亚大学的硕士。

她开始在明尼苏达州一个小村庄教书，后来成为了南达科他州一个学院的新闻文学教授。她在当地任教了13年，并常在妇女俱乐部演讲，上电台节目谈书籍与作者。她在书中写道："在我内心深处，始终不能祛除完全失明的恐惧。为了克服这一点，我只有对人生采取开心甚至天真的态度。"

1943 年，她已经 52 岁，却发生了一项奇迹：极负盛名的梅奥医院的一项手术，使她恢复了比以前好 40 倍的视力。

一个全新的令人振奋的世界展现在她的眼前。即使在水槽边洗碗对她也是一件令人兴奋的事。她写道："我开始玩弄碟子上的泡沫，我用手指捧起一个肥皂泡泡，对着光看，我看到缩小的彩虹般的色彩幻影。"

从水槽上方厨房的窗口望出去，她看到的是："振动着灰黑色的翅膀飞过积雪的一只麻雀。"

能有幸亲眼见到肥皂泡与麻雀，促使她以下面这句话作为她的那本书的结尾："亲爱的主，我不禁低语，我们的上苍，我感谢你，我感谢你。"

想想看！为了你能洗碗时看到泡沫的色彩，看到飞越雪地的麻雀，要衷心感谢上帝！

你我不该惭愧吗？我们一直生活在美妙的童话世界中，却瞎得什么都看不见，不知道珍惜享受。

想要保持平安快乐，第八大原则是：

**算算你所得到的恩惠——不要去清点你的烦恼。**

# 12

## 将不利因素转化为成功因子

┌─────────────── **卡耐基金言** ───────────────┐

◆ 有两个人从铁窗朝外望去，一个人看到的是满地的泥泞，另一个却看到满天的繁星。

◆ 真正的快乐不见得是愉悦的，它多半是一种胜利。

◆ 人生最重要的不是以你的所得投资，任何人都可以这样做。真正重要的是如何从损失中获利。这才需要智慧，才能显示出人的上智下愚。

└──────────────────────────────────────────┘

　　当我正在着手写这本书的那段时间，有一天我到芝加哥大学访问罗伯特·哈金斯校长，请教他是如何解决忧虑的。他的回答是："我一直遵循已故的西尔斯百货公司总裁朱利斯·罗森沃德的建议：'如果你手中只有一个柠檬，那就做杯柠檬汁吧！'"

　　这正是那位芝加哥大学校长所采取的方法，但一般人却刚好反其道而行之。如果人们发现命运送给他的只是一个柠檬，他会立即放弃，并说："我完了！我的命怎么这么不好！一点机会都没有。"于是他与世界作对，并且陷于自怜之中。如果是一个聪明人得到了一个柠檬，他会说："我可以从这次不幸中学到什么？怎样才能改善我目前的处境？怎样把这个柠檬作成柠檬汁呢？"

伟大的心理学家阿德勒穷其一生都在研究人类及其潜能，他曾经宣称他发现人类最不可思议的一种特性——"人具有一种反败为胜的力量"。

我下面要讲述的这位女士的经历正好印证了那一句话，这位女士是瑟尔玛·汤普森。

战时，我丈夫驻防加州沙漠的陆军基地。为了能经常与他相聚，我搬到附近去住，那实在是个可憎的地方，我简直没见过比那更糟糕的地方。我丈夫出外参加演习时，我就只好一个人待在那间小房子里。那里热得要命——仙人掌树阴下的温度高达华氏125度，没有一个可以谈话的人。风沙很大，所有我吃的、呼吸的都充满了沙、沙、沙！

我觉得自己倒霉到了极点，觉得自己好可怜，于是我写信给我父母，告诉他们我放弃了，准备回家，我一分钟也不能再忍受了，我情愿去坐牢也不想待在这个鬼地方。我父亲的回信只有三行，这三句话常常萦绕在我心中，并改变了我的一生：

有两个人从铁窗朝外望去，

一个人看到的是满地的泥泞，

另一个人却看到满天的繁星。

我把这几句话反复念了好几遍，我觉得自己很丢脸。决定找出自己目前处境的有利之处，我要找寻那一片星空。

我开始与当地居民交朋友，他们的反应令我心动。当我对他们的编织与陶艺表现出极大的兴趣时，他们会把拒绝卖给游客的心爱之物送给我。我研究各式各样的仙人掌及当地植物。我试着多认识土拨鼠，我观看沙漠的黄昏，找寻300万年前的贝壳化石，原来这片沙漠在300万年前曾是海底。

是什么带来了这些惊人的改变呢？沙漠并没有发生改变，改变的只是我自己。因为我的态度改变了，正是这种改变使我有了一段精彩的人生经历。我所发现的新天地令我觉得既刺激又兴奋。我着手写一本书——一本小说，她使我逃出了自筑的牢狱，找到了美丽的星辰。

瑟尔玛·汤普森所发现的正是耶稣诞生前 500 年希腊人发现的真理："最美好的事往往也是最困难的。"

哈里·爱默生·佛斯狄克在 20 世纪再次重述它："真正的快乐不见得是愉悦的，它多半是一种胜利。"没错，快乐来自一种成就感，一种超越的胜利，一次将柠檬榨成柠檬汁的经历。

我曾造访过一位住在佛罗里达州的快乐农夫，他曾将一个有毒的柠檬做成了可口的柠檬汁。当他买下农地时，他心情十分低落。土地贫瘠，既不适合种植果树，甚至连养猪也不适宜。除了一些矮灌木与响尾蛇，什么都活不了。后来他忽然有了主意，他决定将负债转为资产，他要利用这些响尾蛇。于是不顾大家的惊异，他开始生产响尾蛇肉罐头。几年后我去拜访他时，我发现每年有平均两万名游客到他的响尾蛇农庄来参观。他的生意好极了。我亲眼目睹毒液抽出后送往实验室制作血清，蛇皮以高价售给工厂生产女鞋与皮包，蛇肉装罐运往世界各地。我买了一些当地的风景明信片到村中邮局去寄，发现邮戳盖着"佛罗里达州响尾蛇村"，可见当地人很是以这位把毒柠檬做成甜柠檬汁的农夫为荣。

我旅行全美各地，常有幸见到一些"能干的反亏为盈"的人。

已故的作者威廉·伯利梭曾写道：

人生最重要的不是以你的所得做投资，任何人都可以这样做。真正重要的是如何从损失中获利。这才需要智慧，也才显示出人的上智下愚。

伯利梭写这段话时，他已在一次意外中丧失了一条腿。不过，我还认识一位丧失双腿的人，他也能转亏为盈。他名叫本·佛森。我在佐治亚州大西洋城的一家旅馆的电梯中遇到他。我步入电梯时，注意到这位表情愉悦的人没有腿，他坐在电梯角落的轮椅上。电梯停在他要去的那层楼时，他和善地请我移到角落，以便他更顺利地移动轮椅。"对不起！"他说，"让你不方便了！"脸上挂着温煦的笑容。

我步出电梯回房时，实在没法不想着这位开心的残疾者。于是我找到他，请他告诉我他的故事。

"事情是发生在1929年，"他面带微笑说，"我到山上去砍伐山胡桃木，我把木材堆在我的车上，开车回家。忽然一根木条滑下来，正在我急转弯时，木条卡在车轴上，我立即被弹到一棵树上，脊椎骨受了伤，双腿因此瘫痪。

"当时我24岁，从那以后，我没有再走过一步路。"

一个24岁的青年，就被宣判一辈子要在轮椅上度过！我问他怎么能这么勇敢地面对事实。他说："我不能！"他说他当时愤怒抗拒，怨恨命运的作弄。但是年岁渐长，他发现抗拒对自己毫无帮助，只不过使自己变得尖酸刻薄。"我终于体会到，"他说，"别人都和善礼貌地对我，我起码也应礼貌和善地回应人家。"

我再问他，过了这些年，他是否仍觉得那次事件是个不幸。他说："不！我几乎庆幸它的发生。"他告诉我，经过了那个震惊与愤恨的阶段，他开始在一个完全不同的世界中生活。他开始阅读并培养出对文学的嗜好。14年来，他说他起码读了1400本书籍，这些书拓展了他的领域，他的人生比以前所能想像的还要丰富。他也开始欣赏音乐，现在令他感动的交响乐以前只会令他打盹。然而，真正最重大的改变，还是他有了思考的时间。"我一生中第一次，"他说，"真正用心看世界，并体会其价值。我终于体会到以前努力追求的很多事其实都没有真正的价值。"

由于阅读，他开始对政治感兴趣，他研究公共问题，坐在轮椅上发表演说！他开始了解人们，而人们也开始认识他。他坐在轮椅上，还当上了佐治亚州州务卿。

我在纽约市教授成人教育课程时，发现很多人都有一个很大的遗憾，是没有机会接受大学教育。他们似乎认为未进大学是一种缺陷。而我认识的许多成功的人士都没上过大学，因此我知道这一点并没有这么重要。我常告诉这些学员，一个失学者的故事：

他的童年非常贫困。父亲去世后，靠父亲的朋友帮忙才得以安葬。他的母亲必须在一家制伞工厂一天工作10小时，再带些零工回来做，做到晚上11点钟。

他就是在这种环境下长大的，有一次他参加教会的戏剧表演，觉得表演非常有趣，于是就开始训练自己公众演说的能力。后来也因此，他进入了政界。30岁时，他已当选为纽约州议员。不过对接受这样的重大责任，他其实还没有准备妥当。事实上，他亲口告诉我，他还搞不清楚州议员应该做些什么。他开始研读冗长复杂的法案，这些法案对他来说，就跟天书一样。他被选为森林委员会的一员，可是他从来不了解森林，所以他非常担心。他又被选入银行委员会，可是他连银行账户也没有，因此他十分茫然。他告诉我，如果不是耻于向母亲承认自己的挫折感，他可能早就辞职不干了。绝望中，他决定一天研读16小时，把自己无知的酸柠檬，作成知识的甜柠檬汁。因为这种努力，他由一位地方政治人物提升为全国性的政治人物，他的表现如此杰出，连《纽约时报》都尊称他是"纽约市最可敬爱的市民"。

这位传奇人物就是阿尔·史密斯。

在阿尔开始自我教育后的10年，他成为纽约州政府的活字典。他曾连任4届纽约州长——当时还没有人拥有这样的纪录。1928年，他当选为民主党总统候选人。包括哥伦比亚大学及哈佛大学在内的6所著名大学，都曾颁授荣誉学位给这位年少失学的人。

阿尔亲口告诉我，如果不是他一天勤读16小时，把他的缺失弥补过来，他绝对不会有今天的。

哲学家尼采认为，优秀杰出的人"不仅忍人所不能忍，并且乐于进行这种挑战"。

我越研究那些有成就的人就越深信一点，他们的成功大部分是因为某种缺陷激发了他们的潜能。威廉·詹姆士曾说：

我们最大的弱点，也许会给我们提供一种出乎意料的助力。

没错，弥尔顿如果不是失去视力，可能写不出如此精彩的诗篇。

　　贝多芬则可能因为耳聋才得以完成更动人的音乐作品。

　　海伦·凯勒的创作事业完全是受到了耳聋目盲的激发。

　　如果柴可夫斯基的婚姻不是这么悲惨，逼得他几乎要自杀，他可能难以创作出不朽的《悲怆交响曲》。

　　托尔斯泰与陀斯妥耶夫斯基都是因为本身命运悲惨，才能写出流传千古的动人小说。

　　达尔文，这位改变人类科学观点的科学家说："如果我不是这么无能，我就不可能完成所有这些我辛勤努力完成的工作。"很显然，他坦诚自己受到过弱点的刺激。

　　达尔文在英国诞生的同一天，在美国肯德基州的小木屋里也诞生了一位婴儿。他也是受到自己缺陷的激发，他就是亚伯拉罕·林肯。如果他生长在一个富有的家庭，得到哈佛大学的法律学位，又有圆满的婚姻，他可能永远不能在葛底斯堡讲出那么深刻动人、不朽的词句，更别提他连任就职时的演说——可算得上是一位统治者最高贵优美的情操，他说："对人无恶意，常怀慈悲于世人……"

　　佛斯狄克在其著作中提到："有一句斯堪第纳维亚地区的俗语说，冰冷的北极风造就了爱斯基摩人。我们什么时候相信人们会因为舒适的日子，没有任何困难而觉得快乐？刚好相反，一个自怜的人即使舒服地靠在沙发上，也不会停止自怜。反倒是不计环境优劣的人常能快乐，他们极富个人的责任，从不逃避。我要再强调一遍——坚毅的爱斯基摩人是冰冷的北极风所造就的。"

　　如果我们真的灰心到看不出有任何转变的希望——这里有两个我们起码应该一试的理由，这两个理由保证我们试了只有更好，不会更坏。

　　第一个理由：我们可能成功。

　　第二个理由：即使未能成功，这种努力的本身已迫使我们向前看，而不是只会悔恨，它会驱除消极的想法，代之以积极的思想。它激发创造力，促使我们忙碌，也就没有时间与心情去为那些已成过去的事忧伤了。

世界著名的小提琴家欧尔·布尔在巴黎的一次音乐会上，忽然小提琴的 A 弦断了，他面不改色地以剩余的三条弦奏完全曲。佛斯狄克说："这就是人生，断了一条弦，你还能以剩余的三条弦继续演奏。"

这还不只是人生，这是超越人生，是生命的凯歌！

如果我做得到的话，我要把威廉·伯利梭的这段话镂刻悬挂在每一所学校里：

人生最重要的不只是运用你所拥有的，任何人都会这样做，真正重要的课题是如何从你的损失中获利，这才需要真智慧，也才显示出人的上智下愚。

能给我们带来平安快乐的第九大原则是：

**命运交给你一个酸柠檬，你得想法把它做成甜的柠檬汁。**

# 13

## 每天尽力取悦他人

---

**卡耐基金言**

- ◆ 每天想到一个人，并努力使他开心，这样就能保证你在 14 天内治好忧郁病。
- ◆ 许多病人医学上找不到任何病因，他们只是找不到生命的目标，而且自怜。
- ◆ 对别人好不是一种责任，它是一种享受，因为它能增进你的健康与快乐。你对别人好的时候，也就是对自己最好的时候。
- ◆ 一个人想得到人生快乐，就不能只想到自己，而应为他人着想，因为快乐来自于你为别人、别人为你。

---

当我动手写这本书时，我曾设了一个 200 美元的奖金，征求那些"我如何战胜忧虑"的真实动人故事。

这项征文有三位评委：东方航空公司总裁艾迪·瑞肯贝克、林肯纪念大学校长斯图沃特·麦克兰德以及广播新闻分析家卡腾博恩。我们收到的故事中，有两篇精彩得不分高下，无法定出一二。我们决定把奖金平分。以下叙述的是其中一个故事——C·R·波顿的故事：

我9岁失去母亲，12岁时丧父。父亲死于意外，母亲有一天离家后就再也没有回来。我也再也没有机会见到我那两个小妹妹。母亲离家7年后才给我寄来了第一封信。我母亲出走以后3年，父亲死于一次意外事件。他与人在密苏里州的一个小城合开了一家咖啡馆。父亲出公差时，他的合伙人出售了咖啡馆携款跑了。一位朋友拍电报给父亲叫他尽快赶回来。仓促之中，我父亲在堪萨斯州的一次车祸中丧生。我有两位姑姑，又老又病又穷，收留了我们家3个小孩。剩下我和小弟没有人要，镇上人怜悯我们，收留了我们。我们最怕人家把我们当孤儿看，但这种恐惧也是躲不过的。我在镇上一个穷人家寄居了一阵子，但那年头光景不好，一家之主失业了，他们再也没有能力多养活我一口。接着洛夫廷夫妇把我接到离镇11英里的农庄，并收容了我，洛夫廷先生已70高龄，长年卧病在床，他告诉我只要不说谎、不偷窃、听话，就可以一直跟他们住在一起。这3条戒律成了我的圣经。我绝对恪守这些规则。我开始上学，但第一个礼拜情况糟透了。其他的小朋友不断取笑我的大鼻子，骂我笨，叫我"小孤儿"。我心里难过极了，真想打他们一顿。但洛夫廷先生跟我说："永远记住！一位真正的男子汉不会随便跟人打架。"我一直不跟他们打架，直到有一天，一个男孩捡起鸡屎丢到我脸上，我痛揍他一顿，还交了几个朋友，他们说他罪有应得。

洛太太给我买一顶新帽子，我很喜欢。一天一个大女孩把它从我头上抢去，灌水弄坏了。她还说她把帽子装了水好淋湿我的木脑袋，让我清醒一点。

我从不在学校哭，不过，回家后就忍不住了。有一天洛太太给了我一个化敌为友的建议。她说："拉尔夫，如果你先对他们感兴趣，看看能帮他们什么忙，他们就不会再逗你，或叫你小孤儿了。"我听了她的话，用功读书，虽然我在全班功课最好，但没有人嫉妒我，因为我会帮助别人。

　　我帮几个男孩写作文，帮人写辩论稿。有个男孩还怕人家知道是我在帮他，他只告诉他妈妈他去抓动物了。他偷偷到洛太太家来，把狗绑在谷仓里，找我替他做功课。我还帮一个同学写读书报告，还花了几个晚上帮过一个女生做算术。

　　村中接连发生了几桩不幸，两位老农人相继去世，一位太太被丈夫遗弃，我是这4家人家中唯一的男性。两年来我一直在帮这几位寡妇。上学和放学途中，我会到她们家，为她们砍柴、挤牛乳、喂牲畜。现在人们不再诅咒我，反而称赞我。每个人都把我当作朋友。我由海军退役回来时，他们都流露出真正的感情。我到家的第一天，就有200多位邻人来看我。有人开了80英里的车，他们对我的关心是那么真诚。由于我一直乐于助人，我的烦恼很少，13年来，再也没有人逗弄我了。

　　波顿先生万岁！他懂得如何交朋友！他也知道如何战胜忧虑、享受人生。

　　西雅图的弗兰克·卢帕博士也是一样。他已瘫痪了23年。但西雅图《星报》的斯图尔特·怀特豪斯告诉我："我采访过卢帕博士许多次，我不知道还有谁比他更无私，更善用人生。"

　　这位卧床不起的病人怎么能善用人生呢？我让你猜二次。他是因为批评抱怨而做到的？当然不是……那么是因为自怜，把自己当作一切的中心？当然又错了！他做到了，因为他遵循威尔斯王子的誓言："我服务于人。"他收集了许多其他瘫痪病人的姓名地址，给他们写信鼓励。事实上，他组织了一个瘫痪者联谊俱乐部，让大家相互写信，最后他组织了一个全国性的社团组织。

　　他躺在床上，平均一年要写1400封信，给千万个同病相怜的人带来喜悦。

　　卢帕博士与其他人最大的差异在哪里？因为他有一种无穷的精神力量，有一种使命感。他深切体会到，比自身生命更高贵的奉献动机，会带来真正的快乐。正如萧伯纳所说："一个以自我为中心的人总是在抱怨世界不能顺他的心，使他快乐。"

　　著名心理学家阿德勒的一句话曾使我十分震动。他常对那些患有忧郁症的病人说："每天想到一个人，你得努力使他开心。按照这个处方，保证你 14 天内就能治好忧郁病。"

　　这句话听来如此不可思议，我认为我应该将阿德勒博士的名著《人生对你有何意义》一书中的几个段落摘录下来，供你借鉴：

　　忧郁症是对他人的一种长期愤怒责备的情绪，其目的是赢得他人的关心、同情与支持，病人似乎仍因自身的罪恶感而沮丧。忧郁病人第一件回想的事多半是："我记得我很想躺在沙发上，可是我哥哥先躺下了，我一直哭到他不得不起来让我。"

　　抑郁病人常以自杀来报复自己，因此医生的第一步是避免给他任何自杀的借口。我自己治疗的第一条是先解除这种紧张，我会说："千万别做任何你不喜欢的事。"这看起来没什么，但我深信这是一切问题的根源。如果病人能做他想做的事，那他还能怪谁？又怎么向自己报复？我会告诉他们："如果你想上戏院，或休个假，就去做。如果半路上你又不想去了，那就别去。"这是最好的状况，因为他的优越感会得到满足。他就像上帝一样随心所欲。不过，这完全不符合他的习性。他本来是想控制别人、怪罪别人，如果大家都同意他，他就无从控制了。用这种方式，我的病人还没有一个自杀过。

　　病人通常会回答："可是没有一件事是我喜欢做的。"我早就准备好了怎么回答他们，因为我实在听过太多次了，我会说："那就不要做任何你不喜欢的事。"有时候他会回答："我想在床上躺一整天。"我知道只要我同意，他就不会那么做。而如果我反对，就会引起一场大战。我通常一定会同意的。

　　这是一种方式。另一种处理他们生活方式的方法更直接。我告诉他们："只要照这个处方，保证你 14 天内痊愈，那就是每天想办法取悦别人。"看他们觉得如何。他们的思想早被自己占满了，他们会想："我干吗去担心别人？"有的人会说："这对我太简单了，我一生都在取悦别人。"事实上他们绝对没有做过。我叫他们再想想看。他们并没有再去想它。我告诉他们："你睡不着的时候，可以全部用来想你可以让谁开心，而且这对你的健康会很有助益。"第二天我问他们："你昨晚有没有照我建议的去做呀？"他们回答："昨晚我一上床就睡着了。"当然这都是在一种温和友善的气氛下进行的，不能露出一丝优越感。

有人会说："我做不到，我太烦了！"我会说："不用停止烦恼，你只要同时想想别人就好了。"我要把他们的注意力转移到别人身上。很多人说："为什么要我去取悦别人？别人怎么不来取悦我？""你得想到你的健康。"我回答："别人后来会有苦头吃的。"我几乎没有碰到过一位病人说："我照你的建议想过了。"我所有的努力不过是想提高病人对他人的兴趣。我了解他们的病因是因为与人缺乏交流，我要他也能了解这一点。什么时候他能把别人放在同等合作的地位，他就痊愈了……十诫中最难的一条是"爱你的邻人"……对别人不感兴趣的人不但自己有很严重的困难，而且给周围的人带来最大的伤害。人类所有的失败都是因为这一类的人引起的……我们对人的要求，以及所能给予的最高赞赏就是，他应是一位好同事、好朋友、爱与婚姻的良伴。

阿德勒博士督促我们日行一善，什么是善行呢？先知穆罕默德说："善行是能给他人脸上带来欢笑的行为。"

为什么日行一善对人会有这么大的益处呢？原因是想要取悦他人时，就不会有时间想到自己，而产生忧虑、恐惧与抑郁的主要原因就是只想到自己。

威廉·穆恩太太在纽约开办了一所穆恩秘书学校，她不用两个礼拜就祛除了忧虑。她也用不了13天，事实上，由于一对孤儿的出现，她只用了一天的时间就治好了。穆恩太太给我讲述了如下故事：

5年前的12月里，我陷入了一种自怜与悲伤的低潮，过了几年快乐的婚姻生活后，我失去了我的先生。越接近圣诞，我的哀伤越深。我从来没有一个人过圣诞节，我恐惧它的来临。朋友们都来邀我去他们家，可是我不想，我知道我在任何一家都会触景伤情的。于是我婉言拒绝了他们的好意。越接近圣诞夜，我越被自怜所淹没。没错，我还有许多值得感谢的事，每个人也都有。圣诞夜那天，我下午3点离开办公室，在第五大街漫无目的地闲逛，希望能驱走内心的自怜与忧郁情绪。街上满是欢乐的人们——令人不得不忆起逝去的快乐年华。我不敢想像自己得回到孤独空洞的公寓。我一片茫然，实在不知道要做什么。忍不住眼泪夺眶而出。逛了一个多小时，我发现自己停在公车站前，想起以前我先生和我会坐公车去探险，于是我上了进站的第一部公车。过了赫德逊河又过了一会儿，我就听到乘务员说："终点站了，女士。"我下了车，连地名也不知道。不过倒是个安静平和的小地方。在等车回去的时候，我开始逛住宅区的街道。我经过一座教堂，里面传出优美的《平安夜》的乐声，我走进去，里面没有人，只有一位风琴手。我静静地坐在教友席上，圣诞树的装饰灯美极了，美妙的音乐——加上我一天都没吃东西——我打起盹儿来，慢慢地睡着了。

醒来时，我忘了身置何处，我有点害怕。接着我看到前面有两个小孩，显然是进来看树的。其中一个小女孩指着我说："她会不会是圣诞老人带来的？"我醒来时也把他们吓了一跳。我告诉他们我不会伤害他们。他们穿得很破。我问他们父母在哪？他们说他们没有父母。这两位小孤儿情况比我糟多了，我觉得自己很惭愧。我带他们看圣诞树，又带他们去小店买点零食、糖果及小礼物。我的孤独感奇迹似的消失了。这两位孤儿让我几个月以来第一次感到真正的关心与忘我。我跟他们聊天，发现自己是何等幸运。我感谢上天，我儿时的圣诞过得多么开心，充满双亲的爱与关照。这两个小孩带给我的远比我给他们的多得多了。这次的经历再度告诉我要使自己开心，只有先使别人开心。我发现快乐是具有传染力的。通过施与，他们接受。因为帮助别人、爱别人，我克服了忧虑、悲伤与自怜，而有重生的感觉。而我确实有了重大的改变——不只是在当时，后来的几年都是这样的。

　　我可以写一本有关忘我而找回健康快乐的书，这种故事太多了。我先举玛格丽特·泰勒·耶茨的故事为例，她是美国海军最受欢迎的女性。

　　耶茨太太是一位小说家，但她写的小说没有一部比得上她自己的故事真实而精彩，她的故事发生在日本偷袭珍珠港的那天早晨。耶茨太太由于心脏不好，一年多来躺在床上不能动，一天得在床上度过22个小时。最长的旅程是由房间走到花园去进行日光浴。即使那样，也还得倚着女佣的扶持才能走动。她亲口告诉我她当年的故事。

　　我当年以为自己的后半辈子就这样在床上度过了。如果不是日军来轰炸珍珠港，我永远都不能再真正生活了。

　　发生轰炸时，一切都陷入混乱。一颗炸弹掉在我家附近，震得我跌下了床。陆军派出卡车去接海、陆军军人的妻儿到学校避难。红十字会的人打电话给那些有多余房间的人。他们知道我床旁有个电话，问我是否愿意帮忙作联络中心。于是我记录那些海军陆军的妻小现在留在哪里，红十字会的人会叫那些先生们打电话来我这里找他们的眷属。

　　很快我发现我先生是安全的。于是，我努力为那些不知先生生死的太太们打气，也安慰那些寡妇们——好多太太都失去了丈夫。这一次阵亡的官兵共计2117人，另有960人失踪。

　　开始的时候，我还躺在床上接听电话，后来我坐在床上。最后，我越来越忙，又兴奋，竟然忘了自己的毛病，我开始下床坐到桌边。因为帮助那些比我情况还惨的人，使我完全忘了我自己，我再也不用躺在床上了，除了每晚睡觉的8个小时。我发现如果不是日本空袭珍珠港，我可能下半辈子都是个废人。那时我躺在床上很舒服，我总是在消极地等待，现在我才知道潜意识里我已失去了复元的意志。

　　偷袭珍珠港是美国史上的一大惨剧，但对我个人而言，却是最重要的一件事。这个危机让我找到我从来不知道自己拥有的力量。

它迫使我把注意力从自己身上转移到别人身上。它也给了我一个活下去的重要理由，我再也没有时间去想自己或理会自己的病情了。

心理医师的病人如果都能像耶茨太太所做的那样去帮助别人，起码有1/3可以痊愈。这是我个人的想法吗？不，这是著名心理学家荣格说的，他说：我的病人中有1/3都不能在医学上找到任何病因，他们只是找不到生命的意义，而且自怜。

换个方式说，他们一生只想搭个顺风车——而游行队伍就在他们身边经过。于是他们带着自怜、无聊与无用的人生去找心理医师。赶不上一班渡轮，他们会站在码头上，责怪所有的人，除了他自己，他们要求全世界满足他们以自我为中心的欲求。

你现在可能会说："这些事也不怎么样，如果圣诞夜遇到孤儿，我也会关心他们；如果我碰到珍珠港事件，我也会很高兴做耶茨太太所做的事，可是我的状况跟人家不同。我的日子再平凡不过了。我一天得做8小时无聊的工作，从来没有任何有趣的事发生在我身上。我怎么会有兴趣去帮助别人呢？我又干吗要帮助别人？那对我有什么好处呢？"

这个问题还算合理，我来试着回答。不管你的人生多么单调，你每天总不免要碰到一些人，你对他们如何？你只是视而不见，还是想多认识他一点？例如邮差——他一天要跑几百里路，为人们送信，你可曾费心了解他住哪儿？看看他妻女的照片？你关心过他是否疲倦或觉得无聊吗？

杂货店小弟、送报生、擦鞋童呢？他们也都是人啊！他们也有烦恼、梦想、个人的野心啊！他们也想与别人分享，问题是你有没有给他们机会？你可曾对他们表示过热切真诚的兴趣？我谈的就是这一类的事。你用不着变成南丁格尔或社会改革者，才能帮助这个世界——你个人的世界，你大可以从明早遇到的第一个人开始改变。

这样做对你有什么好处？那当然是带来更大的快乐、更大的满足，更以自己为荣。亚里士多德把这种态度称之为"开化了的自私"。波斯宗教家左罗斯特说："对别人好不是一种责任，它是一种享受，因为它能增进你的健康与快乐。"富兰克林说得更简单："你对别人好的时候，也就是对自己最好的时候。"

纽约心理服务中心主任林克曾说："我认为，现代心理学最重要的一个发现就是，科学证明为完成自我实现与得到快乐，自我牺牲与纪律都是必要的。"

多想想别人不仅可使自己免于烦恼，也可以结交更多朋友，得到更多乐趣。我请教耶鲁大学的威廉·费尔普斯教授，以下是他的回答：

我到旅馆、理发店或商店时，一定会跟我遇到的人谈谈话。我要让他们觉得他们是一个人——而不是一部机器上的螺丝。有时我会赞美店里的女服务生眼睛或头发很美。我会问他们理发时站一整天累不累，我问他是怎么进入理发业的，比如干多久啦？理过多少次啦？我帮他一起数。我发现对他们感兴趣就可以给他们带来很大的乐趣。我常跟行李搬运工握手。工作了一整天，这会令他精神振作。一个酷热的夏天，我到火车餐车上去吃午餐。餐车挤得水泄不通、闷热无比，而服务又很慢。服务生终于过来把菜单给我，我说："在厨房做菜的那些人今天可惨了。"服务生开始咒骂，我以为他生气了，他说："老天啊！客人都在抱怨食物不好，他们埋怨服务太慢，又嫌这里太热、东西太贵。我听这些抱怨听了19年，你是第一位也是唯一一位对厨师表示过同情的客人。我祈祷有更多像你这样的客人。"

服务生只因为我把厨师当人看待就如此惊异，人所企求的，只不过是希望自己被当作人对待。有时我在路上碰到有人牵着狗散步，我总不忘赞赏那只狗。我走过后回头看时，常会看到那人很欣赏地拍拍他的狗，我的赞赏重新引起了他的欣赏。

有一次在英国，我遇到一位牧师，我真心称赞他那只壮实聪明的牧羊犬。我请他告诉我如何训练那只狗。我走开后，回头看见那牧羊犬搭在它主人的肩上，而它主人正在拍它的头。就因为对牧人的狗表示感兴趣，我就能让那牧人开心，那只狗也开心，当然我自己更开心。

一个常跟搬运工握手，又能对厨子表示同情的人，或是常称赞别人的狗有多棒的人，你能想像他们会终日愁眉不展，需要心理医师吗？你一定想像不出吧！有一句中国谚语说："送花者手染余香。"

下面这段是一位女士的故事，她现在已经当祖母了，几年前，我到她住的小镇演讲，住在她家一个晚上，第二天她开车送我去50英里外的车站搭火车。车上，我们谈到如何交朋友，她说：

卡耐基先生，我要告诉你一件我从来没有告诉过任何人的事——连我先生也不知道的事。我们家以前在费城是靠社会救济金过活的。我年轻的岁月中最大的悲剧都来自我们的贫困。我从来不能像别的少女们那样享受正当的社交生活。我衣着寒酸，而且常常太小，绷在身上，当然款式也都过时了。我觉得无颜见人，常常哭着睡去。绝望中，我忽然心生一计，每次在聚会里，我都请我的男伴谈谈他的经历、想法以及对未来的计划。我问这些问题，倒不是对他们的回答特别感兴趣，实在只是希望分散他们的注意力，不要看出我的装扮寒酸。可是，奇妙的事发生了：当我听这些青年谈话时，我学到一些东西，而开始产生了真正的兴趣。我变得兴味盎然，自己也忘了服饰的问题。可是最令我惊异的是：因为我是个很好的聆听者，又鼓励他们谈论自己，他们跟我在一起时总是很快乐，我竟渐渐成为最受欢迎的女孩，有3位男士都要求我嫁给他。

有人看到这里可能会说："什么对别人的事感兴趣，这全是胡扯！我才懒得过问别人的事，我只要自己赚到钱，得到我所追求的东西就好了，管别人闲事干吗？"

当然，你有选择的自由，你可以照自己的意思去做，不过，如果你是正确的，那么所有的古圣先贤——耶稣、孔子、佛祖、柏拉图、亚里士多德、苏格拉底等等就都错了。也许你对宗教大师有反感，那么，让我来举几个无神论者的例子。第一个例子是剑桥大学豪斯曼教授，他是当代极负盛名的学者。1936 年，他在剑桥做演说《诗之名与质》中曾提到：

耶稣说："人因我失去生命者，将得永生。"这实在是永恒的真理，也是最深刻的道德发现。

我们一天到晚从传教士那里听到这种论调，而豪斯曼教授是一位无神论者，也是一位悲观主义者，他却仍旧发现，一个人只想到自己，是不可能活出真正的人生来的，事实上，他会活得很糟。相反的，忘记自身、服务他人的人才得以享受生活之喜悦。

如果那也不能打动你，我们再来看看 20 世纪最杰出的美国无神论者——西奥多·德莱塞。德莱塞把所有的宗教都看成神话，而人生只是"傻瓜说的故事，没有任何意义。"德莱塞却遵循耶稣的一个道理——服务他人。德莱塞说过："如果人想从人生中得到任何快乐，就不能只想到自己，而应为他人着想，因为快乐来自于你为别人、别人为你。"

如果我们真的要像德莱塞所说：

帮助别人过得更好，我们就应该立即行动，不要再浪费时间。人生这条道路，我只能经过一次，如果我能行任何善事——请让我现在就做，不要让我拖延，也不要让我轻视，因为，我再也不能回到这条道路。

消除忧虑，得到平安与快乐的第十大原则：


**忘却自己，多对别人感兴趣。**

# 14

## 批评他人是一种自我满足

　　1929 年，美国教育界发生了一件大事，许多教育界的人都赶
到芝加哥恭逢盛会。好几年前，一位名叫罗伯特·哈金斯的年轻人
一面念耶鲁大学，一面打工，当过侍者、伐木工、家庭教师。不过
8 年的时间，他竟受聘为全美第四名的芝加哥大学校长。他当时才
30 岁，这真不可思议！一些年长的教育学家都很不以为然。各种
批评纷至沓来：他太年轻啦！他没有经验啦！他的教育理念是荒谬
的。最后连报纸也不能保持客观，加入了这场攻击。

　　他上任那天，一位友人对哈金斯的父亲说："今早报纸上连社
论也在诋毁你儿子，真令人惊讶。"

　　哈金斯的父亲回答："真的是很严重，不过我们都知道，没有
人会踢一只死狗的。"

　　确实如此！越勇猛的狗，人们踢起来就越感到满足。后来登基为爱德华三世的英国威尔斯亲王也有过这种经历。他曾就读达特茅斯学院——相当于美国的海军学院，当时他14岁，一天一位海军军官发现他在哭，就问他发生了什么事。他本来不肯说，不过后来终于说出事端：原来他被一位海军幼校生踢了一脚。校长把大家召集起来，告诉他们，虽然威尔斯王子并没有抱怨，但校长一定要查清楚为什么有人行为这么粗鲁。

　　过了许久，那些幼校生才承认是他们干的，原因是当他们以后服役英国海军，成为军官时，可以跟别人吹嘘他们曾经踢过英国国王。

　　所以，如果你被批评，请记住，那是因为批评你会给他一种满足感。这也说明你是有成就的，而且引人注意。很多人凭借指责比自己更有成就的人来得到满足感。我正在写这一章时，就收到一封一位女士批评救世军创办人威廉·布斯将军的信，因为我在广播节目中曾赞扬布斯将军，这位女士就写信告诉我，布斯将军曾经将救助穷人的800万美元纳入私囊。这种指控当然是极为荒谬的。不过这女士的目的也不是想找出真理，她只想攻击比她优越得多的人。我把她的信丢入废纸篓，很庆幸没有娶到像她这样的女人。她的信不能影响我对布斯将军的看法，倒是让我认识了她的人格。

　　哲学家叔本华说过："小人常为伟人的缺点或过失而得意。"

　　没有人会相信耶鲁大学校长会是小人，但前任耶鲁大学校长蒂莫西·德怀特，却似乎以诋毁一位美国总统候选人为乐。德怀特警告说，如果此人当上美国总统，"我们国家将会合法卖淫、行为可鄙、是非不分、道德沦丧，不再敬天爱人。"

　　听起来这似乎在骂希特勒吧？可是他谩骂的对象竟是杰佛逊总统，就是撰写独立宣言，被赞美为民主先驱的杰佛逊总统！

　　有一位美国人，被人骂作"伪君子"、"骗子"、"比谋杀犯好不了多少"，你猜是谁？一幅刊在报纸上的漫画把他画成伏在断头台上，一把大刀正要切下他的脑袋，街上的人群都在嘘他。他是谁？

他是乔治·华盛顿。

　　不过那是很久以前的事了，也许人性有点进步了吧！让我们看看比较近些的例子。皮尔里上将——他于 1909 年 4 月到北极探险，因而闻名世界。皮尔里险些因酷寒及饥饿而丧命，并因低温冻伤必须将 8 个脚趾都切除。情况恶劣使他担心自己会精神错乱。可是在华盛顿的海军长官们却因为皮尔里的出名而愤怒。他们指控他以科学研究为名招募经费，却在北极到处晃荡。他们也真的相信，因为当人真要相信时，是很难叫他不信的。他们想要羞辱及封杀皮尔里的决心是如此坚定及强烈，以致后来只有麦肯莱总统亲自下令，才使皮尔里得以在极地完成他的大业。

　　如果皮尔里在华盛顿海军总部上班，会有人这样指责他吗？不会的，因为他不会重要到引起别人眼红。

　　格林将军的遭遇比皮尔里上将还要惨。1862 年，南北战争时格林将军赢得了北军的一次大胜利——一个下午就得到了胜利，也使格林一夕之间成为全国偶像——从缅因州到密西西比河岸所有教堂的钟声都为庆祝这次凯旋而齐鸣。可是，就在这次伟大的胜利之后 6 个礼拜，北军的英雄——格林将军却被拘捕，并失去了所有的军队，陷入屈辱与绝望之中。

　　格林将军怎么会在胜利的高潮下被拘捕呢？主要是因为他傲慢的长官嫉妒他的成功。

　　如果我们想保持平安快乐，第十一大原则是：

**不要去踢一只死狗。**

# 15

## 不让批评之箭中伤你

有一次，我访问美国海军陆战队最多彩多姿的少将——斯梅德利·巴特勒少将。

他告诉我，他年轻时，急切想要成名，渴望给每个人留下良好的印象。那个时候，只要有一点点批评都会令他很难过。不过他承认30年的海军陆战队生活把他磨炼得坚强多了。他说："我曾被人批评得像条狗、蛇或臭鼬，我也被诅咒专家诅咒过。所有英文字汇中最不堪的字眼，我都被人骂过。现在我听到有人骂我，连头都懒得回。"

巴特勒对批评可能太无动于衷了，不过，我们大多数人却又把它看得太过严重。我记得几年前一位《纽约太阳报》记者来参观我的成人班授课，然后写了一篇报道，对我的工作及我个人多有攻评。我真的气坏了，我认为这是对我个人的侮辱，我打电话给《太阳报》执行委员会主席，我要求他刊登一篇陈述事实，而非嘲讽攻击的文章。我要让他为他的错误受到惩罚。

对我当时的行径，我现在很觉惭愧。我现在才了解一半的读者可能根本没看到那篇文章，阅读到的另一半读者也会抱着随意的心情看它。看过的读者中又有一半会在几周内忘得一干二净。

我也了解到没有人真正关心别人的事，因为他们只想到自己——从睁开眼到上床。他们关切自己轻微的头痛，只怕比关切你我的死讯还要多。

即使有人骗了我们，出卖了我们，在背后捅了我们一刀，被最亲近的密友背叛，我们也不要坠入自怜的深渊。相反的，我们正好可以提醒自己，那正是发生在耶稣身上的遭遇。他的 12 位最亲信的门徒中，有一位仅仅为了现在算来大约 19 美元的金钱，就背叛了耶稣。另一位门徒三次公开宣称他不认得耶稣——甚至还发了誓。12 位中有两位背叛了他，也就是有 1/6 的比率！既然连耶稣的遭遇都不过如此，你我凭什么期望得到更好的际遇？

长久以来，我就发现既然无法避免不公的批评，起码我可以做一些更重要的事：也就是决定自己是否要受批评的干扰。

我要交代清楚的是，我并非对所有的批评都置之不理，而是仅仅忽略恶意的责难。我请教罗斯福总统夫人，她如何处理恶意的责难——当然谁都知道她受尽了这类批评。她可以算是拥有最多朋友，以及最多敌人的白宫女夫人。

她告诉我，她少女时期曾经非常害羞，害怕人们的闲言闲语。她恐惧别人的批评，有一天她去请教罗斯福总统的姐姐，她问道："我想做一些事，可是又怕被人批评。"

罗斯福总统的姐姐看着罗斯福夫人说："只要你相信自己做的是对的，就不要在意别人怎么说。"罗斯福夫人告诉我，那一句话一直是她在白宫岁月中的支柱。她说："做你认为正确的事——因为你反正会受到批评的。你会因为做了某些事被骂，也会因为什么都不做而被骂。结果都是一样的。"这就是她的忠告。

美国国际公司（AIC）的总裁马休·布鲁斯曾接受我的访问，问到他对别人的批评是否敏感时，他说："没错，我年轻时确实对别人的批评非常敏感，当时我渴望全公司的人都认为我是完美的。如果他们不认为如此，我就会很烦恼。为了取悦第一个有反对意见的人，往往我得罪了另一个人。于是我又得安抚第二个人，结果搞得一群人都有意见。最后我终于发现，为了避免别人对我个人的批评，我试图安抚的人越多，我也同时得罪了更多人。我只有告诉自己：'如果你身居领导地位，就注定了要被批评，想办法习惯它吧？'这对我很有助益，从那以后，我只管尽力而为，然后撑起一把伞，让批评之雨顺伞滑落，而不再让它滴到脖子里，让自己难过。"

美国作曲家迪姆斯·泰勒干得更彻底，他不但不受到批评的伤害，还能在公开场合一笑置之。他在周日下午的电台音乐节目中的评论，有位女士写信给他，称他为"骗子、叛徒、毒蛇、白痴"，泰勒在他的著作《人与音乐》中提到这段往事："我怀疑她可能是随意说说的，于是在下周的广播节目中，我向所有的听众念出这封信，可是几天后，我收到同一位女士的来信，坚持她对我的想法，我仍是骗子、叛徒、毒蛇与白痴。"我们实在佩服泰勒处理别人攻讦的态度，我们佩服的是他的真诚、镇定以及高度的幽默感。

美国企业家查尔斯·施瓦伯在普林斯顿大学向学生团体演说时，坦白提到他所学到的最重要的教训，是钢铁厂中的一位德国老工人教他的。这个德国工人跟另一位钢铁工人卷入一场激烈的争辩，结果别人把他丢到河里去了。"当他到我办公室来时，满身都是泥泞，我问他到底说了什么，别人会把他丢到河里，他说：'我什么都没说，只是一笑置之。'"

施瓦伯把这德国老工人的话———笑置之，当作座右铭。

这句话对一个成为恶毒攻讦对象的人，尤其正确。你回答别人，会引起针锋相对，但你对一个"一笑置之"的人，还能说什么呢?

　　美国内战期间的林肯总统,如果没有学会不理会排山倒海的各种攻讦,恐怕他早就崩溃了。林肯应付恶意批评的方法已成为个中经典。麦克阿瑟将军把那段话挂在他的指挥总部办公桌上,丘吉尔同样有一份放在书房里,林肯是这么说的:"只要我不对任何攻讦作出反应,这件事就只有到此为止。我尽力而为,我将继续如此直到生命结束。到最后,结果证明我是对的,所有的责难都不具任何意义。反之,结果证明是我错了,那么即使有 10 位天使作证说我是正确的,也没有用了。"

　　如果要保持平安快乐,请谨记第十二大原则:

　　**凡事尽力而为,然后撑起伞,避开责难之雨。**

# 16

## 学会自我批评

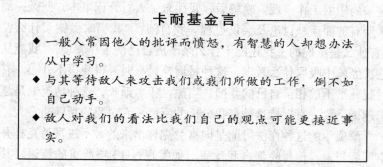

**卡耐基金言**

◆ 一般人常因他人的批评而愤怒，有智慧的人却想办法从中学习。

◆ 与其等待敌人来攻击我们或我们所做的工作，倒不如自己动手。

◆ 敌人对我们的看法比我们自己的观点可能更接近事实。

　　我的档案柜中有一个私人档案夹，标示着"我所做过的蠢事"。夹中插着一些我做过的傻事的文字记录。我有时口述给我的秘书做记录，但有时这些事是非常私人的，而且愚蠢到我没有脸请我的秘书做记录，因此只好自己写下来。

　　每次我拿出那个"愚事录"的档案，重看一遍我对自己的批评，可以帮助我处理最难处理的问题——管理我自己。

　　我曾经把自己的麻烦怪罪到别人头上，不过随着年龄渐增，希望也长了一点智慧——我最后发现应该怪的人只有自己。很多人随着年纪的增长而认清了这一点。拿破仑被放逐到圣海伦岛时说：

"我的失败完全是自己的责任，不能怪罪任何人。我最大的敌人其实是我自己，这也是造成我的悲惨命运的主因。"

我要告诉你关于一位深谙自我管理艺术的人物的故事，他的名字是豪威尔。1944 年 7 月 31 日，他在纽约大使酒店突然身亡的消息震惊了全美。华尔街更是骚动，因为他是美国财经界的领袖，曾担任美国商业信托银行董事长，兼任几家大公司的董事。他受的正式教育很有限，在一个乡下小店当过店员，后来当过美国钢铁公司信用部经理，并一直朝更大的权力地位迈进。

我曾请教豪威尔先生成功的秘诀，他告诉我说："几年来我一直有个记事本，登记一天中有哪些约会。家人从不指望我周末晚上会在家，因为他们知道，我常把周末晚上留作自我省察，评估我在这一周中的工作表现。晚餐后，我独自一人打开记事本，回顾一周来所有的面谈、讨论及会议过程。我自问：'我当时做错了什么？''有什么是正确的？我还能干什么来改进自己的工作表现''我能从这次经验中吸取什么教训'这种每周检讨有时弄得我很不开心。有时我几乎不敢相信自己的莽撞。当然，年事渐长，这种情况倒是越来越少，我一直保持这种自我分析的习惯，它对我的帮助非常大。"

豪威尔的这种作法可能是向富兰克林学来的。不过富兰克林并不等到周末，他每晚都自我反省。他发现过 13 项严重的错误。其中三项是：浪费时间、关心琐事及与人争论。睿智的富兰克林知道，不改正这些缺点，是成不了大业的。所以，他一周订一个要改进的缺点作为目标，并每天记录赢的是哪一边。下一周，他再努力改进另一个坏习惯，他一直与自己的缺点奋战，整整持续了两年。

难怪富兰克林会成为受人爱戴、极具影响力的人物。艾尔伯特·哈伯特说过："每个人一天起码有 5 分钟不够聪明，智慧似乎也有无力感。"

一般人常因他人的批评而愤怒，有智慧的人却想办法从中学习。诗人惠特曼曾说："你以为只能向喜欢你、仰慕你、赞同你的人学习吗？从反对你的人、批评你的人那儿，不是可以得到更多的教训吗？"

　　与其等待敌人来攻击我们或我们的工作，倒不如自己动手。我们就是自己最严苛的批评家。在别人抓到我们的弱点前，我们应该自己认清并处理这些弱点。达尔文就是如此。当达尔文完成其不朽的著作——《物种起源》时，他已意识到这一革命性的学说一定会震撼整个宗教界及学术界。因此，他主动开始自我评论，并耗时15年，不断查证资料，向自己的理论挑战，批评自己所下的结论。

　　如果有人骂你愚蠢不堪，你会生气或者会愤愤不平吗？我们来看看林肯如何处理。林肯的军务部长爱德华·史丹顿就曾经这样骂过总统。史丹顿是因为林肯的干扰而生气。为了取悦一些自私自利的政客，林肯签署了一次调动兵团的命令。史丹顿不但拒绝执行林肯的命令，而且还指责林肯签署这项命令是愚不可及。有人告诉林肯这件事，林肯平静地回答："史丹顿如果骂我愚蠢，我多半是真的笨，因为他几乎总是对的。我会亲自去跟他谈一谈。"

　　林肯真的去看史丹顿。史丹顿指出他这项命令是错误的，林肯就此收回成命。林肯很有接受批评的雅量，只要他相信对方是真诚的，有意帮忙的。

　　你我也应该欢迎这样的批评，因为我们不可能永远都是正确的。连罗斯福总统也只敢期望自己能在四次里面，有三次是正确的。当今最伟大的科学家爱因斯坦，也曾坦承他的结论99％都是错误的。

　　法国作家拉劳士福古曾说："敌人对我们的看法比我们自己的观点可能更接近事实。"我认为这句话常常是正确的，可是被人批评的时候，如果不提醒自己我还是会不假思索地采取防卫姿态。每次我都对自己极为不满。不管正确与否，人总是讨厌被批评，喜欢被赞赏的。我们并非逻辑的动物，而是情绪的动物。我们的理性就像狂风暴雨下汪洋中的一叶扁舟。

　　听到别人谈论我们的缺点时，想办法不要急于辩护。因为每个没头脑的人都是这样的。让我们放聪明点也更谦虚一点，我们可以气度恢弘地说："如果让他知道我其他的缺点，只怕他还要批评得更厉害呢！"

我曾讨论过如何应对恶意的攻讦。现在提出的是另一个想法：当你因恶意的攻击而怒火中烧时，何不先告诉自己："等一下……我本来就不完美。连爱因斯坦都承认自己99％都是错误的，也许我起码也有80％的时候是不正确的。这个批评可能来得正是时候，如果真是这样，我应该感谢它，并想法子从中获得益处。"

美国一家大公司的总裁查尔斯·卢克曼曾经用100万美元请鲍伯·霍伯上广播节目。鲍伯从不看赞赏他的信，只看批评的信，因为他知道可以从中学到一点东西。

福特汽车公司为了了解管理与作业上有何缺失，特地邀请员工对公司提出批评。

我认识一位香皂推销员，甚至主动要求人家给他批评。当他开始为高露洁推销香皂时，订单接的很少。他担心会失业，他确信产品或价格都没有问题，所以问题一定是出在他自己身上。每当他推销失败，他会在街上走一走想想什么地方做得不对，是表达得不够有说服力？还是热忱不足？有时他会折回去，问那位商家："我不是回来卖给你香皂的，我希望能得到你的意见与指正。请你告诉我，我刚才什么地方做错了？你的经验比我丰富，事业又成功。请给我一点指正，直言无妨，请不必保留。"

他这个态度为他赢得许多友谊，以及珍贵的忠告。

想知道他的发展吗？他后来升任高露洁公司总裁，高露洁公司是当代最大的香皂公司。他就是立特先生。

只有心胸宽大的智者，才能向豪威尔、富兰克林及立特看齐。四下无人时，你何不自问你到底属于哪一种人？

平安快乐的第十三大原则是：

**记下自己干过的蠢事，提出自我批评。**

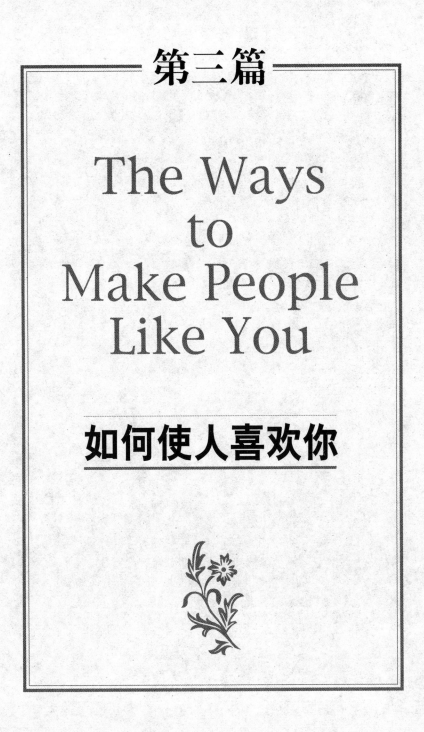

# The Ways to Make People Like You

## 如何使人喜欢你

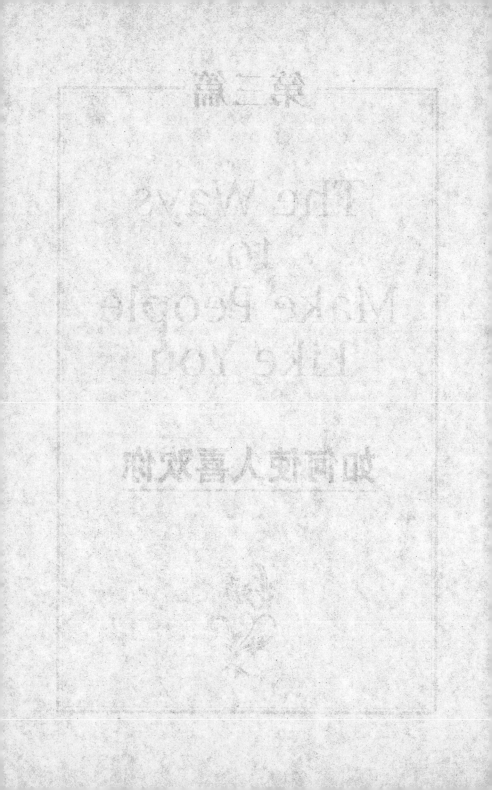

# 17

## 学会真诚地关心他人

　　我们为什么要阅读本书去学习如何交友呢？为什么不向最得人缘的人去学习交友的技术呢？那么，谁最得人缘呢？也许你明天就会在街上见到它。当你走到距离它 10 英尺附近，它就会向你摇头摆尾；如果当你停下来拍拍它，它就会高兴地向你表示亲热。而且它的这些表现绝对没有不良企图：既不会向你兜售房地产，也不是想同你结婚。我想大家都明白我说的是什么了———只可爱的狗。

　　你有没有想过，狗是唯一不用工作而能谋生的动物？母鸡得下蛋，奶牛得产奶，金丝雀得唱歌，但是，狗却什么也不用做，仅仅对你表示亲热就可以了。

在我 5 岁的时候，父亲花钱买了只小黄毛狗给我，那是我童年时代的启蒙和快乐。每天下午 4 点半钟左右，它会蜷曲在我家前院，用那对漂亮的眼睛瞪着门前那条小路。只要一听到我的声音，或看到我拎着饭盒穿过小路，它就箭一般地飞跑过来迎接我，而且高兴地吠个不停。

"踢皮"从没读过心理学，它一点也不需要。凭着其天赋和本能，它在两个月内，凭着对人表示亲热而赢得了许多朋友；可是，一个人却很难在两年之内，为吸引别人的注意而交到朋友。

你我都知道，有些人常常终其一生向别人搔首弄姿，企图引起别人的注意。当然，这是枉费力气。因为人们根本不会注意你，也不会注意我。他们注意的只是自己——不论早上、中午或晚餐过后。

纽约电话公司曾采用电话通话做过一项调查，看哪一个字是人们最常用的。想必你一定猜到了，正是"我"这一字眼。500 个通话中，这个字约用了 3900 次。"我"、"我"、"我"……

当你见到一张你和别人的团体照时，你最先注意的是哪一个人？肯定是"我"！如果我们只是引起别人的注意，想让别人留下印象，我们就不可能交到许多真心、诚恳的朋友。一位真正的朋友，不是用这种方法结交而来的。

拿破仑曾试过这个方法，所以在最后一次与约瑟芬相聚的时候，他说道："约瑟芬，我曾经是世界上最幸运的人，但是现在，我唯一能信任依靠的只有你。"历史学家甚至怀疑，他是不是真的相信约瑟芬。

威尼斯著名的心理学家阿尔弗雷德·阿德勒写过《生命对你的意义是什么》一书，书中说道："凡不关心别人的人，必会在有生之年遭受重大困难，并且大大伤害其他人。也就是这种人，导致了人类的种种错失。"你可能读过许多心理学著作，却不曾碰到过这么一段有意义的话。阿德勒的这段话实在发人深省，我愿意在此重复一遍：

凡不关心别人的人，必会在有生之年遭受重大困难，并且大大伤害到其他人。也就是这种人，导致了人类的种种错失。

我在纽约大学进修《短篇小说写作》课程的时候，一家杂志的编辑曾到课堂上主讲。他说，每天有许多故事涌到他的书桌，每个故事他只要读上一小段，便可以看出作者是不是真正关心他人的。他说："如果作者不关心他人，人们也必定不会关心他的故事。"

如果写作如此，你可以相信，面对面地与人相处也是如此。

有一次，霍华·舍斯顿来百老汇献技时，我在他的后台更衣间呆了一个晚上。舍斯顿是公认的魔术大师，40 年来走遍天下，制造各种幻境，使观众迷惑、惊讶不已。约有 6000 万人买票欣赏过他的表演，其净利大概有 200 万美元之多。

我请教舍斯顿成功的秘诀。他并没有受过良好的学校教育，因为他很小就离家出走，到处流浪。有时候躲在货车车厢里，免费搭乘便车；有时睡在秸草堆里，或是挨家挨户讨食物吃。他是躲在货车里向外看路标的时候，才渐渐学会读少许字的。

他是不是真的懂得高人一等的魔术呢？不是。有关变戏法的书籍汗牛充栋，许多人懂得的都跟他一样多。但是他有两件其他人所没有的法宝。第一，他能够在舞台上表现出自己的个性。舍斯顿是个表演大师，深懂人性。他在舞台上的每个动作、手势、声调，甚至扬眉微笑，都事先小心地演练过，连时间也精确地计算过。但是，除此之外，舍斯顿最大的成功之处在于他关心"人"。他告诉我，许多魔术师在面对观众的时候，也许会对自己说："看啊，那里坐着的是一群蠢货，一堆土包子。看我必能把他们唬得目瞪口呆！"但是舍斯顿却绝不如此。他每次上台的时候都对自己说："我很感谢这些人来看我。是这些人使我的生活如此愉快，我要尽量把绝活使出来让大家欣赏。"他宣称，在他走上舞台之前，绝不会忘记一再对自己说道："我亲爱的观众，我爱我的观众。"可笑吗？荒唐吗？你高兴怎么想都可以，我只是把一个著名魔术家的成功秘诀讲述出来而已。

西奥多·罗斯福有个侍仆叫詹姆士·阿摩斯，他写了一本书，名叫《仆人眼中的英雄——西奥多·罗斯福》。阿摩斯在书中有如下描写：

"我太太有次向总统先生问起什么是鹌鸟，因为她从没有见过，所以总统先生很详尽地描述了一番。没过多久，我们农舍里的电话铃响了（阿摩斯和太太住在蚝仔湾一栋属于罗斯福产业的小农舍里），我太太跑去接，原来是总统先生亲自打来的，他在电话中说道，如果我太太从窗户向外看的话，也许可以看到有只鹌鸟正在窗外。像这一类的小事情，点点滴滴都显示出总统先生的优秀品质。无论什么时候他从农舍经过，一定会过来找我们。有时虽然见不到我们，也可以听见他喊：'呜—呜—安妮？'或是'呜—呜—詹姆士！'这是多么友善的招呼啊！"

哪一个雇工不喜欢这种老板呢？有谁不喜欢这种友善的人呢？

在塔夫脱总统任职时期，有一天罗斯福到白宫来访。恰巧总统和夫人外出不在，罗斯福对待下人的诚挚便真实地流露出来。他叫着每一个老仆人的名字，和他们打招呼，连在厨房里洗碗盘的女仆也不例外。

"当他见到在厨房里工作的女仆爱丽丝时，他问她是不是还在烘玉米面包。"阿奇·巴特写道，"爱丽丝说，她有时做一些给仆人吃，但楼上人并不吃。"

"他们真不懂得品味。"罗斯福大声说道，"我见到总统的时候一定这么告诉他。"爱丽丝用盘子装了一些玉米面包给他。他拿了一片走到办公室去吃，并且一路和园丁、工人打招呼——"他和每一个人寒暄聊天，就像以前一样。曾经在白宫当过40年仆役的艾克·胡佛含着眼泪说道：'这是我两年来唯一感到快乐的日子，但谁也不会用这一天和一张百元大钞交换。'"

由于对看似平凡的人给予同样的关怀，使得新泽西州的一位业务代表挽回了一个客户。这位业务代表名叫小爱德华·赛克斯，他在报告中说道："好几年前，我为强生公司在麻省一带拜访客户，其中之一是位于兴罕的药品杂货店。每次我到店里去的时候，总要先跟柜台的职员寒暄几句，然后才去见店主。一天，店主突然告诉我不用再去了，他不想再买强生公司的产品，因为强生公司的许多活动都是针对食品市场和廉价商店而设，这对小药店的伤害不小。于是我落荒而走，开着车在镇里兜了好几个小时。最后，我决定再回到店里，至少也要把公司的情形解释清楚。

"走进店里的时候，我照常和柜台员工打招呼，然后进到里面见店主。店主见到我很高兴，笑着欢迎我回来，并且比平常多订了一倍的货。我十分惊讶，忙问发生了什么事。他指着柜台卖饮料的男孩说，在我离开店铺以后，卖饮料的男孩走过来告诉他，说我是到店里来的推销员当中少数几个会同他打招呼的人之一。他告诉店主，如果有什么生意值得做的话，应该就是我。店主同意这个看法，从此成了我最好的客户。我永远也不会忘记，对人关心是推销员必须具备的特质。"

我从个人的经验中也发现，只有你真正关心他人，才能赢得他人的注意、帮忙和合作，甚至最忙碌的重要人物也不例外。

好几年前，我在布鲁克林文理学院讲授《小说写作》课程，很希望能请到那些著名作家前来讲述他们的写作经验。我们写信去，除了称赞他们的工作成就外，并且说明我们如何希望得到一些忠言和成功的秘诀。

每封信都签上150名学生的名字。我们知道这些作家都很忙，所以附寄了一些希望他们回答的问题，以便节省他们备课的时间，他们很高兴接受这样的安排，便都答应前来。

我们也用同样的方法，请来了西奥多·罗斯福总统内阁的财政部长莱斯礼·肖、塔夫脱总统时的司法部长乔治·韦克罕、威廉·詹宁斯·布来恩、富兰克林·罗斯福和许多其他杰出人物，到课堂上为学生公开演讲。

如果我们想结交朋友，就要先为别人做些事情——那些需要花时间、精力、体贴、奉献才能做到的事。当温莎公爵还是威尔斯亲王的时候，曾有一次计划到南美旅行。旅行之前，他花了好几个月时间学习西班牙文，以便为当地的公开演讲做准备。南美洲的人因此特别敬爱他。

多年来，我一直想知道朋友们的生日，怎么办呢？虽然我对占星学一点概念也没有，但还是四处去请教他人，问他们相不相信生日会影响一个人的性格和气质。我借机请他们把生辰年日告诉我，然后趁他们不注意的时候将日期姓名记下。我把这些资料写在日历上，好使我不会忘记。等有人生日到了的时候，便送信或电报过去。此举效果如何？当然不错！我大概是全世界让他们记忆最深刻的人了！

如果我们想结交朋友，向人致意的时候一定要显得热诚而有精神。懂得心理学的人打电话，一定会用愉快悦耳的声音说"哈啰"。现在有许多公司训练接线员在回答电话的时候，要求他们如何让声音显得关心、热忱。这种回话的语调，可以让听的人感觉到这家公司对他的关注。那以下一次打电话的时候，让我们都记住这个要诀。

对别人表示真正的关注，不仅会让你结交朋友，并且会为公司争取到客户。位于纽约的北美国家银行，在他们定期出版的刊物里刊登了一封储户玛德琳·罗斯戴尔的来信：

"我很愿意让你们知道，我十分感谢贵银行的职员。他们个个谦虚有礼，非常乐意帮助人。在排了长长的队伍之后，能受到柜台出纳员亲切的问候，真让人感到高兴。

"去年，我母亲住院5个月，使我常有机会去找玛丽·派屈琪罗。她是柜台出纳员，非常关心我母亲，常常问起我母亲的病情。"罗斯戴尔女士以后会不会继续光顾这家银行，那还用问吗？

费城的奈佛先生多年来一直想把燃料卖给一家大连锁店。但是这家连锁店一直从外地进货，运货的路线正好从奈佛先生办公室的门口经过。奈佛先生有天晚上就在我们的课堂上演讲，并且大骂这家连锁店。

但是，他还是不知道为什么他们不愿买他的燃料。

我建议他改变战略。首先，我们准备在课堂上举行一次辩论会，主题就是连锁店的广布对国家害多益少。我建议奈佛先生加入反方，他同意了。由于要为连锁店辩护，他便前往拜访一位他原本瞧不起的连锁店经理，告诉他"我不是来推销燃料的，我是来找你们帮个忙。"他把来意说明清楚，并且说："我来找你，是因为我想不出还有其他人能给我提供更好的事实。我很希望能赢得这场辩论，无论你提供什么给我，我都十分感激。"

我们让奈佛先生亲自把其余的部分说完。

"我原先要求这位经理只要拨出一点时间，所以他才同意见我。当我把事实说出之后，他指着一张椅子要我坐下，并且整整谈了一个钟头零47分钟。他请来另一位主管，这位先生写过一本有关连锁店的书。他又写信给全国连锁店公会，替我要来一份有关这个问题的材料。他觉得连锁店提供了最真实而方便的服务，他也以自己能够为许多社区服务为荣。当他侃侃而谈的时候，两眼发亮，我也不得不承认他的确让我明确了许多意想不到的事。他改变了我整个心态。"

"在我离去的时候，他陪我走到门口，用手揽住我的肩膀，祝我辩论得胜，并且要我再去看他，让他知道辩论的结果。最后，他向我说：'春天来的时候请再来看我，我很愿意向你买些燃料。'"

"这真是个奇迹，他居然主动提起买燃料的事。由于我对他们连锁店的关心，使他也转而关心我的产品，因而能在这两个钟头里，达成10年来所不可能的事。"

奈佛先生发现的并不是什么崭新的真理。早在基督降生前100年，有个罗马诗人帕利里亚斯·赛洛斯就说过："当别人关心我们的时候，我们也关心他们。"

关心他人与其他人际关系的原则一样，必须出于真诚。不仅付出关心的人应该这样，接受关心的人也理当如此。这是一条双向道——两者皆受其益。

在纽约长岛选修我们课程的马丁·金斯柏报告说，由于一位护士对他特别关怀，深深地影响了他的一生。

在我 10 岁那年的感恩节当天，我住在城里一家医院的免费病房里，准备第二天进行外科整形手术。我知道以后的几个月里不能外出，要忍受疼痛，等待伤口复原。我的父亲已经过世，母亲和我住在一间小公寓里，接受社会福利救济。那一天，母亲不能来看我。

我觉得十分孤单、绝望和恐惧。我知道母亲一人在家，为我担心，而且没有人陪她，没有人同她一起吃饭，甚至没有钱吃一顿感恩节晚餐。

泪水涌进我的眼里，我把头埋在枕头和棉被下面，尽量不使自己哭出声来。但我实在太伤心了，因此哭得整个身体都颤动不已。

有位年轻的实习护士听到啜泣的声音，急忙跑过来。她掀掉棉被，拭去我脸上的泪水，然后告诉我，她今天得留在医院工作，不能和家人在一起，所以也感到很孤单。她问我愿不愿意一道用餐，然后便拿了两份食物过来：有火鸡片、马铃薯泥、橘酱和冰淇淋等。她同我聊天，让我不感到害怕，一直到下午 4 点换班的时候才离开。她在晚上 11 点钟回来，陪我玩，同我聊天，直到我睡下了才离开。

从我 10 岁以后，许多感恩节来了又去了，却只有这个感恩节永远长留在我心头。在那个特别的日子里，有我的挫折、恐惧、孤单，还有来自一位陌生人的温情和关怀。

如果你要别人喜欢你，或是改善你的人际关系，如果你想帮助自己也帮助别人，请记住第一个原则：

**真诚地关心别人！**

# 18

## 不要忘记微笑

——— 卡耐基金言 ———

◆ 行为胜于言论，对人微笑就是向他人表明："我喜欢你，你使我快乐，我喜欢见你。"

◆ 世上人人都在寻求快乐，但只有一个确实有效的方法，那就是控制你的思想。快乐不在乎外界的情况，而是依靠内心的情况。

◆ 行动好像是跟随感觉走的。其实不是如此，行动是与感觉并行的。我们能使直接受意志支配的行动有规律，也能间接地使不直接受意志制约的支配有规律。

最近我在纽约参加一个宴会。有一位客人——拥有一大笔遗产的妇人，急于要让人对她产生愉快的印象。她浪费了很多钱买貂皮、钻石、珍珠，但她的面孔所发出的神色还是酸薄和自私的。她不明白每个男人都知道一点，一个女人脸上所表露的神色，比身上所穿的衣服重要得多（当你妻子要买皮大衣的时候，你记住这句话是很好的）。

斯瓦伯告诉我说，他的微笑已经价值 100 万美元。他大概是在暗示这一真理。因为斯瓦伯的人格、他的魔力、他善于讨人喜欢的能力，差不多完全是他取得成功的原因。而其人格中一种最可爱的因素，就是那令人倾心的微笑。

我有一次同贝佛利消磨了一个下午，老实说，我失望了。他沉默寡言，与我所预料的截然不同——好在他最后还是发出了微笑。待他一笑，如同拨云见日。正是这一笑，改变了他的命运。如果不是因为他的微笑，贝佛利恐怕还在巴黎做木匠，继续他父兄的职业。

行为胜于言论，对人微笑就是向他人表明："我喜欢你，你使我快乐，我喜欢见你。"

为什么狗会如此招人欢喜？你看它们是何等地喜欢看见我们，它们甚至差不多要从它们的皮里跳出来似的。所以自然地，我们喜欢看见它们。

那么是否只要我们张嘴就笑则可呢？哪怕是一种不诚意的微笑？不是的，微笑也不能欺骗他人。如果我们知道那是一种机械的、假意的微笑，我们就会厌恶和反对。因此，我们这里所说的微笑是一种真实的微笑、热心的微笑，由内心而发的微笑，那种能在市场上得到好价格的微笑。

纽约一家大百货商店的人事部主任告诉我，他宁愿雇佣一个小学未毕业的女职员——如果她有一个可爱的微笑，而不雇佣一位面孔冷冰冰的哲学博士。

美国一家大橡胶公司的董事长告诉我说，据他的观察，一个人无论做什么事，如果不高兴去做，是很少成功的。这位实业界领袖不大相信那句老话：只有苦干是打开我们欲望之门的金钥。"我认识的人中，"他说，"他们之所以成功，因为他们非常乐于经营他们的事业。后来，我看见那些人开始苦干，工作变得沉闷，他们失掉了所有工作中的乐趣，遂致失败。"

如果你希望别人很高兴见到你，你必须高兴地去见别人。

我曾请数千位商界人士，一天中每一小时对每一个人微笑，一星期后，到班中来讲述结果。效果如何？我们且看，这里是纽约证券交易所会员司丹哈德的一封信。他的情形并非单独的，事实上，那是数百人情形的代表。

我结婚已经18年多了，在这期间，从我起床到预备好出门做事，我很难得对我妻子微笑，或说上二三十个字，我是百老汇街上行人中的一个脾气最坏的人。

因为你请我对微笑的经验作一演讲，我想我就试一个星期看。所以次日早晨，当梳头的时候，我看着镜中沉闷的面孔，对自己说："比尔，你今天要一扫你的旧容，你要微笑，你现在就要开始了。"我坐下吃早餐的时候，我向妻子招呼说："亲爱的，早。"我说的时候面带微笑。

你曾警告我，她或许会惊讶。可是你对她反应的估量太低了，她迷惑了，她惊异了。我告诉她，这种情形将会是家常便饭一样。从那以后到现在，我已经坚持有两个月了。

我就这样改变了自己的态度。在这两个月中，我们家庭所得到的快乐，比去年一年中所有的还多。现在我到办公室的时候，也对公寓中开电梯的人说一声"早"，并且报以微笑；我对看门的也微笑；我在地铁小店里兑钱的时候对伙计微笑；我站在交易所地板上的时候，对在以前从未见我微笑的人微笑。

我不久发觉了人人都反过来对我微笑。对那些向我抱怨诉苦的人，我以和悦的神色相待。我面带微笑地静听着，我觉得调解容易成功得多。我觉得微笑每天都带给我许多财富。

我与另一交易员合用一间办公室，他的一位秘书是一个可爱的青年人。我对我所获得的结果非常高兴，所以我告诉他我对于人际关系的新哲学。在与他交心后，他也向我吐露了心机。他承认，当我初来与他同办公室的时候，他以为我是个可怕的坏脾气的人，近来他也改变了看法。他夸我微笑的时候真有人情味。

我摒弃批评，欣赏称赞。我已不讲我要什么，而看别人的观点是什么。这些事真实地改变了我的生活，我现在是一个完全不同的人了，一个更快乐的人，一个更充实的人，我因拥有友谊及快乐而更加充实。

记住，这封信是一位饱经世故、聪明绝顶的交易员写的。他在纽约证券易所以买卖证券谋生，自己立有账户，要知道这是一种不那么容易成功的行当，100 人尝试，差不多有 99 个人要失败。

看到这里，他也许觉得自己确实该笑了，那怎么去做呢？至少你有两件事可行。第一，强迫自己微笑。如果你独在一处，可勉强自己吹箫，或哼哼调子，唱唱歌。做出快乐的样子，那就能使你快乐。已故的哈佛大学教授詹姆士曾说过：

行动好像是跟随感觉走的。其实不是如此，行动是与感觉并行的。我们能使直接受意志支配的行动有规律，也能间接地使不直接受意志制约的支配有规律。

·因此如果我们真的失掉了欢乐，也就重新得到了欢乐的途径，那就是欢乐地坐起而行、说话，好像欢乐已经在那里一样……

世上人人都在寻求快乐，但只有一个确实有效的方法，那就是控制你的思想。快乐不在乎外界的情况，而是依靠内心的情况。

不论你是什么，或你是谁，你在何处，你在做什么事，使你快乐或不快乐的因素是你对之如何去想。例如，两个人在同一地方，做同一事情；彼此有同样多的金钱与声望——而一个会痛苦，一个会快乐。为什么？因为心境不同。

"事无善恶，"莎士比亚说，"思想使然。"

林肯有一次曾说："多数人的快乐同他们所决意要得到的相差不多。"他说的不错。我最近看见了这一真理的一个生动例证。

一次，我正在纽约的长岛车站走上阶梯的时候，看到前面有三四十个残疾儿童倚着拐杖勉强迈上阶梯，有一男孩还需由人抱上去，但他们的欢笑快乐使我惊奇。我对他们的一位管理人提及这一情形。"是的，"他说，"当一个儿童明白他将要终生残废时，他最初惊惶，但惊惶过后，他就会听天由命，比正常儿童还快乐些。"

我真觉得我该对那些儿童脱帽致敬，他们给我一个教训，我希望我永远不会忘记。

白德格，是从前卡狄纳的第三棒球名手，现是美国一位最成功的保险商。他告诉我说，他多年前研究得出，会微笑的人永远受欢迎。所以，在走进一个人的办公室以前，他总停留片刻，回想他应感谢的许多事，引发一个真实的微笑，然后当微笑由面上渐失时进入室内。

他相信这种简单的技术与他销售保险获得巨大的成功有很大的关系。

细读下面赫巴德的一点明智的建议吧——但不要忘记，除非你去做，否则仅仅阅读于你没有一点益处。

你每次外出的时候，正正颜，抬高头，肺气饱满；在阳光中呼吸；对朋友微笑，每次握手集中精神。不要怕被误会，不要费任何时间想你的仇敌。要在你心中确定你喜欢做什么，然后，不变方向，直向目的地行进。全神贯注于你喜欢做的伟大事情上，以后，在日月如流之间，你会发觉不知不觉中抓住了为满足你欲望必需的机会，正如珊瑚虫由潮流中取得所需要的原质一样。在脑中想像你希望成为的有能力、诚恳、有用的人，而你所保持的思想，时时刻刻地改变你，使你成为那种人……思想是至高无上的。保持一个正确的心态——勇敢、诚实、欢悦的态度。思想就是创造，所有的事都是由欲望而生，凡真的祈求，都有应验。我们心中关注的是什么，我们就变成什么。收敛你的容颜，抬高你的头，我们就是明天的神仙。

中国的古人非常聪敏，明于世故。他们有一句格言，你我应剪下贴在我们的帽子里。这句格言大概是这样的：非笑莫开店！

讲到店，弗莱契在他为考林公司所撰的一张广告中也给我们这点实用的哲学。

## 圣诞节一笑千金

它不费什么，但产出颇多。

它使得者获益，给者不损。

它发生于转瞬间，而对它的记忆力有时永存。

没有人富得不需要它，没有人虽穷而不因它的利益而致富。

它在家中产生快乐，在生意中产生好感，这是朋友间的口号。

它是疲倦者的休息，失望者的日光，悲哀者的阳光，又是大自然的解除患难的良剂。

但它不能买，不能求，不能借，不能偷，因为在弃之以前，它对谁都是无用的东西！

假如在圣诞节购买的最后一分钟的忙碌中，我们的几个售货员也许太疲倦，以致不给你一个微笑，我们请你反倒给他们留下一个你的微笑好吗？因为没有什么比没有什么可给的人更需要一个微笑了。

所以，如果你要人喜欢你，那就应该谨记第二大原则：

**保持微笑。**

# 19

## 千万别忘记他人的姓名

1898 年，纽约石地乡发生了一起悲惨的事件。村里有一个孩子死了，邻人正预备赴葬。那天地上积满了雪，天气寒冽。发莱到马棚去驾马，那马好几天没有运动了。当它被引到水槽旁时，它在地上打转，双蹄腾空，竟将发莱踢死。在那一星期里，这个小小的村子就举行了两次丧礼。

发莱遗下一个寡妇，三个孤儿，还有几百美元的保险。

他 10 岁的长子吉姆到砖厂去工作，任务是把沙摇进模型中，然后将砖放到一边，让太阳晒干。这男孩从未有机会接受教育，但因为有爱尔兰人乐观的性格和讨人喜欢的本领，所以他后来参政了，经过多年以后，他养成了一种非凡的记忆人名的奇异能力。

他从未见过中学到底是什么样子，但在他 46 岁以前，4 所大学已赠他学位，他成为民主党全国委员会的主席，美国邮政总监。

我有一次访问吉姆，问他成功的秘诀。他说："苦干。"我说："不要开玩笑。"

他问我，我以为他成功的原因是什么。我回答说："我知道你能叫出 1 万人的名字来。"

"不，你错了，"他说，"我能叫出 5 万人的名字！"

正是他的这种能力帮助罗斯福入主白宫。

在吉姆为一家石膏公司做推销员四处游说的那些年中，在他担任石点村书记员的时候，他发明了一种记忆姓名的方法。

最初，方法极为简单。无论什么时候遇见一个陌生人，他就要问清那人的姓名，家中人口，职业特征。当他下次再遇见到那人时，尽管那是在一年以后，他也能拍拍他的肩膀，问候他的妻子儿女，问他后院的花草。难怪他得到了别人的追随！

在罗斯福开始竞选总统之前的数个月，吉姆一天写数百封信，发给西部及西北部各州的人。以后他跳上火车，在 19 天中，用轻便马车、火车、汽车、快艇游经 20 个州，行程 12000 里。他进入一个城镇，同他们倾心交谈，然后再驰往下段旅程。

回到东部以后，他立刻给他所拜访过的城镇中的某个人写信，请他们将他所谈过话的客人名单寄给他。到了最后，那些名单的名字多得数不清；但单中每个人都得到吉姆一封巧妙谄媚的私函。这些信都用"亲爱的比尔"或"亲爱的杰"开头，而它们总是签着"吉姆"的大名。

吉姆在早年即发觉，普通人对自己的名字最感兴趣。记住他人的姓名并十分容易地呼出，你便是对他有了巧妙而很有效的恭维。但如果忘了或记错了他人的姓名，你就会置你自己于极不利的地位。例如我曾在巴黎组织一次演讲的课程，我给城中所有的美国居民发出过一封印刷信。这位法国打字员英文不好，填打姓名，自然有错。有一个人是巴黎一家美国大银行的经理，写给我一封灼人的责备信，因为他的名字被拼错了。可见，记住人家的名字对对方是多么重要！

钢铁大王卡耐基成功的原因是什么？

虽然他被称为钢铁大王，但他自己对钢铁制造懂得很少。因为他有千百人替他工作，他们懂得钢铁要比他多得多。

但他知道如何与人相处——那就是使他致富的原因。在早年，他即表现出组织的才能、领袖的天才。他到10岁的时候，也发觉了人们对于名字的惊人重视。他利用这一发现去获得与人合作的机会。当他是苏格兰的一个小孩童时，曾得到一只公兔和一只母兔。他不久就有了一窝小兔——可是没有东西喂它们。但他有一个聪明的主意，他告诉邻近的孩子们说，如果他们愿意出去采集充足的蒲公英与金花菜喂兔，他可用他们的名字命名兔子，以纪念他们。

这一计划功效神奇，卡耐基永远不忘。

多年以后，卡耐基在商业上应用同样的心理学原因，并因此获得了巨额利润。例如，他要将钢铁路轨售予宾夕法尼亚铁路。汤姆生当时是宾夕法尼亚铁路局的局长。所以，卡耐基在匹兹堡建造了一所大钢铁厂，命名"汤姆生钢铁厂"。

当卡耐基与普尔门互相竞争卧车经营权的地位时，这位钢铁大王又想起了兔子的教训。

卡耐基所统管的中央运输公司与普尔门所经营的公司都要争得联合太平洋铁路卧车的经营权。为此，他们互相排挤、削价、损伤所有获利的机会。有一晚卡耐基在圣尼古拉旅馆遇到了普尔门，他说："晚安，普尔门先生，我们两个不是在作弄自己吗！"

"你是什么意思？"普尔门问道。

于是卡耐基讲出了他心中的想法——将他们双方的利益合并起来。他用鲜明的词句，叙述互相合作而非竞争的彼此利益。普尔门注意静听，但未完全相信。最后他问道："这新公司你将叫做什么？"卡耐基立刻回答说："啊，当然是普尔门皇宫卧车公司。"

普尔门的面孔发起光来。"到我房里来!"他说,"我们来详细谈谈。"那次谈话创造了实业界的奇迹。

卡耐基这种记忆与尊敬朋友及同事名字的策略是他成为商界领袖的一大秘诀。他能叫出许多工人的名字,这是他引为自豪的事。并且他自夸说,当他亲自管理的时候,从未有罢工之事发生。

贝德茹斯基也是如此,他一直称他的专职黑人厨师为"考伯先生",这使他感到自己的重要。他曾15次周游美国,为全国广大热烈的听众演奏。每次他乘专车旅行,都由同一厨师为他预备午夜餐,在音乐会结束后吃。在那些年中,贝德茹斯基从未用美国普通的称呼,叫他"乔治"。他一直传统地称他为"考伯先生",而考伯先生也喜欢别人这样称呼他。

人们极重视他们的名字,因而他们竭力设法使之延续,即使牺牲也在所不惜。

200年前,富人常以金钱来换得作家将书献给他们。

图书馆、博物馆的丰富藏书,常由一些不愿自己的姓名日后被人遗忘者处得来,如:纽约公共图书馆有爱斯德与李诺克斯的藏书,京都博物馆永留着爱德门与马根的名字。几乎每座教堂都缀着彩色玻璃窗,纪念着捐赠人的姓名。

多数人不记得姓名,只因为他们没有下必要的功夫与精力把姓名牢记在心。他们给自己找借口:他们太忙。

但他们大概不会比罗斯福更忙,罗斯福甚至对所接触的机械师的名字也用功夫去记忆追想。克莱斯勒汽车公司为罗斯福先生制造了一辆特别汽车,张伯伦及一位机械师将此车送交至白宫。我面前有张伯伦的一封叙述事情经过的信:"我教罗斯福总统如何驾驶一辆装有许多特别装置的汽车,而他教我许多关于处理人的艺术。"张伯伦先生写道:

当我到白宫访问的时候总统非常愉快,他呼我的名字,使我感到非常安适,给我留下深刻印象的是,他对我要说明及告诉他的事项真切注意。这辆车设计完美,能完全用手驾驶,罗斯福对围观的那群人说："这车真奇妙，你只要按一下开关，即可开动，你可不费力地驾驶它。我认为这车非常好——尽管我不懂它是如何运转的。我真愿意有时间将它拆开，看看它是如何发动的。"

当罗斯福的许多朋友及同仁对这辆车表示羡慕时，他当着他们的面说："张伯伦先生，我真感谢你，感谢你设计这车所费的时间精力。这是一件杰出的工程！"他赞赏辐射器、特别反光镜、钟、特别照射灯、椅垫的式样、驾驶座位的位置和衣箱内有不同标记的特别衣框。换言之，他注意每件细微的事情，他了解这些有关我的情况是费了许多心思的。他特别注意将这些设备使罗斯福夫人、劳工部长及他的秘书波金女士注意。他甚至还对老黑人侍者说："乔治，你特别要好好地照顾这些衣箱。"

当驾驶课程完毕之后，总统转向我说："好了，张伯伦先生，我想我该回去工作了。"

我带了一位机械师到白宫去，他被介绍给罗斯福。他没有同总统谈话，而罗斯福只听到他的名字一次。他是一个怕羞的人，避在后面。但在离开我们以前，总统找寻这位机械师，与他握手，呼他名字，并谢谢他到华盛顿来。他的致谢绝非草率，确是一种真诚，我是能感觉到的。回到纽约数天之后，我接到罗斯福总统亲笔签名的照片，并附有简短的致谢信，再对我给他的帮忙表示感激。他竟会花时间这样做真令我感到激动万分！

罗斯福知道一种最简单、最明显、最重要的获得好感的办法，那就是记住他人的姓名，使他人感觉对于别人很重要——但我们中有多少人这样做呢？

很多时候，我们被介绍给一位陌生人，谈几分钟，在临别的时候，连那人姓什么都不记得。

一个政治学家的第一课就是："想起选举人的姓名是从政之才，忘记就是湮没。"

记忆姓名的能力在事业与交际上的重要性，和在政治上差不多同等重要。

　　法国皇帝拿破仑三世，即伟大的拿破仑的侄子，曾自夸说，虽然他公务很忙，他能记忆住每个所见过的人的姓名。

　　他采用的是何种方法呢？其实很简单。如果他没有听清楚姓名，他就说："对不起，我没有听清姓名。"如果是一个不常见的姓名，他就说，"告诉我是如何拼的？"

　　在谈话中，他费心地将姓名反复记忆数次，并在脑海中将姓名与这人的面孔、神色及其他外观联系起来。

　　如果这人很重要，拿破仑就更费事了。在他独处的时候，即刻将这人的姓名写在一张纸上，注意观看，牢记在心，然后就将纸撕破。这样，他看到的印象与听到的印象就完全一样了。

　　所有这些事都费功夫，但爱默生说："好礼貌是由小的牺牲换来的。"

　　所以，如果你要他人喜欢你，那就应该记住第三大原则：

**记住他人的姓名，它是语言当中最甜蜜最重要的声音。**

# 20

## 学会倾听他人讲话

最近我应邀参加一场纸牌会。我不会打纸牌，另一位美丽的女
子也不会打。我们正好坐下来聊聊天。她知道我在汤姆士从事无线
电事业之前，曾一度做过她的私人经理，当时我曾到欧洲各地旅
行，帮助她预备她要播发的讲解旅行的资料，所以她说："啊，卡
耐基先生，我想请你告诉我所有你到过的名胜及所见过的奇景。"

当我们在沙发上坐下的时候，她提到她同她的丈夫最近刚从非
洲旅行回来。"非洲！"我说，"多么有趣！我总想去看看非洲，但
除在爱尔裘士停过 24 小时外，其他地方还没到过。告诉我，你曾
游历过经常有野兽出没的乡村，是吗？多么幸运！我真羡慕你！告
诉我关于非洲的情形吧。"

那次谈话谈了 45 分钟。她不再问我到过什么地方，也不再问

我见过什么东西。她不要听我谈论我的旅行，她所需要的不过是一个专注的静听者，以使她能扩大她的自我，而讲述她所到过的地方。

在现实生活中，类似这位女子的人特殊而少见吗？不，许多人也是如此。例如，我最近在纽约出版商格利伯的宴会上遇见一位著名的植物学家。我从未同植物学家谈过话，我觉得他极有诱惑力。我真的坐在椅子上，静听他讲大麻，室内花园，以及关于卑贱的马铃薯的惊人事实。我自己有一个小室内花园——他非常殷勤地告诉我如何解决我的几种问题。

我已经说过，我们是在宴会中。一定还有十几位别的客人在那里。但我违反了所有礼节的定例，忽略了其他人，与这位植物学家谈了数小时之久。

到了午夜，与其他客人道别告辞时，这位植物学家转向主人，对我极力恭维。说我是"最富激励性的"等等好话，最后他还说我是一个"最有趣的谈话家"。

一个有趣味的谈话家？我？啊，我差不多没有说什么话。如我不改题目，即使要说，也不能说，因为我对于植物学所知道的不会比企鹅的解剖学多。但我做到了一点：我已经注意静听，我曾静听，因为我真正地对此发生了兴趣。他也觉察到了这一点，那自然使他欢喜。静听是我们对任何人的一种最好的恭维。

一次成功的商业会谈的秘诀是什么？注重实际的学者以利亚说："关于成功的商业交往，没有什么神秘——专心注意对你讲话的人极为重要。没有别的东西会如此使人开心。"其中的道理很明显，是不是？你无须在哈佛读上 4 年书也发觉这一点。但你我也知道，有的商人租用豪华的店面，陈设橱窗动人，为广告花费千百元钱，然后雇佣一些不会静听他人讲话的店员——中止顾客谈话、反驳他们、激怒他们，甚至几乎要将客人驱出店门的店员。

乌顿的经验可谓是极好的一例。他在我班中讲述过这么一个故事。

在近海的新泽西，他在一家百货商店买了一套衣服。这套衣服令人失望：上衣褪色，把他的衬衫领子都弄黑了。

后来，他将这套衣服带回该店，找到卖给他衣服的店员，告诉他事情的情形。他想诉说此事的经过，但他被店员打断了。"我们已经卖出了数千套这种衣服，"这位售货员反驳说，"你还是第一个来挑剔的人。"

正在激烈辩论的时候，另外一个售货员加入了。"所有黑色衣服起初都要褪一点颜色，"他说，"那是没有办法的，这种价钱的衣服就是如此，那是颜料的关系。"

"这时我简直气得起火，"乌顿先生讲述了他的经过说，"第一个售货员怀疑他的诚实，第二个暗示我买了一件便宜货。我恼怒起来，正要与他们争吵，突然间经理走了过来，他懂得他的职责。正是他使我的态度完全改变了。"他将一个恼怒的人，变成了一位满意的顾客。他是如何做的？他采取了三个步骤：

第一，他静听我从头至尾讲我的经过，不说一个字。

第二，当我说完的时候，售货员又开始要插话发表他们的意见，他站在我的观点与他们辩论。他不仅指出我的领子明显地为衣服所染污，并且坚持说，不能使人满意的东西，就不应由店里出售。

第三，他承认他不知道毛病的原因，并率直地对我说："你要我如何处理这套衣服呢？你说什么，我可照办。"

就在几分钟以前，我还预备要告诉他们留起那套可恶的衣服。但我现在回答说："我只要你的建议，我要知道这种情形是否暂时的，是否有什么办法解决。"

他建议我这套衣服再试一个星期。"如果到那时仍不满意，"他应许说，"请您拿来换一套满意的。让你这样不方便，我们非常抱歉。"

我满意地走出了这家商店。到一星期后这衣服没有毛病。我对于那商店的信任也就完全恢复了。

　　始终挑剔的人，甚至最激烈的批评者，常会在一个有忍耐和同情心的静听者面前软化降服——这位静听者在气愤的寻衅者像一条大毒蛇张开嘴巴吐出毒物一样的时候也要静听。

　　纽约电话公司数年前应付过一个曾咒骂接线生的最险恶的顾客。他咒骂，他发狂，他恫吓要拆毁电话，他拒绝支付某种他认为不合理的费用，他写信给报社，还向公众服务委员会屡屡声诉，并使电话公司引起数起诉讼。

　　最后，公司中的一位最富技巧的"调解员"被派去访问这位暴戾的顾客。这位"调解员"静静地听着，并对其表示同情，让这位好争论的老先生发泄他的牢骚。

　　"他喋喋不休地说着，我静听了差不多 3 小时，"这位"调解员"叙述道，"以后我再到他那里，继续听他发牢骚，我共访问他4 次，在第四次访问完毕以前，我已成为他正在创办的一个组织的会员，他称之为'电话用户保障会'。我现在仍是该组织的会员。有意思的是，就我所知，除老先生以外，我是世上唯一的会员了。

　　"在这几次访问中，我静听，并且同情他所说的任何一点。我从未像电话公司其他人那样同他谈话，他的态度也变得友善了。我要见他的事，在第一次访问时，没有提到，在第二、第三次也没有提到，但在第四次，我圆满地结束了这一事件，使所有的账都付清了，并在他与电话公司为难的诉讼中，他第一次撤销他向公众服务委员会的申诉。"

　　无疑地，老先生自认为公义而战，保障公众权利，不受无情的剥削，但实际上他要的是自重感。他先经由挑剔抱怨得到这种自重感，但在他从公司代表那里得到自重感后，他的不切实际的冤屈即消失得无影无踪了。

　　多年前，有一个贫苦的从荷兰移居来美的儿童，在学校下课后，为一家面包店擦窗，每星期赚半美元。他家非常贫寒，他平常每天到街上用篮子捡拾煤车送煤落在沟渠里的碎煤块。那个孩子叫宝克，一生仅受过 6 年的学校教育，但最后竟使自己成为美国新闻界一个最成功的杂志编辑。他怎么成功的？那说来话长，但他如何开始，我们可以简单地叙述。因为他采用的正是本章所提出的原则作为他的开端。

他 13 岁离开学校，充任西联的僮役，每星期工资 6.25 美元。但他一时一刻也未放弃寻求教育的意念。不但如此，他还自我教育。他把他不坐车、不吃午饭的钱省下积攒起来，直到足够买一部《美国名人传全书》——以后他做了一件从来未曾听说过的事情。他读了名人的传记，写信给他们，请他们寄来有关他们童年时代的补充材料。他是一个善于静听的人。他鼓励名人讲述自己的故事。他写信给那时正在竞选总统的加菲大将，问他是否确实曾一度在一条运河上做拉船童工；而加菲也复信给了他。他写信给格莱德将军，询问某一战役，格莱德给了这位 14 岁的孩子一张地图并邀请他吃晚饭，并且和他谈了一整夜。

他写信给爱默生并鼓励爱默生讲述关于他自己的话。这位为西联送信的小孩不久便和全美著名的人通信：爱默生、勃罗克、夏姆士、浪番洛、林肯夫人、爱尔各德、秀门将军及戴维斯。

他不只与这些名人通信，并且在他们假期的时候去拜访他们，成为他们家里受欢迎的一个客人。这种经验，使他产生了一种无价的自信心。这些名人激发了他的理想与志向，改变了他的人生。而所有这一切，只是因实行了我们所讨论的这一原则而已。

马可先生大概是世上最优秀的名人访问者，他说许多人不能让他人对自己产生好印象，因为他们不注意静听。"他们极关心自己下面要说什么，他们不打开耳朵———些大人物曾告诉我，他们更喜欢善于静听者而非善于谈话者，但能静听的能力，好像比任何其他好性格都少见。"不只大人物要求他人善于静听，连平常人也这样。正如《读者文摘》中所说："许多人之所以请医生，他们所要的只不过是一个静听者。"

在美国最黑暗的内战时候，林肯写信给在伊里诺斯春田的一位老朋友，请他到华盛顿来。林肯说，他有些问题要与他讨论。这位老朋友到白宫拜访，林肯同他谈了数小时关于释放黑奴的宣言是否适当。林肯将对赞成及反对此事的理由都加以探究，然后才阅读一些谴责他的信件及报纸的文章，有的怕他不放黑奴，有的却因为怕他释放黑奴而造成混乱。谈论数小时以后，林肯与他的老朋友握手道声晚安，送他回伊里诺斯，竟然没有征求他的意见。整个谈话中所有的话都是林肯说的，那好像是为了舒畅他的心境，"谈话之后他似乎稍感安适"。这位老朋友说，林肯没有要求得到建议，他只要一位友善的、同情的静听者，使他可以发泄苦闷。那是我们在困难中都需要的，那常是仇怒的顾客所需要的，一些不满意的雇员，感情受到伤害的朋友也都是这样。

　　如果你要知道如何使人躲避你，背后笑你，甚至轻视你，这里有一个最好的办法——决不静听别人说话，不断地谈论你自己。如果在别人谈话时，你有自己不同的意见，别等他说完，他没有你聪慧。为什么浪费你的时间去听他无谓的闲谈？即刻插嘴，在一句话当中打断他。

　　那些讨厌的人就是为自私心及自重感所麻醉的人。那些只谈论自己的人，只为自己设想。而"只为自己设想的人"，哥伦比亚大学校长巴德勒博士说："是无可救药的缺乏教育者。""他确实没有教育"，巴德勒博士说，"无论他如何受人教导。"

　　所以，如果你希望成为一个善于谈话的人，那就先做一个注意倾听他人之人。如果你想使人对你感兴趣，那就先让他人对你感兴趣。问别人喜欢回答的问题，鼓励他谈论自己及他所取得的成就。不要忘记在与你谈话的人，对他自己、他的需要、他的问题，比对你及你的问题要感兴趣 100 倍。他注意他颈上的小痣比注意非洲的40 次地震还要多。

　　下次当你开始谈话的时候，就试用这一点：如果你要使人喜欢你，那就记住第四大原则：

**做一个善于静听的人，鼓励别人谈论他们自己。**

# 21

## 迎合他人的兴趣

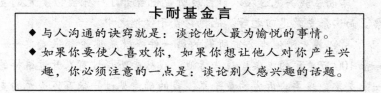

**卡耐基金言**

◆ 与人沟通的诀窍就是：谈论他人最为愉悦的事情。

◆ 如果你要使人喜欢你，如果你想让他人对你产生兴趣，你必须注意的一点是：谈论别人感兴趣的话题。

凡到过牡蛎湾拜访过罗斯福的人，对他广博的知识无不感到惊奇。"无论是一个牧童，猎骑者，纽约政客，还是一位外交家"，勃莱特福写道，"罗斯福都知道同他谈些什么。"那么罗斯福是如何做到这一点的？

其实答案很简单。无论什么时候，罗斯福每接见一位来访者，他就会在这之前的一个晚上阅读有关这一客人所特别感兴趣的东西，以便找到令人感兴趣的话题。

罗斯福同所有的领袖一样，懂得与人沟通的诀窍：谈论他人最为愉悦的事情。前耶鲁大学教授费尔普早年就有过这种教训。

"我8岁那年，有一个周末，我去拜望我的姑母林慈莱，并在她家度假。"费尔普在他的一篇关于人性的文章中写道，"有一天晚上，一个中年人来访，他与姑母寒暄之后，便将注意力集中于我。

当时，我正巧对船很感兴趣，而这位客人谈论的话题似乎特别有趣。他走后，我向姑母热烈地称赞他，说他是一个多么好的人！对船是多么感兴趣！而姑母告诉我说，他是纽约的一位律师，其实他对有关船的知识毫无兴趣。但他为什么始终与我谈论船呢？

"姑母告诉我：因为他是一位高尚的人。他见你对船感兴趣，所以就谈论能让你喜欢并感到愉悦的事，同时也使自己受人欢迎。"

费尔普说："我永远记住了我姑母的话。"

当我正在写作本章的时候，我面前放着一封在童子军中极为活跃的查利夫写给我的信。

"有一天，我觉得我需要有人帮忙，欧洲将举行童子军大露营，我要请美国一家大公司的经理资助我的一个童子军的旅费。

"幸而在我去见这人以前，我听说他曾开了一张百万美元的支票，而这张支票退回之后，他把它置于镜框之中。

"所以我走进他办公室所做的第一件事就是谈论那张支票——一张100万美元的支票！我告诉他，我从未听说过有人开过这样的一张支票，我要告诉我的童子军，我的确看见过一张百万美元的支票了。他很欣喜地向我出示那张支票。我表示羡慕他，并请他告诉我其中的经过情形。"

你注意了没有，查利夫先生没有谈论童子军、欧洲露营，或他所要做的事，他谈论的是对方所感兴趣的。事情的结果又怎样呢？

稍过片刻，我正在访问的人说道："我顺便问你，你要见我有什么事？"所以我告诉了他。

"使我非常惊奇的，"查利夫先生继续说，"他不但即刻应许了我的请求，并且比我要求得还多得多。我只请他资助一个童子军赴欧洲，但他竟资助了5个童子军，另加上我，并教我们在欧洲住7星期。他又给我开了介绍信，介绍给他分公司的经理，让他们帮忙。他自己又亲自在巴黎接我们，带我们游览城市。此后他给那些家境贫苦的童子军提供一些工作，而且现在仍在我们的团体中工作。

"但我知道如果我不曾找出他所感兴趣的事，使他先高兴起来，那么我想接近他一定很不容易！"

在商界，这不是一种很有价值的方法吗？下面让我们再看看另一个例子：

杜佛诺公司是纽约一家面包公司，杜佛诺先生想方设法将公司的面包卖给纽约一家旅馆。4年以来，他每星期去拜访一次这家旅馆的经理，参加这位经理所举行的交际活动，甚至在这家旅馆中开了房间住在那里，以期得到自己的买卖，但他还是失败了。

"后来，"杜佛诺先生说，"在研究人际关系之后，我决定改变自己的做法。我先要找出这个人最感兴趣的是什么——什么事情能引起他的热心。

"我后来知道，他是美国旅馆招待员协会的会员，而且他也热心于成为该会的会长，甚至还想成为国际招待员协会的会长。不论在什么地方举行大会，他飞过山岭，越过沙漠、大海也要到会。

"所以在第二天我见他的时候，我就开始谈论关于招待员协会的事。我得到的是一种多么好的反应！他对我讲了半小时关于招待员协会的事，他的声调充满热情地震动着。我可以清楚地看出，这确实是他很感兴趣的业余爱好。在我离开他的办公室以前，他劝我也加入该会。

"这次谈话，我根本没有提到任何有关面包的事情。但几天以后，他旅馆中的一位负责人给我来电，要我带着货样及价目单去。

"'我不知道你对那位老先生做了些什么事，'这位负责人招呼我说，'但他真的被你搔着痒处了！'

"试想一想！我对这人紧迫了4年，尽力想得到他的买卖，我若不动脑筋去想、去找他所感兴趣的东西，恐怕我还得紧迫不舍。"

所以，如果你要使人喜欢你，如果你想让他人对你产生兴趣，那就记住第五大原则：

**谈论别人感兴趣的话题。**

# 22

## 让他人感到自己重要

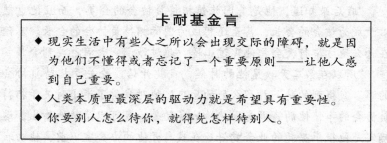

现实生活中有些人之所以会出现交际的障碍，就是因为他们不懂得或者忘记了一个重要原则——让他人感到自己重要。他们喜欢自我表现，喜欢夸大吹嘘自己，一旦事情成功，他们首先表现出的就是自己有多大的功劳，做出了多大贡献。这样不就是向他人表明：你们确实不太重要。无形之中，他们伤害了别人，当然最终也不利于己。

有一天，我在纽约第三十二街和第八道交叉口处的邮局里排队等候寄一封挂号信。那位柜台后面的营业员显然对工作感到不耐烦——秤重、拿邮票、找零钱、写收据——年复一年都是同样单调的工作。所以我对自己说："我要让那位办事员喜欢我。而要让他喜欢，我显然必须说些好话——不是关于我自己，而是有关他的。"我又自问，"他又有什么值得让我称赞一番的？"有时，这实在是个难题，尤其是对方是一个陌生人时。但是，称赞眼前的这位职员似乎并不让我感到困难，我马上找出可以称赞的地方了。

当他为我的信件称重时，我热切地对他说："我真希望能有你这样的头发。"

他抬起头，半惊讶地看着我，脸上泛出微笑："啊，它经不像以前那么好啦！"他谦虚地应答。我告诉他，虽然它可能已没有原来的美观，但仍然状况极佳。他十分高兴，和我谈了一会儿，最后说道："许多人都称赞我的头发。"

我敢打赌这位先生出去吃午饭的时候，一定步履生风，晚上回家的时候，一定会将此事告诉太太，也一定会照着镜子对自己说："这头发多么漂亮！"

有次我演讲的时候提起这件事，事后有人问我："你想从那人身上得到什么？"

我想从那人身上得到什么？我能从那人身上得到什么！

如果我们真是这么自私，一旦没有从他人身上得到好处，就不对他人表示一点赞赏或表达一点真诚的感谢——如果我们的灵魂比野生的酸苹果大不了多少，那么我们的心灵会变得多么贫乏。

不错，我是希望从那位老先生身上得到一点东西。但那东西是无价的，而且我已经得到了。我得到了助人的快乐，这种感觉会在事过境迁之后，永存在我的记忆里。

人类行为有个极为重要的法则，这一法则就是时时让别人感到重要。如果我们遵从这一法则，大概不会惹来什么麻烦，而且可以得到许多友谊和永恒的快乐。但是，如果我们破坏了这个法则，就难免招致麻烦。我们在前面提过著名哲学家约翰·杜威所说的："人类本质里最深层的驱动力就是希望具有重要性。"还有哈佛著名心理学家威廉·詹姆士说的："人类本质中最殷切的需求是：渴望得到他人的肯定。"我也曾指出，就是这种需求使得人类有别于其他动物；也正是这种需求，产生了丰富的人类文化。

几千年来，许多哲学家曾就这个问题深刻思量过。而他们得出的结论只有一个，这一法则并不新颖，可以说和历史一样陈旧了。2500 年前，索罗亚斯特在波斯用这个原则教导门徒；两千多年前，中国的孔子也这么谆谆劝导他的门生；道教的始祖老子在函谷关也这么说过；基督降生的前 500 年，佛陀已在神圣的恒河边教诲众生；甚至印度教的经典也这么记载着……这大概是世上最重要的法则：“你要别人怎么待你，就得先怎样待别人。”

你希望得到朋友的认同，需要别人知道你的价值；你希望在自己的生活世界里有种自己对别人很重要的感觉。你不喜欢廉价、言不由衷的恭维，而渴望出自真诚的赞美。你喜欢友人正像查理·夏布所说：“真诚、慷慨地赞美他人。”我们都喜欢那样。

所以，让我们衷心地遵循这一永恒的定律——你希望别人怎么对待自己，那你就应该怎么去对待别人。

那么，我们应该什么时候去做？在什么地方去做？怎么去做？答案是：随时，随地。

举例来说，如果你在餐馆里点了一份炸薯条，而女侍者却端给你马铃薯的时候，让我们说：“对不起，麻烦你了，但我比较喜欢炸薯条。”女侍者可能会这么回答：“不，一点也不麻烦。”而且她还会高高兴兴地把马铃薯换走。因为我们已经对她示以了敬意。

另外，我们还可以使用许多日常用语来解除每天生活的单调与忙碌，如“对不起，麻烦你……”“可否请你……”“请问你愿不愿意……”“你介不介意……”“谢谢”等。

下面让我们再看一个例子。

罗纳尔德·罗兰是我们在加州开课时的讲师，也教美工课。他曾提起初级手工艺班里的学生克里斯的故事。

克里斯是个安静、害羞、缺乏自信心的男孩，平常在课堂上很少引人注意。一天，我见他正在伏案用功，便走过去与他搭话。他的内心深处似乎有一股见不到的火焰，当我问他喜不喜欢所上的课时，这个年仅14岁的害羞的男孩，脸上的表情起了极大变化。我可以看出他的情绪波动很大，想极力忍住泪水。

"你是说，我表现得不够好吗，罗兰先生?"

"啊，不! 克里斯，你表现得很好。"

那天，上完课走出教室的时候，克里斯用那对明亮的蓝眼睛看着我，并且肯定、有力地说:"谢谢你，罗兰先生!"

克里斯教了我永远难忘的一课——我们内心深处的自尊。为了使自己不致忘记，我在教室前方挂了一个标语:"你是重要的。"这样不但每个学生可以看到，也随时提醒我:每一个我所面对的学生，都同等重要。

这是一个未加任何渲染的事实:差不多你所遇见的每一个人都自以为在某些地方比你优秀。所以，要打动他们内心的最好方法，就是巧妙地表现你衷心地认为他们很重要。

唐纳德·麦克马亨是纽约一家园艺设计与保养公司的管理人。他向我讲述了这样一件事情:

有一次，我替一位著名的鉴赏家做庭园设计，这位屋主走出来作了一些交代，告诉我他想在哪里种一片石南和杜鹃花。

我说道:"先生，我知道你有个癖好，就是养了许多漂亮的好狗。听说每年在麦迪逊广场花园的展览里，你都拿到好几个蓝带奖。"

这一小小的称赞所引起的效果却不小。

鉴赏家回答我:"是的，我从养狗中得到了很多乐趣。你想不想看看它们?"

他花了差不多一个钟头的时间，带我参观各类的狗和所得的奖品，甚至向我说明血统如何影响狗的外貌和智慧。

后来，他转身问我:"你有没有小孩?"

"有的。"我回答:"我有个儿子。"

"啊，他想不想要只小狗呢?"他问道。

"当然哪，他一定会很高兴的。"

"那么，我要送一只给他。"鉴赏家宣称。

他告诉我怎么养小狗，讲了一半却又停下来。"你大概不容易记下来。我写一份说明给你。"于是他走进屋里，打了一份血统谱和饲养说明书给我。他不但送我一只价值好几百美元的小狗，还在百忙中挤给我75分钟的时间。这完全是因为我衷心地赞美他的癖好和成就的缘故。

曾统治过大英帝国的狄斯莱利说道："同人们谈谈他们自己，他们会愿意听上好几个钟头。"所以，如果你想使人喜欢你，请记住第六大原则：

**让他人感到自己重要——而且要真诚而为。**

# 第四篇

# How to
# Win People
# to Your Way
# of
# Thinking

## 如何赢得他人的赞同

# 23

## 不要争论不休

　　第二次世界大战结束后不久的一个晚上，我在伦敦得到了一个
无价的教训。我当时是史密斯爵士的私人助理。在战争期间，他曾
在巴勒斯坦做奥国的航空领袖，而在宣布和平不久之后，他因在
30 天内环绕地球半周而轰动了世界，因为向来未曾有人有过这样
惊人的举动。这件事轰动一时，奥国政府奖给他 5 万先令，英国国
王封他为爵士，此时，他成了在英国国旗下被谈论得最多的一个
人。有一个晚上，我参加一个欢迎罗斯爵士的宴会，在席间，坐在
我旁边的一个人讲了一个幽默的故事，这故事与这一句话有些关
联："无论我们如何粗俗，有一位神，就是我们的目的。"

　　这位讲述故事的人提到这句话系出自《圣经》。他错了，我知道的，我确实知道，绝对肯定。所以，为了得到自重感并显示我的优越，我委任自己为一个未经请求、不受欢迎的人去矫正了他。他坚持他的阵地：什么？出自莎士比亚？不可能！不近情理！那句话出自《圣经》！

　　这位讲故事的人坐在我右边，我的一位老朋友加蒙坐在我左边。加蒙先生曾用多年的功夫专心研究莎士比亚，所以我们同意由加蒙先生来解答这一问题。加蒙先生静听着，在桌下用脚碰碰我，然后说道："戴尔，你错了，这位先生是对的，是出自《圣经》。"

　　当晚回家的时候，我对加蒙先生说："老实说，你知道那句话是来自莎士比亚的。"

　　"是的，当然，"他回答说，"是在《哈姆莱特》第五幕第二场。但我是一个盛会的客人，为什么要证明一个人是错的？那能使他喜欢你吗？为什么不让他保住面子？他并没有征求你的意见，他也不要你的意见。那你为什么同他争辩？要永远避免正面的冲突。"

　　"永远避免正面的冲突。"说这句话的人现在已死了，但他所给我的教训却一直留在我的记忆中，而且这一教训极其重要，因为我向来是一个执拗的辩论者。在我少年的时候，我曾同我弟兄辩论天下一切的事。当到大学的时候，我研究逻辑及辩论术，并加入辩论比赛。后来我在纽约教授辩论术。我羞于承认，我有一次曾计划写一本关于辩论的书，从那时以后，我曾静听、批评，从事数千次的辩论，并注意它们的影响。从这些结果中，我得出了一个结论：天下只有一种方法能得到辩论的最大利益——那就是避免辩论。

　　10次中有9次辩论结束之后，每个争论的人都比以前更坚信他是绝对正确的。你不能辩论得胜。你不能，因为如果你辩论失败，那你当然失败了；如果你得胜了，你还是失败的。为什么？假定你胜过对方，将他的理由被击得漏洞百出，并证明他是神经错乱，那又怎样？你觉得很好，但他怎样？你使他觉得脆弱无援，你伤了他的自尊，他要反对你的胜利。

波恩互助人寿保险公司为他们的推销员定了一个规则："不要辩论!"真正的推销术，不是辩论，也不要类似于辩论。人类的思想不是通过辩论就可以改变的。

多年前，有一位名叫亚哈亚的爱尔兰人加入了我的训练班。他受过的教育很少，但很喜欢争执!他当过司机，他到我这里来，是因为他没有一次能成功地卖出一辆载重汽车。对他稍加询问，就可看出他始终同他正要做交易的人争执并触犯他们。如果一位未来的买主对他出售的汽车说出任何贬抑的话，他就会恼怒地截住那人的话头。当然，他确实胜过不少辩论。后来他对我说，"我常走出一个人的办公室说：'我又教给那家伙一些东西了。'我真的告诉了他一些事，但我并没有因此而卖给他一点东西。"

我的第一任务不是教亚哈亚学习如何讲话，而是训练他保持拘谨，不要讲话，并避免口头冲突。亚哈亚先生如今是纽约汽车公司的一位推销明星了。

智慧的老富兰克林常说：如果你辩论、争强、反对，你或许有时获胜；但这种胜利是空洞的，因为你永远得不到对方的好感了。

所以你自己打算打算，你宁愿要什么：一种暂时的、口头的、表演式的胜利，还是一个人的长期好感？你很少能二者兼得。

在你进行辩论的时候，你也许是对的甚或绝对是对的。但在改变对方的思想上说来，你大概毫无建树，一如你错了一样。

我认为，我们绝不可能对任何人——无论其智力的高低，仅用口头的争执来改变他的思想。

有一位所得税顾问巴森士与一位政府税收稽查员因为一项9000元的账单发生的问题争辩了一个小时之久。巴森士先生声称这9000元确实是一笔死账，永远收不回来，当然不应纳税。"死账，胡说!"稽查员反对说："那也必须纳税。"

"这位稽查员冷淡、傲慢、固执，"巴士先生在班里讲述事情的经过时说："理由对他是毫无用处的，事实也没有用——我们辩论得越久，他越固执。所以我决定避免辩论，改变题目，给他赞赏。

"我说：'我想这事与你必须作出的决定相比，应该算是一件很小的事情。我也曾研究过税收问题，但我只是从书本中得到知识，而你是从经验中获得知识，我有时愿意从事像你这样的工作，这种工作可以教我许多。'我每句话都是出于真意。

"于是，那稽查员在椅上挺起身来，向后一倚，讲了许多关于他工作的话，告诉我所发现的巧妙舞弊的方法。他的声调渐渐地变为友善，片刻后他又讲起他的孩子来。当他走的时候，他告诉我他要再考虑我的问题，在几天之内，给我答复。

"3天之后，他到我的办公室告诉我，他已经决定按照所填报的税目办理。"

这位稽查员表现的正是一种最普通的人性特点，他需要一种自重感。巴森士先生越是与他辩论，他越想扩大自己的权力，得到他的自重感。但一旦承认他的重要，辩论便立即停止，因为他的自尊心得到了满足，他立即变成了一个同情和友善的人。

拿破仑家中的管家常与约瑟芬打台球。这位管家在他所著的《拿破仑私生活的回忆》的第1卷第71页中说："我虽有相当的技艺，但我始终要设法使她胜我，这样她会非常欢喜。"我们要从这一故事里学到一个有用的教训。我们要使我们的顾客、情人、丈夫、妻子在偶然发生的细小讨论上胜过我们。

释迦牟尼说："恨不止恨，爱能止恨"。误会永远不能用辩论停止，而需用手段、外交和解来看对方观点以使对方产生同情。

林肯有一次责罚一个青年军官，因为他与同僚激烈争执。"凡决意成功的人，"林肯说，"不能费时于个人成见，更不能费时去承受结果，包括无法控制自己的脾气，丧失自制。你不能过分显示你自己，要放弃，虽然明白是你的小事，也要放弃。与其为争路权而被狗咬，不如给狗让路。即使将狗杀死，也不能治好受伤的伤口。"

所以，我们要使他人信服，须记住的第一条原则就是：

**避免与人辩论。**

# 24

## 尊重他人的意见

西奥多·罗斯福在白宫的时候承认，如果他的判断有 75% 是对
的，行事便可以达到最高的期望。

如果像这样一位杰出的伟人都承认自己的判断最高只有 75%
的正确率，那你我又该当如何？

如果你能确定自己的判断有 55% 是对的，便可以到华尔街去
日进斗金。如果你不能确定自己的判断是否有 55% 是对的，又如
何能指责别人常常犯错呢？

你可以利用眼神、音调，或是手势来指责别人的错误，这和言
辞表达一样有力——但是，当你指出对方的错误时，对方会因此同

意你的观点吗？绝不会的！因为你已一拳伤害了他们的智力、判断、荣誉和自尊，这只会造成对方的反击，而不会改变他人的观点。也许你会用柏拉图或康德的逻辑理论予以反驳，但还是没有用，因为你早已伤了他们的感情了。

千万不要一开始就宣称："我要证明给你看。"这无异于向他人表明："我比你聪明，我要让你改变想法。"这种做法实在是不明智，无疑会引起反感并爆发一场冲突。在这种情况下，要想改变对方的观点根本不大可能。所以，为什么要弄巧成拙？为什么要给自己添麻烦呢？如果你想证明什么，别让任何人知道，而且应不着痕迹，很技巧地去做。正如诗人波普所说：

你在教人的时候，要好像若无其事一样。

事情要不知不觉地提出来，好像被人遗忘一样。

300 多年以前，科学家伽利略说过：

你不能教人什么，你只能帮助他们去发现。

查斯特菲尔德爵士也告诉儿子：

要比别人聪明，但不要让他们知道。

苏格拉底也一再告诉门徒：

我唯一知道的，就是我不知道什么。

好了，我们不可能比苏格拉底更加聪明，所以从现在开始，最好不要再指出人们有什么错，那要付出代价。如果你认为有些人的话不对——不错，就算你确信他说错了，你最好还是这样讲："啊，慢着，我有另一个想法，不知对不对。假如我错了的话，希望你们纠正我。让我们共同来看看这件事。"

很奇妙，的的确确很奇妙，尤其是像这样的话："我可能不对，让我们来看看这件事。"天上或地下绝对没有人会反对你说："我可能不对，让我们来看看这件事。"

我的一位学员哈洛·雷恩克就曾用这种方式处理顾客纠纷，他是道奇汽车在蒙大拿州的代理商。雷恩克在报告时指出，由于汽车市场面临的竞争压力，在处理顾客投诉案件时，我们常常显得冷漠无情，这就很容易引起愤怒，甚至做不成生意，或造成许多不快。

他告诉班上的其他学员："后来我想清楚了，这样确实无济于事，于是便改变了做事的办法 。我转而向顾客这么说：'我们公司犯了不少错误，我实在深感遗憾。请把你碰到的情形告诉我。'"

"这种方法显然消除了顾客的敌意。情绪一放松，顾客在处理事情的过程当中就容易讲道理了。许多顾客对我的谅解态度表示感谢，其中两个人甚至后来还带来自己的朋友买车。在竞争激烈的市场上，我们很需要这样的顾客。而我相信尊重顾客的意见，对待顾客周到有礼，都是赢得竞争的本钱。"

你永远不会因为认错而引来麻烦。唯有如此才能平息争论，引导对方也能同你一样公正宽大，甚至也承认他或许错了。

著名心理学家卡尔·罗杰斯在他的一书中写道：

能了解别人的想法，你会获益很大。也许你会觉得奇怪，真有必要去了解别人吗？我想是的。我们对许多"陈述"的第一个反应常常是"估量"或"评断"，而不是去"了解"。每当有人表达自己的感受、态度或是信念时，我们通常即刻作出的反应是："这是对的"、"这好蠢"、"这是不正常的"、"那毫无道理"、"那是错的"、"那个不好"。我们很少要自己去了解陈述者话中的真正含义。

有一次，我请了一位室内装潢师设计家中的窗帘。等账单送来时，价钱着实让我吓了一跳。

隔了几天，有个朋友来访看到了那些窗帘。她问起价钱，然后以夸张的态度宣称："什么？别吓人！我想你是受骗了！"

我想她说得不错。但很少有人听得到他人讲出这种真话、这样的宣判。于是，我为自己辩解，提出便宜非好货等道理。

第二天，另一个朋友来访，对那些窗帘赞不绝口，还说希望她也能买得起这种漂亮的货色。我的反应与前一天截然不同："啊，老实说，我也差点付不起。我买贵了，真后悔没先问好价钱。"

当我们犯错的时候，也许会私下承认。当然，假如别人的态度温和一些，或显得有些技巧，我们也会向他们认错，甚至自认为坦白、心胸宽大。但是，假如对方有意让你难堪，情况又不同了。

我现在确信，如果你过于直率地指出别人的错误，再好的意见也不会被人接受，甚至会受到很大的伤害。你剥夺了别人的自尊，也让自己成为讨论中最不受欢迎的一部分。

有人曾问马丁·路德·金为何身为一个和平主义者，却倾向于白人空军将领丹尼尔·詹姆士，而非黑人高级官员。金博士回答："我以别人的原则去判断他们，而非用我的原则。"

同样的，罗伯特·李将军有次同南方联邦总统杰斐逊·戴维斯谈麾下的一名军官。李将军对其称赞有加。另一位军官很诧异，他问李将军："难道你不知道那个人无时不在攻击你、诽谤你吗？""我知道。"李将军回答，"不过总统是问我对他的看法，不是问他对我的看法。"

别与顾客、配偶或敌人发生冲突。别指责他们的错误，别惹他们动怒，如果非得与人发生对立，也得运用一点技巧。所以，如果你要使人信服，就得记住第二大原则：

**对别人的意见表示尊重，千万别说："你错了。"**

# 25

## 如果错了，当即承认

从我家步行不到一分钟，就有一片森林。春天来临之时，野花盛开，松鼠筑巢育子，马草长到马首那么高，这块完整的林地，叫做森林园——那真是一个森林园，我发现它时就像哥伦布发现了美洲大陆。我常带着我的波斯狗瑞克斯到园中散步，它是一只和善无害的小犬。并且园中不常见人，我总是不给它系上皮带或口笼。

一天，我们在园中遇见一位警察——一个急于要显示他权威的警察。

"你不给那狗戴上口笼，也不用皮带系上，还让它在园中乱跑，这是什么意思?"他责问我说,"你不知道这是犯法的吗?"

"是的,我知道是犯法的,"我轻柔地回答说,"但我想它在这里不至于产生什么伤害。"

"你想不至于! 你想不至于! 法律可不管你怎么想。那狗也许会伤害松鼠,或咬伤儿童。这次我放你过去,但如果我再在这里看见这只狗不戴口笼,不系皮带,你就得去和法官讲话了。"

我谦逊地应允遵守他的命令。

而我真的遵守了几次。但瑞克斯不喜欢口笼,我也不喜欢,所以我们决意碰碰运气。起初倒没什么,后来发生了一件事情。一天下午瑞克斯同我跳过一个小丘,忽然间,我惊惶地看见了"法律的权威",他骑着一匹栗红色马。瑞克斯在前面正向着那警察冲去。

我知道事情已毫无办法了。所以我没等警察开始说话,就先发制人。我说:"警官,你已当场把我抓住了,我是犯了法,我没有推辞,没有借口。你上星期警告我如果我再把没有口笼的狗带到这里,你就要罚我。"

"哦,现在,"这警察用温柔的声调说,"我知道周围没有人的时候,让这样一只小狗在这儿跑一跑,是一件诱人的事。"

"那真是一种引诱,"我回答说,"但那是犯法的。"

"像这样一只小狗是不会伤人的。"警察辩护说。

"不,但它也许会伤害松鼠。"我说。

"哦,现在,我想你对这事太认真了,"他告诉我说,"我告诉你怎样办,你只要使它跑过那土丘,使我看不见它——我们将这事忘却就算了。"

其实,那位警察也挺有人情味,他只不过要得到一种自重感。所以当我开始自责时,他唯一能滋长自尊的办法就是采取宽大的态度,以显示自己的慈悲。但假使我要为我自己辩护——好,你可曾和一个警察辩论过吗?

我不与他争辩,因为我承认他是绝对正确的,我绝对错误。我迅速地、坦白地、热忱地承认。我们各得其所,这件事就友善地结束了。

假如我们知道自己势必要遭到责备时，我们首先应自己责备自己，这样岂不比让别人责备好得多？听自己的批评，不比忍受别人的斥责容易得多吗？如果你将别人正想要批评你的事情在他有机会说话以前说出来，他就会采取宽厚、原谅的态度，以减轻你的错误了——正如那骑着马的警察对待我与瑞克斯一样。

任何愚蠢的人都会尽力为自己的错误进行辩护——而且多数愚蠢的人都会这样去做，他承认自己的错误，感觉有别于他人，并给人一种尊贵高尚的感觉。例如，历史所载的关于李将军的一件最完美的事，就是他为毕克德在葛底斯堡冲锋失败后进行的自责。

毕克德在战场上的无畏冲锋，无疑是美国史上最光荣生动的英雄之举。毕克德是个风流的人物，他把他赭色的头发留得很长，几乎长及肩背；而且，像拿破仑在意大利的战役中一样，他在战场上几乎每天写下热烈的情书。在那惨痛的7月的一个下午，他歪戴着漂亮的帽子，得意地骑着马向联军的阵线冲去，士兵们欢呼着跟随着他，人挤着人，大旗飞扬，刺刀在阳光中闪烁，那真是一幕壮丽的景观，联军看见他们时，顿时响起了一阵低声的赞美。

毕克德的军队踏着轻快的脚步，迅速前行，突然，敌人的大炮向他们的队伍开始轰击。片刻间隐伏在墓山脊的石墙后面的联军步兵向毕克德的军队开火，一排枪又一排枪。瞬间，整个山顶变成火海，成了一个杀戮的场所。在几分钟内，除了一个之外，所有毕克德的旅长都被击倒了，5000个冲锋的士兵中有4/5的人倒了下来。

阿密斯旦带领着军队，做最后一次冲杀，他们跃过石墙，把军帽放在他的刀顶上摇着，大呼："杀啊，孩子们！"

士兵们跟着跳过墙头挺着刺刀，与联军展开了一场短兵相接的战斗，终于把南军的战旗插在墓山脊上。

但大旗只在那儿飘了一会儿就消失了。毕克德的冲锋——虽然光荣，勇敢，但却是终场的开始。李将军失败了，他不能深入北方。南方失败了。

　　李将军极悲痛，极震惊，他向南方同盟政府的总统戴维斯提出辞呈，要求另派"一个年富力强的人"。如果李将军要将毕克德冲锋的惨痛失败归罪了别人，他可找出数十个借口来。有些师长不胜任，马队到得太迟，不能协助步兵进攻，这事错了，那事不对。

　　但李将军内心高贵，他没有责备别人。当毕克德打了败仗，带着流血的军队挣扎退回同盟阵线的时候，李将军只身骑马去迎接他们，并发出伟大的自责："这都是我的过失，"他承认说，"我，我一个人战败了。"

　　历史上能有几个将领能有这样的胆量和品格作出这样的自责呢？

　　当我们是对的时候，我们要温和地、巧妙地去得到人们对我们的同意；当我们是错的时候——如果我们对自己诚实，我们要当即真诚地承认我们的错误。这种方法不只能产生惊人的效果；并且——信不信由你，在若干情形之下，比为自己辩护更有趣味。

　　不要忘了那句古语："用争夺的方法，你永远得不到满足，但用让步的方法，你可能得到比你所期望的更多。"

　　所以，如果你要使人信服你，那就应该记住第三大原则：

　　**如果你错了，就迅速而真诚地承认。**

# 26

## 友善地对待他人

　　远在 1915 年的时候，小洛克菲勒还是科罗拉多州一个不起眼
的人物。当时，发生了美国工业史上最激烈的罢工，并且持续达两
年之久。愤怒的矿工要求科罗拉多燃料钢铁公司提高薪水，小洛克
菲勒正负责管理这家公司。由于群情激愤，公司的财产遭受破坏，
军队前来镇压，因而造成流血，不少罢工工人被射杀。

　　那样的情况，可说是民怨沸腾。小洛克菲勒后来却赢得了罢工
者的信服，他是怎么做到的？

　　小洛克菲勒花了好几个星期结交朋友，并向罢工者代表发表谈
话。那次的谈话可称之不朽，它不但平息了众怒，还为他自己赢得
了不少赞赏。演说的内容是这样的：

这是我一生当中最值得纪念的日子，因为这是我第一次有幸能和这家大公司的员工代表见面，还有公司行政人员和管理人员。我可以告诉你们，我很高兴站在这里，有生之年都不会忘记这次聚会。假如这次聚会提早两个星期举行，那么对你们来说，我只是个陌生人，我也只认得少数几张面孔。由于上个星期以来，我有机会拜访整个附近南区矿场的营地，私下和大部分代表交谈过。我拜访过你们的家庭，与你们的家人见面，因而现在我不算是陌生人，可以说是朋友了。基于这份互助的友谊，我很高兴有这个机会和大家讨论我们的共同利益。

由于这个会议是由资方和劳工代表所组成，承蒙你们的好意，我得以坐在这里。虽然我并非股东或劳工，但我深感与你们关系密切。从某种意义上说，也代表了资方和劳工。

多么出色的一番演讲，这可能是化敌为友的一种最佳的艺术表现形式。假如小洛克菲勒采用的是另一种方法，与矿工们争得面红耳赤，用不堪入耳的话骂他们，或用话暗示错在他们，用各种理由证明矿工的不是，你想结果如何？只会招惹更多的怨愤的暴行。

假如人心不平，对你印象恶劣，你就是用尽所有基督理论也很难使他们信服于你。想想那些好责备的双亲、专横跋扈的上司、唠叨不休的妻子。我们都应该认识到：人的思想不易改变。你不能强迫他们同意你，但你完全有可能引导他们，只要你温和友善。

以上是林肯在100多年前所说的话，他还说道：

这是一句古老而颠扑不破的处世真理："一滴蜂蜜要比一加仑的胆汁能招引更多的苍蝇。"人也是如此，如果你想赢得人心，首先要让他人相信你是最真诚的朋友。那样就像有一滴蜂蜜吸引住他的心，也就有了一条坦然大道，通往他的内心深处。

商界人士都知道，对罢工者表示出一种友善的态度是必要的。举例来说，怀特汽车公司的某一工厂有250个员工，他们因要求加薪而举行罢工。当时的公司总裁罗伯·布莱克没有采取动怒、责难、恐吓或发表霸道谈话的做法，而是在报刊上刊登了一则广告，称赞那些罢工者"用和平的方法放下工具"。由于发现罢工，监察员无事可做，布莱克便买了许多球棒和手套让他们在空地上打棒球。有些人喜欢保龄球，他便租下了一个保龄球场。

布莱克先生富于人情味的举动，得到的当然是富有人情味的反应。那些罢工者找来了扫把、铲子和垃圾推车，开始把工厂附近的纸屑、烟头、火柴等垃圾扫除干净。想得到吗？一群罢工工人在争取加薪、承认联合公司成立的时候，同时清除工厂附近的地面！这在漫长、激烈的美国罢工史上是绝无仅有的。这次罢工终于在一星期内获得和解，并没有产生任何不快或怨恨。

著名律师丹尼尔·韦伯斯特被许多人奉若神明。尽管他的声誉极高，但他那极具权威的辩论始终充满了温和的字眼，他的辩论中经常出现这些词语："这有待陪审团的考虑"、"这也许值得再深思"、"这里有些事实，相信您没有疏忽掉"、"这一点，由您对人性的了解，相信很容易看出这件事的重大意义"——没有恫吓，没有高压手段，没有强迫说明的企图。韦伯斯特用的都是温和、平静、友善的处理方式，但仍不失权威，而这正是他成功的最大助力。

也许你并没有机会去处理罢工风潮，或是在陪审团成员前发表演说。但是，你可能有机会遇到类似下面这样的情况。

史特劳伯先生是个工程师，他想要求房东减低房租，但听说房东是个铁面无情的人，恐怕很难说动。"我写了一封信给他。"史特劳伯在训练班上报告道，"我告诉他，等租约一到，我就要搬出公寓。事实上，我并不想搬家，只想降低房租，我很愿意继续住下去。但情况并不乐观，其他房客试过——但都没有成功。他们告诉我，这位房东极难应付，要特别小心。我对自己说：'我正选修一门处世训练的课程，正好可以实习一下，看看效果如何？'

"房东一接到信后就来找我。我在门口与他打招呼，讲些热诚的问候话。我没有提到房租费高的事，只告诉他很喜欢这栋公寓。请相信我，我当时确实在'真诚、慷慨地赞美'他。我继续恭维他很会管理房子，假如不是付不起房租的话，我很愿意再多住一年。

"他一定从来没有碰到过这样的房客，显然一时不知如何是好。

"后来他告诉我一些困扰，就是房客们的抱怨。有人写了14封信给他，其中有些显然在侮辱他。还有人要他叫楼上的房客停止打鼾，否则就要违约。'像你这样的房客，真让我松口气。'他说。并且没经我的要求，便自动减低了一些房租，我就出我能付出的数目，他也不多说什么便爽快地答应了。

"在他准备离去的时候，忽然转过身问我：'房子有没有什么需要装修的？'

"如果我用别人的方法要求减租，相信碰到的下场也会同他们一样。这就是友善、同情、赞赏所产生的力量。"

当我还是个喜欢赤脚到处乱跑的小男孩时，我读了一则《伊索寓言》，讲的是太阳和风的故事。一天，太阳与风正在争论谁比较强壮，风说："当然是我。你看下面那位穿着外套的老人，我打赌，我可以比你更快地叫他脱下外套。"

说着，风便用力对着老人吹，希望把老人的外套吹下来。但是它愈吹，老人愈把外套裹得更紧。后来，风吹累了，太阳便从后面走出来，暖洋洋地照在老人身上。没多久，老人便开始擦汗，并且把外套脱下。太阳于是对风说道："温和、友善永远强过激烈与狂暴。"

伊索是个希腊奴隶，比耶稣降生还早600年，但是他教给我们许多有关人性的真理。使我们知道，现今住在波士顿或伯明罕的人，其实和2600年前住在雅典的人是一样的。太阳能比风更快教老人脱下外套，现在，温和、友善和赞赏的态度也更能教人改变心意，这是咆哮和猛烈攻击所难以奏效的。

记住林肯所说的话："一滴蜂蜜要比一加仑的胆汁招引更多苍蝇。"

当你要使人信服时，请不要忘记第四大原则：

**以友善的方式开始。**

# 27

## 让对方开口说 "是"

—— 卡耐基金言 ——

◆ 当你与别人交谈的时候，不要先讨论你不同意的事，
  要先强调，而且不停地强调——你所同意的事。

◆ 懂得说话技巧的人，一开始就得到许多 "是" 的答复。

◆ "是" 的反应其实是一种很简单的技术，却为大多数
  人所忽略。

当你与别人交谈的时候，不要先讨论你不同意的事，要先强调，而且不停地强调——你所同意的事。因为你们都在为同一结论而努力，所以你们的相异之处只在方法，而不是目的。

让对方在一开始就说 "是，是的"。假如可能的话，最好让对方没有机会说 "不"。哈理·奥维屈博士认为，"不" 的反应是最难克服的障碍。当你说了一个 "不" 字之后，你那本性的自尊就会迫使你继续坚持下去。虽然以后，你也许发现这样的回答有待考虑。但是，你的自尊往哪里摆呀？一旦说了 "不"，你就发觉自己很难再摆脱。所以，如何让对方一开始就朝着肯定的方向作出反应，这对你们的结果是很重要的。

懂得说话技巧的人，一开始就得到许多"是"的答复。这可以引导对方进入肯定方向，就像撞球一样，原先你打的是一个方向，稍有偏差，等球碰回来的时候，就完全与你期待的方向相反了。

"是"的反应其实是一种很简单的技术，却为大多数人所忽略。也许有些人以为，在一开始便提出相反的意见，这样不正好可以显示出自己的重要而有主见吗？但事实并非如此，在现实生活中，这种"是"反应的技术很有用处。詹姆斯·艾伯森是格林威兹储蓄银行的一名出纳，他就是采用这种办法挽回了一位差点失去的顾客。

有个年轻人走进来要开个户头，我递给他几份表格让他填写，但他断然拒绝填写有些方面的资料。在我没有学习人际关系课程以前，我一定会告诉这个客户，假如他拒绝向银行提供一份完整的个人资料，我们是很难给他开户的。但今天早上，我突然想，最好不要谈及银行需要什么，而是顾客需要什么。所以我决定一开始就先诱使他回答"是，是的"。于是，我先同意他的观点，告诉他，那些他所拒绝回答的资料，其实并不是非写不可。

但是，假定你碰到意外，是不是愿意银行把钱转给你所指定的亲人？

"是的，当然愿意。"他回答。

那么，你是不是认为应该把这位亲人的名字告诉我们，以便我们届时可以依照你的意思处理，而不致出错或拖延？

"是的。"他再度回答。

年轻人的态度已经缓和下来，知道这些资料并非仅为银行而留，而是为了他个人的利益。所以，最后他不仅填下了所有资料，而且在我的建议下，开了一个信托账户，指定他母亲为法定受益人。当然，他也回答了所有与他母亲有关的资料。

由于一开始就让他回答"是，是的"，这样反而使他忘了原本所在的问题，而高高兴兴地去做我建议的所有事情。

约瑟夫·艾利森是西屋电气公司的一位业务代表，他也在训练课程上向大家报告了他的经历：

在我的辖区内有个人，公司一直很想和他做生意。我的前任代表和他接洽了 10 年，可还是没做成一笔业务。等我接管以后，又与他联系了 3 年，还是没有做成生意。最后，经不住我们一再商谈、打电话，终于卖了些发动机给他。既然有了开始，以后就不难再继续下去。我始终抱定这样的希望。

3 个礼拜之后，我情绪高昂地再度拜访他们。接待我的是他们的总工程师，他向我公布了一个惊人的消息："艾利森，我不能再买你们的马达了。"

"为什么？"我惊讶地问道。

"因为你们的发动机太热了，我不能把手放在上面。"

我知道这时争论是没有用的，因为这方面的经验很多，所以我想起了"是"反应的原则。

"啊，史密斯先生，"我说道，"我百分之百同意，假如那些发动机真的太热，就不要再多买了。您这里一定有符合电气制品公司标准的发动机吧？"

他表示同意，我得到了第一个"是"反应。

"电制品公司一般规定发动机的设计，其温度可高出室温华氏72 度，是吗？"

"是的。"他又表示同意，"但是你们的产品还是太热了。"

"工厂里的温度是多少？"我问道，并没有与他争辩。

"啊，大概是华氏 75 度左右。"他回答。

"很难。"我说道，"假如工厂内的温度是 75 度，则发动机的温度可高达 75 加上 72 度，也就是华氏 147 度。假如您把手放在 147 度的水龙头下，是不是会烫伤呢？"

"是的。"他不得不这样说。

"很好。"我建议道："那么，是不是最好不要把您的手放在发动机上呢？"

"我想你说得一点儿不错。"他承认。在往后数个月里，我们又成交了将近 35000 多元的生意。

加州奥克兰的爱迪·史诺先生也谈到他如何成为一家商店的主顾。只因那位店主也让他做了"是"反应。

爱迪对弓箭狩猎很有兴趣，因而花了不少钱去添购器材和装备。一天，他的哥哥来访，建议他改用租的方式，于是爱迪到他常常去的店里询问。但是店员说明他们并不对外租借弓箭。于是爱迪又打电话到另一家店里询问，以下是爱迪的叙述：

有位愉快的男士接电话。他听过我的询问之后，表示非常遗憾，因为他们店里已不做这种服务了。然后他问我，是否以前向店里租借过。我回答："是的，在好几年以前。"他提醒我，那时一把弓的租金是否在 25 美元到 30 美元之间。我又回答："是的。"接着，他问我是不是个喜欢节约的人，我当然回答："是的。"接着，他解释道，他们正好有一套弓箭在特价销售，包括所有小装备，总价才 30 多美元。那就是说，我只需多付几美元便不需租借，而可以拥有整套的器材。他并解释，这就是他们店里不再办理租借的缘故，因为那样太划不来了。后来，我当然买下了那套器材，并且还买了额外的其他东西。从此以后，我成了他们店里的常客。

苏格拉底是人类历史上最伟大的哲学家之一，他改变了人类的思考方式。在 2400 年后的今天，大家仍尊他为最具智慧的说服者，因为他对这个纷争的世界影响很大。他的秘诀是什么？他指出别人的错处吗？当然不是。他的方法现在被称为"苏格拉底法则"，也就是我们提到的"是"反应技巧。他问些对方同意的问题，然后渐渐引导对方进入设定的方向。对方只好继续不断地回答"是"，等到他觉察时，你们已得到设定的结论了。

所以，下次你告诉别人犯错的时候，请记住苏格拉底的这一有效的法则，问些温和的问题——一些能引发别人作出"是"反应的问题。中国有句格言最能反映东方人的智慧：以柔克刚。

所以如果你想使人信服，就应该记住第五大法则：

**首先让别人说"是，是的"。**

# 28

## 给他人说话的机会

---
**卡耐基金言**

◆ 如果你不同意他人的意见，你或许想阻止他，但最好
不要这样，这样做没有什么效果。

◆ 如果你要树敌人，就胜过你的朋友；但如果你要得到
朋友，那就让你的朋友胜过你。

◆ 最纯粹的快乐，是我们从别人的困难中所得到的快
乐。

---

很多人为了让别人的意见同自己保持一致，他们往往采用了一
种错误的策略：说话太多。尤其是那些推销员，他们更易犯这种不
经济的毛病。其实，你不如让对方畅所欲言，因为每个人对自己的
事和与己有关的问题一定比你知道得多，所以不如问他一些问题，
让他给你讲述有关的一些事情。

如果你不同意他人的意见，你或许想阻止他，但最好不要这
样，这样做没有什么效果。当他人还有许多意见要发表的时候，他
是不会注意你的。所以要忍耐一点，用一颗开放之心听取他人讲
话，并诚恳鼓励他完全发表自己的意见。

这一原则在商业中确实有其价值，让我们来看看下面这一例子。

数年前，美国最大的一家汽车工厂正在接洽采购一年中所需要的坐垫布。3家有名的厂家已经做好样品，并接受了汽车公司高级职员的检验，然后，汽车公司给各厂发出通知，让各厂的代表作最后一次的竞争。

有一厂家的代表R先生来到了汽车公司，他正患着严重的咽喉炎。"当我参加高级职员会议时，"R先生在我训练班中叙述他的经历说，"我嗓子哑得厉害，差不多不能发出声音。我被引进办公室，与纺织工程师、采购经理、推销主任及该公司的总经理面洽。我站起身来，想努力说话，但我只能发出尖锐的声音。"

"大家都围桌而坐，所以我只好在本上写了几个字：诸位，很抱歉，我嗓子哑了，不能说话。"

"我替你说吧，"汽车公司总经理说。后来他真替我说话了。他陈列出我带来的样品，并称赞它们的优点，于是引起了在座其他人活跃的讨论。那位经理在讨论中一直替我说话，我在会上只是做出微笑点头及少数手势。

令人惊喜的是，我得到了那笔合同，订了50万码的坐垫布，价值160万美元——这是我得到的最大的订单。

我知道，要不是我实在无法说话，我很可能会失去那笔合同，因为我对于整个过程的考虑也是错误的。通过这次经历，我真的发现，让他人说话有时是多么有价值。

有一家电气公司的业务员范勃也深有同感，下面让我们来看他的例子。

有一次，范勃先生正在宾夕法尼亚作一次农业考察。

"为什么这些人不用电？"他经过一家整洁的农家时向该区代表问道。

"他们是守财奴，你不可能让他们买下任何东西，"区代表厌烦地回答说，"并且他们对公司不感兴趣。我已经试过多次，真是没有希望了。"

也许是没有希望，但范勃无论如何要试一试，他走过去叩一农家的门。门只开了一小缝，老罗根保夫人探出头来。

"她一看见公司代表，"范勃先生讲述说，"就当着我们的面把门一摔。我再叩门，她又把门开了一点，告诉我们她对我们及公司的看法。"

她将门再开得大些，探出头来怀疑地望着我们。

"我曾留意你的一群很好的都敏尼克鸡，"我说，"而我想买一打新鲜鸡蛋。"

门又打开一点。"你怎么知道我的鸡是都敏尼克鸡？"她的好奇心似乎被激发起来。

"我自己也养鸡，"我回答说："而从未见过比这更好的一群都敏尼克鸡。"

"那你为什么不用你自己的鸡蛋？"她还有些怀疑。

"因为我的来格亨鸡生白蛋。你是会烹调的，自然知道在做蛋糕时，白蛋不能同赭蛋相比。为此，我的妻子以她所做的蛋糕自豪。"

这时，罗根保夫人放着胆走了出来，来到廊中，态度也温和多了。我环顾四周，发现农场中置有一个很好的牛奶棚。

"罗根保夫人，实际上，"我接着说："我可以打赌，你用你的鸡赚钱，比你丈夫用牛奶棚赚的钱还要多。"

嘿！她高兴极了！当然她赚得多！她听我如此说更加高兴，但可惜她不能使她顽固的丈夫承认这一点。

她请我们参观她的鸡舍，在我们参观的时候，我留意她所造的各种小设备，我介绍了几种食料及几种温度，并在几件事上征求她的意见。片刻间我们就很高兴地交换了经验。

过了一会儿，她说她几位邻居在他们的鸡舍里装置电光，据她们说效果很好。她征求我的意见，她是否应该采取这种办法……

两星期以后，罗根保夫人的都敏尼克鸡也见到了灯光，它们在电光的助长之下叫唤着，跳跃着。我得到了我的订单，她也能多得鸡蛋。双方满意，人人获利。

但……如果我不先将她诱入圈套，我是永远不能把电器卖给这位守财奴式的荷兰妇女的。

事实上，即使是我们的朋友，也喜欢谈论他们自己的成就而不愿听我们吹嘘自己的成就。法国哲学家罗西法考说："如果你要树立敌人，就胜过你的朋友；但如果你要得到朋友，那就让你的朋友胜过你。"

为什么会如此？因为当我们的朋友胜过我们时，他们获得了一种自重感；但当我们胜过他们时，他们会产生一种自卑感，并引起猜忌与嫉妒。

德国人有一句俗语："最纯粹的快乐，是我们从别人的困难中所得到的快乐。"是的，你有些朋友，恐怕从你的困难中比从你的胜利中得到的满意更多。所以不要时时向他人夸大自己的成就，我们要谦逊，这样永远能使人喜欢。

我们应当谦逊，因为你我都没有什么了不起的。你我都要逝去，过百年之后完全被人遗忘。生命过于短促，不要总是谈论我们小小的成就，使人厌烦；反之，我们要鼓励他们说话。

所以，如果你要使人信服你，还应该记住第六大原则：

**让对方多说话。**

# 29

## 别将自己的意见强加于人

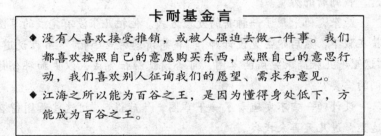

**卡耐基金言**

◆ 没有人喜欢接受推销，或被人强迫去做一件事。我们
  都喜欢按照自己的意愿购买东西，或照自己的意思行
  动，我们喜欢别人征询我们的愿望、需求和意见。

◆ 江海之所以能为百谷之王，是因为懂得身处低下，方
  能成为百谷之王。

有一家汽车展示中心的业务经理阿道夫·赛兹发现公司的业务
员办事没有精神，态度散漫，这一点确实有待加强。于是他召开了
一次业务会议，鼓励下属说出他们对公司的期望。他把大家的意见
写在黑板上，然后说道："我会尽量满足大家的愿望。现在，你们
知道我对大家的期望是什么了吗？"紧接着他提出了自己的要求：
忠诚、进取、乐观、团队精神、每天8小时热心地工作等。会议结
束的时候，大家都觉得精神百倍，干劲十足，有个业务员甚至自愿
每天工作14小时……赛兹报告说，以后公司的业务果然蒸蒸日上。

"这些人跟我做了一次道德交易。"赛兹先生说，"只要我实践
自己的诺言，他们自会实践他们的诺言。我征询他们的愿望和期

待，这一做法正好满足了他们的需要。"

没有人喜欢接受推销，或被人强迫去做一件事。我们都喜欢按照自己的意愿购买东西，或照自己的意思行动，我们喜欢别人征询我们的愿望、需求和意见。

韦森先生专门从事将新设计的草图卖给服装设计师和生产商的业务。3年来，他每星期，或每隔一星期，都前去拜访纽约最著名的一位服装设计师。"他从没有拒绝见我，但也从没有买过我所设计的东西。"韦森说道，"他每次都仔细地看过我带去的草图，然后说'对不起，韦森先生，我们今天又做不成生意啦！'"

经过150次的失败，韦森体会到自己一定过于墨守成规，所以决心研究一下人际关系的有关法则，以帮助自己获得一些新的观念，找到新的力量。

后来，他采用了一种新的处理方式。他把几张没有完成的草图挟在腋下，然后跑去见设计师。"我想请您帮点小忙。"韦森说道，"这里有几张尚未完成的草图，可否请您帮忙完成，以更加符合你们的需要？"

设计师一言不发地看了一下草图，然后说："把这些草图留在这里，过几天再来找我。"

3天之后，韦森回去找设计师，听了他的意见，然后把草图带回工作室，按照设计师的意见认真完成。结果呢？韦森说道："我一直希望他买我提供的东西，这是不对的。后来我要他提供意见，他就成了设计人。我并没有把东西推销给他，是他自己买了。"

发生在L医师身上的一个例子也正好说明了这一点。

L医师在纽约布鲁克林区的一家大医院工作，医院需要新添一套X光设备，许多厂商听到这一消息，纷纷前来介绍自己的产品，负责X光部门的L医师因而不胜其扰。

但是，有一家制造厂商则采用了一种很高明的技巧。他们写来一封信，内容如下：

我们工厂最近完成一套X光设备，前不久才运到公司来。由于这套设备并非尽善尽美，为了希望能进一步改良，我们非常诚恳地请您前来拨冗指教。为了不耽误您宝贵的时间，请您随时与我们联络，我们会马上开车去接您。

"接到信真使我感到惊讶。"L医师说道，"以前从没有厂商询问过他人的意见，所以这封信让我感到了自己的重要性。那一星期，我每晚都忙得很，但还是取消了一个约会，腾出时间去看了看那套设备，最后我发现，我愈研究就愈喜欢那套机器了。

"没有人向我兜售，而是我自己向医院建议买下那整套设备的。"

有个加拿大人也运用这种方法影响了我。那时我正计划前往加拿大的新布朗斯威克省去钓鱼划船，便写信给旅游局索取资料，显然我的名字列上了邮寄名单，因为许多营地和向导都给我寄来了大量的信件和印刷品，使我眼花缭乱，不知该如何选择。后来，有个聪明的营地主人寄来一封信，内附许多姓名和电话号码，都是曾经去过他们营地的纽约人。他要我打电话询问这些人，便可详细明了他们营地所提供的服务。

很惊讶的，我在名单上发现了一个朋友的名字，便打电话给他，请教他的种种经验。最后，又打了个电话通知营地我到达的日期。

中国有个圣人名叫老子，他说过一些话，也许对今日的许多读者仍有的益处：江海之所以能为百谷之王，是因为懂得身处低下，方能成为百谷之王；圣人若想领导人民，必须谦卑服务；若想引导人民，必须跟随其后。因此，圣人虽在上，而人民不觉其压力；虽在前，而人民不觉有什么伤害。

所以，如果你要使人信服，你应该遵守第七大原则：

**让别人觉得那是他们的主意。**

# 30

## 善于从他人角度考虑问题

生活中有时会发生这种情形：对方或许完全错了，但他仍然不
以为然。在这种情况下，不要指责他人，因为这是愚人的做法。你
应该了解他，而只有聪明、宽容、特殊的人才会这样去做。

对方为什么会有那样的思想和行为，其中自有一定的原因。探
寻出其中隐藏的原因来，你便得到了了解他人行动或人格的钥匙。
而要找到这种钥匙，就必须诚实地将你自己放在他的地位上。

假如你对自己说："如果我处在他当时的困难中，我将有何感
受，有何反应？"这样你就可省去许多时间与烦恼，也可以增加许
多处理人际关系的技巧。

多年来，我常到离家不远的公园中散步、骑马，以此作为消遣，像古时高尔人的传教士一样。我很喜欢橡树，所以每当我看见一些小树及灌木被人为地烧掉时，就非常痛心，这些火不是由粗心的吸烟者所致，它们差不多都是由到园中野炊的孩子们摧残所致。有时这些火蔓延得很凶，以致必须叫来消防队员才能扑灭。

公园边上有一块布告牌，上面写道：凡引火者应受罚款及拘禁。但这布告竖在偏僻的地方，很少有儿童看见它。有一位骑马的警察在照看这一公园，但他对自己的职务不大认真，火仍然是经常蔓延。有一次，我跑到一个警察那边，告诉他一场火正急速在园中蔓延着，要他通知消防队。他却冷漠地回答说，那不是他的事，因为不在他的管辖区中！我急了，所以从那时起，当我骑马的时候，我担负起保护公共地方的义务。最初，我没有试着从儿童的角度来劝待这件事。当我看见树下起火时就非常不快，急于想做出正当的事来阻止他们。我上前警告他们，用威严的声调命令他们将火扑灭。而且，如果他们拒绝，我就恫吓要将他们交给警察。我只在发泄我的情感，而没有考虑孩子们的观点。

结果呢？那些儿童遵从了——怀着一种反感的情绪遵从了。但当离开他们以后，他们又重新生火，并恨不得烧尽公园。

多年以后，我希望我增加了一些有关人际关系学的知识与手段，于是我不再发布命令，甚至威吓他们，而是骑向火前，向他们说道："孩子们，这样很惬意，是吗？你们在做什么晚餐？……当我是一个孩童时，我也喜欢生火——我现在也很喜欢。但你们知道在这公园中生火是极危险的，我知道你们不是故意，但别的孩子们不会是这样小心，他们过来见你们生了火，所以他们也会学着生火，回家的时候也不扑灭，以致在干叶中蔓延烧毁了树木。如果我们不再小心，这里就会没有树林。因为生火，你们可能被拘捕入狱。我不干涉你们的快乐，我喜欢看到你们感到如此快乐。但请你们即刻将所有的树叶耙得离火远些——在你们离开以前，你们要小心用土盖起来，下次你们取乐时，请你们在山丘那边沙滩中生火，好吗？那里不会有危险——多谢了，孩子们。祝你们快乐。"

这种说法产生的效果有很大区别！它使孩子们产生了一种同你合作的欲望，没有怨恨，没有反感。他们没有被强制服从命令。他们保全了面子。他们觉得好，我也感觉很好，因为我处理这事情时，考虑了他们的观点。

"在与人会谈以前，我情愿在那人办公室外的人行道上走上两小时，"哈佛商学院的一位院士说，"而不愿走进他的办公室，如果对于我所要说的，及他似乎要回答的东西没有一个极清楚的观念。"

如果你读这本书的结果只是得到一件事——永远按照对方的观点去想，由他人的立场去看事，一如由你自己的一样，这或许不难成为影响你终身事业的一个关键因素。

所以，如果你要使人信服你，你就应该遵守第八大原则：

**真诚地尽力从对方的角度看事情。**

# 31

## 同情对方的意愿

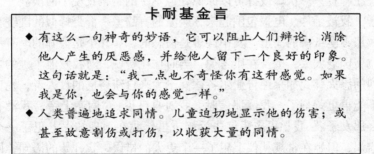

**卡耐基金言**

◆ 有这么一句神奇的妙语，它可以阻止人们辩论，消除他人产生的厌恶感，并给他人留下一个良好的印象。这句话就是："我一点也不奇怪你有这种感觉。如果我是你，也会与你的感觉一样。"

◆ 人类普遍地追求同情。儿童迫切地显示他的伤害；或甚至故意割伤或打伤，以收获大量的同情。

有这么一句神奇的妙语，它可以阻止人们辩论，消除他人产生的恶感，并给他人留下一个良好的印象，还能使对方注意聆听。那么，你是否急切想知道这一神奇妙语是什么吗？

这句话就是："我一点不奇怪你有这种感觉。如果我是你，也会与你的感觉一样。"

类似这样的回答可以软化所有刁钻而老奸巨猾者，你完全可以真诚说出这句话，因为假如你是对方，你也会产生同他一样的感觉。

例如，你不是一条响尾蛇，唯一的原因是，你的父母不是响尾蛇。你不与牛接吻，不以蛇为神，唯一的原因是，因为你没有生在勃兰马拨拉河岸一个印度家庭之中。

你之所以成为现在这样的人，你并没什么可以居功自傲——要记住，出现在你面前的那些充满烦躁、固执、缺乏理智的人，他们之所以成为这样的人，其实他们也没有很大的过错。要对他们表示惋惜、怜悯与同情。要像高约翰那样，当他看见街上摇摇欲跌的醉汉时，他常会说："如果不是上帝的恩赐，我也会走在那边。"

你明天要遇见的人，有 3/4 是为了同情而饥渴。给他们同情，他们就会即刻喜爱你。

我有一次在播音中提到《小妇人》的作者亚尔各德。当然，我知道她生长在马萨诸塞的康考德，并且写下了她不朽的作品。但我没有留神，我说我曾到纽韩赛的康考德去拜访过她的老家。如果我说纽韩赛只一次，或许可以原谅，但不幸的是，我说了两次。一下子，我被函件、电报包围起来，刺激的言辞像一群野蜂似的围绕在我那不能抵御的头上。其中许多是愤怒的，有几个是侮辱的。有一位美国老太太，生长在康考德，当时住在费城，对我发泄了她的强烈的怒火。我如果诬告亚尔各德女士为来自纽格尼的食人者，她也不能再更苛刻了。我读那信时，我对自己说："谢谢上帝，我没有娶那女子。"我觉得应写信告诉她，虽然我在地理知识上犯了一个错误，但她在常规礼仪上犯了一个更大的错误。我开始的语句，即要那样，然后我要卷起袖子来告诉她我真实的想法。但我没有这样做。我克制住自己。我知道任何昏头的傻子都能那样做——而大多数傻子要做的正是那样。

我要超乎傻子，所以我决意要将她的仇视变成友善，那将是一个挑战，我所能玩的是一个竞技。我对自己说："如果我是她，我大概要同她所感觉的一样。"所以我决意对她的观点表示同情。下次我到费城时，我打电话给她，电话中的谈话大概是这样的：

——××夫人，几个星期之前，你写给我一封信，我要为此谢谢你。

——（用明确、文雅、高尚的声调）请问你是谁？

——我对你是一个陌生人。我的姓名是戴尔·卡耐基。几个星期之前，你听我播音讲到亚尔各德，而我犯了不可宽恕的大错，我说她曾住在纽韩赛康考德，那是一个愚笨的大错，我为此道歉。你费功夫写信给我，真是太好了。

——我很抱歉，卡耐基先生，我写了那封信，我发了脾气，我必须道歉。

——不！不！不是你道歉，而是我应道歉，任何学过一些地理知识的人不致说我所说的。我曾在后一个星期日播音道歉，现在我要对你个人道歉。

——我生在马萨诸塞康考德，200年来，我的家庭在马萨诸塞很有声望；而且我以自己的家乡而十分自豪。听你说亚尔各德女士生在纽韩赛，实在使我难过，但我对于那信真是很惭愧的。

——我确实告诉你，你的难过不及我的1/10。我的错误对马萨诸塞无害，但是却伤害了我。有着像你这地位与声望的人，很少会费功夫写信给在无线电台上播音的人，如果你在我的演讲中发现错误，我极希望你再写信给我。

——你知道，我实在喜欢你接受我的批评的态度，你必是一位很好的人，我愿意多认识你。

因为道歉，并同情她的观点，我得到了她的道歉，以及对我的同情。我得到了控制自己脾气的收获，及友善报答侮辱的收获，我从中得到了无限的乐趣。

凡入主白宫的人，差不多每天都要碰到人际关系中的烦闷问题，塔夫脱总统也不例外。他深深感到了同情对于中和厌恶感的极大价值。在他的《服务伦理》一书中，塔夫脱举了一个很有趣的例子，证明他是如何使一位失望而有志气的母亲从愤怒变得和缓的。

华盛顿有一位妇人的丈夫在政界颇有势力，到我这里来与我周旋了6个多星期，要我给他儿子安排一个职位。她得到了多数参议员的赞和，并和他们一起来。然而，她所要求的这一位置是需要技术资格的，并且由该部部长举荐委任了别人。后来，我接到了这位母亲的一封信，说我忘恩负义，因为我拒绝使她成为一个快乐的妇人。在这种情况下我要做的事情也易如反掌。她还进一步抱怨，她与她的州代表，为我所特别重视的一个行政议案十分卖力的争取到了所有的投票，而我对她的报答却是如此。

当你得到一封这样的信时，你所做的第一件事就是，如何严正地对待一个非礼或有些唐突的人。于是你开始给他人回信。然而，如果你聪明的话，你可以将这信放在抽屉里并锁起来，两天之后再拿出来——这样的信札，回答总要迟上两天——当你隔开那些日子再取出来，你就不会把它发出；这正是我所采取的办法。在以后，我坐下来尽力给她写一封最客气的信，告诉她我明白一个做母亲的都会在这种情形下感到失望，但那种委任不能只按我个人的好恶，我须选一个有技术资格的人，所以只得按照该部部长的举荐。我表示希望他的儿子在他当时所在的位置上做出她所希望于她丈夫那样的成就。那封信使她息怒了，她给我写了一封短信说，她很抱歉她曾写了那前一封信。

但我所作出的委任，没有即刻确定，隔些时候我接到一封信，说是由她丈夫来的，但笔迹与所有其他信相同。信里告诉我，由于这次失望，她已变得神经衰弱，卧床不起，并且严重胃痛，我可否将已经委任的人的名字换上她儿子的，以恢复她的健康？看来我必须再写一封信了，这封是写给她丈夫的。我说我希望诊断不准确，我同情他因夫人重病而产生的忧虑，但如果要将已经确定的名字撤换，这是不可能的，因为我所委任的人，已经确定了。在我接到那封信的两天之内，我们在白宫举行音乐会，最先到场向塔夫脱夫人和我致意的两人就是这对夫妇，虽然这夫人不久前还装过病哩。

伍勒可以说是美国第一位音乐经理人，他与世界上一些著名的艺术家打了22年的交道，如却利亚宾、邓肯和潘洛佛。伍勒先生告诉我，在他与那些性情无常的艺术家交往时，所得的第一个教训就是同情——对他们可笑而古怪的脾气表现出更多的同情。

3 年时间里，他都作为却利亚宾音乐会的经纪人——却利亚宾是最能惊动首都大戏院高贵观众的一个最伟大的低音歌唱家。但却利亚宾行事像一个宠坏了的孩子。用伍勒先生自己独得的语句来说："他各方面都是糟糕得很。"

例如，却利亚宾会在他将要演唱的那一天的中午前后打电话给伍勒先生说："沙尔，我觉得很不舒服，我的喉咙破得不像样了，今晚我不能歌唱了。"伍勒先生同他争辩了吗？嗄，他知道艺术经理人不能那样处理，所以他会跑到却利亚宾的旅馆，表示同情。"多么不幸，"他会惋惜地说，"多么不幸！我可怜的朋友，当然，你不能唱了。我将立即取消这约定。那只费你两三千元钱，但与你的名誉相比，那算不得什么。"

然后却利亚宾会说："也许你最好下午再来，5 点钟来，看那时我觉得怎样。"

到了 5 点多钟，伍勒先生就再跑到他的旅馆，表示同情。他再坚持取消约定，却利亚宾会再叹息说："好吧，你再晚一点来看我，我到那时或许会好一点。"

到 7 点半，这位伟大的低音歌唱家答应唱了，唯有一个条件，就是伍勒先生跑上首都大戏院的戏台报告说，却利亚宾患重感冒嗓子不好。伍勒先生会说谎地答应他会如此的，因为他知道那是能使这位低中音歌唱家出台演唱的唯一方法。

格慈士在他著名的《教育心理》中说："人类普遍地追求同情。儿童迫切地显示他的伤害；或甚至故意割伤或打伤，以收获大量的同情。出于同样的理由，成人也会显示他们的伤害，叙述他们的意外、疾病，特别是动手术开刀的详情。为真实的或想像的不幸而感到'自怜'，实际上，这差不多是人类的一种共同习惯。"

所以，如果你想使人信服你，那就应该遵守第九大原则：

**同情对方的意念及欲望。**

# 32

---

## 激发他人高尚的动机

我在密苏里州拜访了大盗杰西·詹姆士的故乡基尼，他的儿子
在詹姆士农场。

杰西儿子的太太给我讲了一些有关他的故事，他如何抢劫火车
和银行，然后把钱送给附近的农夫，以偿还抵押贷款。

杰西·詹姆士大概与"双枪杀手"柯劳雷是一帮人，还有以后
许多有组织的罪犯像"教父"等一样，都认为自己是劫富济贫的理
想主义者。可以这么说，你所遇到的每个人都很尊重自己，都认为
自己是一个善良而不自私之人。

据培庞·摩根的分析，每个人的行事都有两个好理由：一是看

起来很好；一是的确很好。

当然，行事的主人都会认为真的很好，你不用再去强调。但是，我们每一个人的内心都把自己理想化，都喜欢为自己行为的动机赋予一种良好的解释。因此，如果我们要想改变他人，就应该诉诸一种高尚的动机。让我们看看汉弥尔顿·法瑞的例子。

法瑞先生有个挑剔的房客，扬言要搬家。他的租约还有4个月才到期，但他不管这些，而是单方面通知对方自己即将搬出去了。

"这些人整个冬天都住在那里——这是一年当中消费最多的季节。"法瑞先生说道，"而且我知道，要在秋天之前把房屋租出去很难。我可以预见自己手中的钞票随风而去了。"

如在以前，我会把那个人痛骂一顿，要他再把租约重读一遍，并且指出，假如他现在搬走，必须先付清所有的租金——我完全可以按照规定向他收取。

但是，我并没有这么做。我只是向房客说："杜先生，我听说您要搬家，但还是不相信您真的会这么做。多年的租房经验使我多少了解一点人性的事。我相信您应当不会出尔反尔。事实上，我敢打赌您一定不会这样的。"

"我有个建议，您不妨再多考虑几天。假如一个月后，您还是坚持要搬，我当然绝对尊重您的决定。我会特准您搬出去，住满一年为止。毕竟，我们是人不是猴子——决定完全在我们自己！"

到了下个月，这位房客亲自来见我，并且付了房租。他和太太商量过，而且决定留下来。他们都认为至少应该住到租期满为止。

最近，诺史克里夫爵士发现报上登了一幅他不愿公开发表的照片，便写了一封信给报纸编辑。但是他并没有这么写："请别再刊登那张照片，因为我不喜欢。"而是激发对方一种比较高尚的动机，即人人都敬爱母性的伦理观念。他的信是这样写的："请别再刊登那张照片，因为我的母亲不喜欢。"

小洛克菲勒也深懂此中诀窍。他极不喜欢摄影记者拍摄他子女的照片，便激发人人都不愿伤害儿童的高尚动机。他对记者们这么说："你们也是有孩子的人，一定了解我的感受。你们一定也知道，太出风头对小孩子是很不好的。"

当然，仍免不了有一些怀疑论者会这么说："啊，对诺史克里夫和小洛克菲勒这等人物，此法当然不成问题。但是对那些难缠的人物，我倒很愿意看看你怎么做。"

不错，我们很难找到一个放之四海皆有效的法则，任何事情都会有一些例外。例如你已有一套适用办法，何必再更改？假如无效，又何妨试试看呢？

无论如何，我相信你一定会对下面的故事感兴趣。这是我们以前的学员詹姆士·托马斯告诉我们的：

有家汽车公司的6位顾客在维修工作完毕之后拒绝付钱。他们声称有些项目收费不大合理。由于6位顾客在汽车修理完毕之后都已签名，所以公司便认为自己没什么不对。这是第一个错误。下面是这家公司的信用部要求顾客付款的步骤，你以为他们会成功吗？

1. 他们亲访那6位顾客，并且直言是来催收欠款的；
2. 他们说得很清楚，公司绝对没错。也就是说，顾客绝对是错的；
3. 他们宣称公司对汽车的了解要比顾客多，所以没什么好争论的；
4. 结果——他们争论不已。

你想这些办法会让顾客服气，痛痛快快地把事情解决吗？事情发展到后来，信用部经理几乎准备要大拼一场。幸好公司总经理注意到这件事，亲自调查这几名不愿偿还欠款的顾客。他发现这6位顾客的信用都很好，一向按时付款。所以，一定有什么地方错了——也许是催讨的方法完全错了。这位总经理于是叫詹姆士·托马斯去催讨这几笔"没有可能要回"的欠款。下面是托马斯先生讲述的他所采取的收账步骤：

1. 我个别拜访了那6位顾客，表面上是去催收债款——我们相信那些账单绝对没有错。但是，我并没有提到这一点。

我说明自己是来调查公司做了什么，或做错了什么；

2. 我说得很清楚，除非听了顾客的意见，否则我不会发表意见。我还说，公司并没有宣称绝对无误；

3. 我告诉顾客，我最关心的是他的汽车，而全世界只有他对自己汽车的状况最明确，这一点是毫无疑义的；

4. 我让顾客说话，自己带着一份关注与同情去听——这正是他所期待的；

5. 最后，等顾客恢复冷静后，我便以公平的态度对事情作一了结。

"首先，我要让您知道，我也觉得这件事处理不当，以致您受到打扰而惹您生气，并给您的生活带来了极大的不便，这都是我们公司职员的失误，我在此向您深表歉意。听了您的叙述，我深深感到您是一个正直而有耐心的人，所以想请您帮个忙。这件事您能做得比别人更好，而您对这件事的了解也最为清楚。这是您的账单，我知道我有权可以更正它，但我还是要留给您全权处理，无论您的决定是什么。"

这位顾客修改了账单吗？当然，而且削减了不少，这账单的金额范围是150～400美元，这位顾客付了最低额吗？是的，他是这么做，他拒绝为那些不明的费用多付一分钱。但是，其余的5位都尽可能多付，不让公司吃亏。事情的最妙之处是，两年之内，我们又卖了6辆车给这6位顾客！

经验告诉我，如果没有迹象显示顾客有问题，最好要相信他们是诚心诚意愿意付清账款的。一般而言，顾客都是愿意履行义务的，即便有例外也是极少数。而且我相信，那些有欺诈倾向的顾客，如你愿意相信他们是诚实、正直和光明磊落的，大部分还是会做出善良反应的。

所以，如果你想使人信服你，你就应该遵守第十大原则：

**激发他人去产生一种高尚的动机。**

# 33

## 戏剧性地表现自己的意图

数年前，《费城晚报》受到一种恶意的谣言攻击。有人告诉刊登广告的顾客说，这份报纸登载广告太多，新闻太少，对读者已失去吸引力。对报社来说，这一问题必须立刻处理，谣言必须消除。但如何做到这一点呢？

晚报将普通版每日刊载的各种阅读材料剪下，分类出版成一册书，书名为《一日》，共307页，与一本2美元的书一样厚，晚报将这些内容每日印出，售价不是2美元，而是2美分。

这本书的发行，是为了向公众表明该晚报曾刊登了大量的有趣读物。这是一种更有说服力的事实，比报社用一大堆详尽的数据及空谈更清楚、更有趣、更深刻。

纽约大学的鲍登和伯西曾分析了15000个售货面洽案例。他们写了一本书叫做《怎样获得辩论的胜利》，然后将这些原则引用到一篇演讲中，并在以后被拍摄成电影，向数百家大公司的营业部职员放映。他们不只表达他们研究所得到的原则，并且真实地去扮演。他们在观众之前激烈争论，表演售货的正确与错误方法。

这是一个充满戏剧性的时代，仅靠一点点语言的叙述是不够的。真理需要我们使之更生动、更有趣、更加戏剧化，你必须恰当运用表演的艺术。饰窗专家们就懂得如何运用戏剧化的有效力量。例如，新的毒鼠药品制造商就让销售商在橱窗中陈设，包括两只活鼠。表演活鼠的那一星期，销路比平常增加了 5 倍。

《美国周刊》的普顿要作一个长篇的市场报告。他的公司为一家最著名的润肤膏品牌做了一个详细的研究。业主是一位最大，也最可畏的广告业主。他的第一次接洽彻底失败了。

我第一次进去，觉得自己走错了路，转到无用的讨论和调查方法上去。他辩论，我也辩论：他告诉我我错了，我则竭力证明我是对的。最后我胜利了，我很满意——但我的时间到了，会谈结束，我仍然没有获得什么效果。

第二次，我没费事去管数字及资料表格，我去见这人，向他们演示。当我进入办公室时，他正忙着接电话，他打完电话时，我打开一只皮箱，取出 32 瓶冷膏的竞争品。在每只瓶上，有一标签，上面列举商业调查的结果。每签简要地表演地叙述它的故事。

结果如何？不再有辩论了。这里是些新的、不同的东西，他捡起一瓶又一瓶的冷膏瓶来阅读签上的说明。一个友好的谈话展开了，他深感兴趣地问了一些另外的问题。本来他只给我 10 分钟时间陈述事实，但 10 分钟过去了，20 分钟，40 分钟，快到了一小时，我们还在交谈。

这次我是陈述我以前所陈述过的同样事实，但这次我采用了充满戏剧化的表演术——它所产生的区别多么大。

所以，如果你要使人信服你，就应遵守第十一大原则：

**将你的意图戏剧性地表现出来。**

# 34

## 让他人不断面临挑战

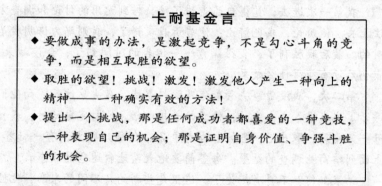

斯瓦伯手下有一位厂长，厂里的工人总是不能达到生产指标。

"怎么回事？"斯瓦伯问道，"像你这样能干的人，为什么不能使工厂完成规定的生产指标呢？"

"我不知道。"这人回答说，"我曾哄诱他们，也曾强迫他们，或是责骂，甚至以倒霉来恫吓他们，但怎么做也不生效，他们就是不愿干活。"

这一天正巧是太阳西落的时候，夜班工人来到厂里。

"给我一支粉笔，"斯瓦伯说，然后他转向最近的一个人，"你们这班今天做了几个单位?"

"6个。"

斯瓦伯在地板上写了一个大大的"6"字以后,一言未发地走开了。当夜班工人进来时,他们看见这个"6"字,就问是什么意思。

"公司老总今天来这里了,"日班的人说,"他问我们做了几个单位,我们告诉他6个,他就在地板上写上了这个6字。"

次日早晨斯瓦伯又从这厂中走过来,夜班已将"6"字除去,换上一个大"7"字。下一天早晨日班工人来上工的时候,他们看见一个大大的"7"字写在地板上。夜班以为他们比日班好,是不是?好了,他们要给夜班点颜色。他们热心地加紧工作,下班前,他们留下了一个神气活现的大"10"字。情形逐渐好起来了。不久这个一度生产落后的厂比公司里别的工厂产出还多。其中的道理是什么?

"要做成事情的办法,"斯瓦伯说,"是激起竞争。我的意思不是勾心斗角的竞争,而是相互取胜的欲望。"

取胜的欲望!挑战!激发!激发他人产生一种向上的精神——一种确实有效的方法!没有挑战,罗斯福就不会当上美国总统。这位骑士刚从古巴回来,就被推举为纽约州的候选人,反对者知道他不是那一州的合法居民,罗斯福恐慌了,要退出。于是普拉德激将了,罗斯福被激得大声叫道:"难道圣巨恩山的英雄是一个弱者吗?"

罗斯福在这一激将之下继续奋斗下去,其余的事情就已成历史了。一个挑战不只改变了他的一生,而且也影响了一个国家的历史。

斯瓦伯知道挑战的巨大力量,普拉德知道,史密斯也知道。

当史密斯任纽约州长时,他就遇到过这样一个问题。星星——鬼岛西面的最负恶名的一个监狱,没有狱长,许多黑幕及丑恶的谣言在狱中汹涌而出。史密斯需要一位强有力的人去治理星星,而且是一位铁一般强硬的人。他召来了劳斯。

"去照顾星星如何?"当劳斯在他面前的时候,他愉快地说,"他们那里需要一个有经验的人。"

劳斯窘了,他知道星星的危险,那是一个政治的差使,受政治变化的影响。狱长一再更换,有一位任职只 3 个星期,他在考虑他的终身事业。那值得他冒险吗?

史密斯看出了他的犹豫,往后一倚,微笑了。"青年人,"他说,"我不怪你害怕,那不是一个太平的地方,那里确实需要一个大人物去治理。"

史密斯这样提出了一个挑战。是不是? 劳斯喜欢尝试需要一个大人物的工作的意念。所以他去了,他住下了。并成为在那儿任职最久的最著名的狱长。他所著的《在星星的两年里》售出了几十万册。他曾应邀在电台讲话,他在星星生活的故事被拍成了数十部电影。他的给罪犯"人道化"的做法带来了许多监狱改革的奇事。

那是任何成功者都喜爱的一种竞技,一种表现自己的机会;那是证明自身价值、争强斗胜的机会。所以,如果你要使一个富有上进精神、充满血气的人同意你的意见,那你就应该记住第十二大原则:

**给他人提出一个挑战。**

第五篇

# How to Change People Without Giving Offense

## 如何更好地说服他人

# 35

## 称赞并欣赏他人

在柯立芝总统执政的时候，我的一位朋友在一个周末去白宫做
客。当踱入总统的私人办公室时，他听到柯立芝对他的一位女秘书
说："你今早穿的衣服很好看，你是一个非常漂亮的女孩子。"

这恐怕是一向寡言的柯立芝总统一生中赏赐给一位秘书的最动
人称赞了。这确实有点不平常，出乎意料之外，因而那女子面红耳
赤，不知所措。柯立芝于是说道："不要难为情，我说这些话只是
为了让你觉得好过一些。从现在起，我希望你多注意一下你的缺
点。"

尽管柯立芝总统采用的办法似乎太明显了一点，但他运用了一
种心理技巧——当我们听到他人对自己的优点加以称赞以后，再去
听一些不愉快的话，自然觉得好受一些。这正如理发师在替人修面

之前，先涂上一层肥皂一样。这也是麦金利在 1896 年竞选总统时所采取的一种做法。

有一位当时著名的共和党人写了一篇演讲稿，他觉得比西西洛、亨利和范勃斯德 3 人合起来所写的还要好。这位先生非常高兴地将他那不朽的演讲稿大声朗读给麦金利听，这篇演讲稿有它的优点，但麦金利先生总觉得有些不大合适，因为它会引起一场批评的风波，可是麦金利又不愿伤害这位写作者的感情。他不愿给这位满腔热忱的人泼冷水，但又不得不说"不"。那么他是怎样巧妙处理的呢？

"我的朋友，这确是一篇极好的演讲稿，一篇伟大的演讲稿。"麦金利说，"没有人能准备这么好的一篇演说稿。在许多场合，我可以这样说；但在这种特殊的场合是否十分适合？也许从你的立场来看，这是非常合理与慎重的，但我必须从我所代表的政党的立场来考虑它所产生的影响。现在，你回家去，按照我的修改意见，写一篇演讲稿并送一份给我。"

那人回去照做了。麦金利加以修改，帮助他重新写第二篇演讲稿。后来他成为竞选中一位有影响的演讲员。

下面是林肯所写的第二封最著名的信（他的第一封最著名的信是写给毕克斯贝夫人的，对她在战争中失去了 5 个儿子表示哀悼）。林肯写这封信大约用了 5 分钟，但在 1926 年公开拍卖时，它卖了1.2 万美元——那比林肯苦干 50 年所存的钱还多。

这封信是在内战最黑暗的时期——1862 年 4 月 26 日所写的。18 个月来，林肯的将领所带的联军屡遭惨败。数千名兵士从军中逃脱，甚至参议院的共和党议员都有人叛乱，并要强迫林肯退出白宫。"我们现今处在灭亡的边缘上，"林肯说，"我看好像上帝都在反对我们了。我差不多看不到一丝希望的曙光。"这是一个黑暗、忧愁、紊乱的时期，这封信就产生于这一时期。

下面我们看看这封信的内容，从中我们可以看出林肯是如何改变一位喧哗的将军，而且是正当全国的成败命运可能系在这位将军的行动上的时候。这恐怕是林肯在做总统以后所写的最锐利的一封信，但你可得注意到在他说到他的严重错误以前，他先称赞了胡格将军。

是的，那是些严重的错误，但林肯没有这样称它们，而是更委婉，更富外交手段。他写道："有些事我对你不十分满意。"下面是致胡格将军的信：

我已经将你放在军队的首位。当然，我这样做是根据我以为充足的理由，但我想，你最好知道对于有些事，我对你不是十分满意。

我相信你是一位智勇双全的将军，那当然是我所喜欢的。我也相信你不会将政治与你的职务混淆起来，在这事上，你是对的。你自信，那是一种有价值的、不可少的性格。

你有志气，这在相当范围之内，是有益无害的。但我想要柏恩赛将军带领军队的时候，你出于个人的意志，竭力阻挠他。在这事上，你对国家，对一位战功显赫的同僚长官犯了一个大错。

我曾听说，并使我相信，你最近曾说军队与政府都需要一位独裁者。当然，不是因为这个，却是不顾这个，我方给你统治权。

只有得到胜利的将领，方能成为独裁者。我现在请求于你的是军事的胜利，我可以将独裁权冒险给你。

政府要尽力帮助你，那同以往及今后对于所有将领所做的帮助一样，不多也不少。我深怕你所帮忙灌输于军队的批评将领及不信任他的精神，现在将加在你的身上了，我要尽力帮助你消灭这种精神。

当这种精神存在于军队中时，既不是你，也不是拿破仑（如果他还活着），都不能从军队中得到什么益处。现在，要小心，不要匆忙，要尽力不懈地努力前进，使得我们胜利。

从这封信看来，骨子里隐含着一种非常严肃的谴责，但字面上却依然委婉诚恳，娓娓动听。那位将军捧读此信，怎能不衷心感动而甘愿效忠呢？这就是林肯的过人之处。

当然你不是柯立芝、麦金利或林肯，但你要知道这种处世哲学是否对你的日常生活和工作有用。让我们看看费城的华克公司的高伍先生的例子吧。

高伍先生是一位与你我一样平常的人，他是我在费城所举办的一个班中的一位学生，他在班中的一次演说中叙述了这样一件事。

华克公司在费城承包了一幢办公大厦的建筑工程，它要在一个规定的日期前完工。一切都进行得很顺利，这建筑差不多要完工了。这时，负责建筑物外部装饰材料的供应商突然声称他不能按期完成。这样，整个建筑工程都要受到影响——巨额的罚金！惨重的损失！都因一个人！

长途电话，辩论！激烈的谈话！都没有用。于是高伍先生被派赴纽约去拔这头狮子的胡须。

"你知道你的姓名在勃罗克林是独一无二的吗？"高伍先生进入这位经理的办公室的时候问道。这位经理很惊异："不，我不知道。"

"哦，"高伍先生说，"当我今晨下火车后，我查电话簿找你的住址，现在勃罗克林电话簿中只有一个叫你这姓名的。"

"我从不知道，"经理说。他很有兴趣地查阅电话簿，"那不是平常的姓名，"他自豪地说，"我的家庭是差不多200年前由荷兰迁到纽约来的。"他接着谈论他的家庭及祖先数分钟。当他说完了，高伍先生恭维他有多么大的一家厂，并且比他曾参观过的几家同样的厂家都好。"这是我所见过的一家最清洁的铜器工厂。"高伍说。

"我费了一生的功夫经营这项事业，"经理说，"我很自豪。你愿意参观一下工厂吗？"在这次参观的时候，高伍先生恭维他的构造系统，并告诉他为什么那看来比他的几家竞争对手要好，好在哪里。高伍先生评论几种特别的机器，经理宣称那些机器如何运转及它们所造出的产品如何优良，他坚持要请高伍先生吃午餐。你要注意，直到这时，高伍先生一直未提来访的真正目的。

午餐以后，经理说："现在，言归正传，我自然知道你为什么而来。我想不到我们的聚会会这样的愉快，你可以带着我的应许回费城去，你们的材料制造后马上就送来，即使别的订货不得不延迟。"

高伍先生甚至没有请求，就得到了所要的东西。材料按期交到，整个建筑工程在合同期满的那天完成了。如果高伍先生用了平常在这种情形下惯用的争论及冲动的方法，他能有这种结果吗？

因此，如果你想说服他人，你应该遵循的第一项原则是：

**从称赞与真诚的欣赏开始。**

# 36

## 间接委婉地指出他人的错误

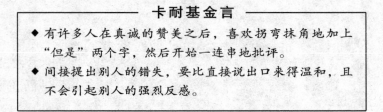

> **卡耐基金言**
> ◆ 有许多人在真诚的赞美之后，喜欢拐弯抹角地加上"但是"两个字，然后开始一连串地批评。
> ◆ 间接提出别人的错失，要比直接说出口来得温和，且不会引起别人的强烈反感。

　　一天下午，查理·夏布经过他的一家钢铁厂，撞见几个雇员正在抽烟，而头顶上正挂着"请勿吸烟"的牌子。那么夏布先生是如何处理这一情形的呢？他没有指着牌子说："你们难道不识字吗？"而只是走过去，递给每人一支烟，然后道："老兄，如果你们到外边抽，我会很感谢你们。"员工当然知道自己破坏了规定，但是夏布先生不但没说什么，反而给了每个人一样小礼物，你能不敬重这样的老板吗？

　　约翰·瓦纳梅克每天都要到自己的店里去一趟。有一次有个顾客等在柜台前，没有人理会她。店员呢？他们正聚集在另一个角落里聊天嬉笑。瓦纳梅克不说一句话，静静走到柜台后，亲自帮那位女士结账。他把东西交给店员包装后，便走开了。

很多大公司或机构的主管通常难以觐见。他们的确很忙，可是主要的原因是下属过分保护。他们不愿增加上司的负担，因此挡掉了不少求见者。卡尔·朗佛曾当过佛罗里达州奥兰多市的市长，那里是迪斯尼乐园的所在地。他在任的时候，经常要部属让百姓进来见他，这便是他的"开门政策"。但是市民还是常常被秘书和管理人员挡驾。

后来，市长想出解决的办法，他把门从办公室移走！这一象征性的举动，果真显示了市长的决心，助手们也才把上司的话当回事儿。

有许多人在真诚的赞美之后，喜欢拐弯抹角地加上"但是"两个字，然后开始一连串的批评。举例来说，有人想改变孩子漠不经心的学习态度，很可能会这样说："杰克，你这次成绩进步了，我们很高兴。但是，你如果能多加强一下代数，那就更好了。"

在这个例子里，原本受到鼓舞的杰克，在听到"但是"两个字之后，很可能会怀疑到原来的赞美之辞。对他来说，赞美通常是引向批评的前奏。如此不但赞美的真实性大打折扣，对杰克的学习态度也不会有什么助益。

如果我们改变一个两个字，情形将会大为改观。我们可以这么说："杰克，你这次成绩进步了，我们很高兴。如果你在数学方面继续努力下去的话，下次一定会跟其他科目一样好。"

这样，杰克一定会接受这番赞美了，因为后面没有附加转折。由于我们也间接提醒了应该改进的注意事项，他便懂得该如何改进以达到我们的期望。

间接提出别人的错失，要比直接说出口来得温和，且不会引起别人的强烈反感。玛姬·贾可布有次谈到，她如何使懒散的建筑工人养成良好的事后清理的好习惯。

贾可布太太请了几位建筑工人加盖房间。刚开始几天，每次她回家的时候，总发现院子里乱七八糟，到处是木头屑。由于他们的技术较好，贾可布太太不想让他人反感，便想了一个解决的办法。

她等工人们离去之后，便和孩子把木屑清理干净，堆到园子的角落里。第二天早上，她把领工叫到一旁，对他说："我很满意昨天你们把前院清理得那么干净，没有惹得邻居们说话。"从此以后，工人们每天完工之后，都把木屑堆到园子角落，领工也每天检查前院有没有维持整洁。

许多后备军人在受训期间，最常抱怨的就是必须理发，因为他们认为自己仍算是普通老百姓。一级上士哈理·恺撒谈到这个问题时说道，他正好有次奉命训练一群后备士官。按照旧时一般军人管理法，他大可对那群士官吼叫，或出言恫吓。但他并没有这么做，只是用迂回战术达到目的。

"诸位，"他这么说，"你们都是未来的领导者，你们现在如何被领导，将来也要如何去领导别人。诸位都知道军中对头发的规定，我今天就要按照规定去理发，虽然我的头发比你们的还短得多。诸位等一下可以去照照镜子，如果觉得需要，我们可以安排时间到理发室去。"结果可以料想，许多人真的去照镜子，并且遵照规定理好了头发。

如果你要说服他人，就应该遵循第二项原则：

**间接地指出他人的错误。**

# 37

## 不要总是责怪他人

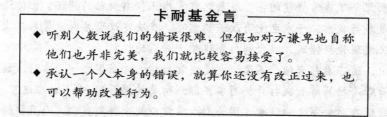

**卡耐基金言**

◆ 听别人数说我们的错误很难，但假如对方谦卑地自称
他们也并非完美，我们就比较容易接受了。

◆ 承认一个人本身的错误，就算你还没有改正过来，也
可以帮助改善行为。

三年前，我的侄女乔瑟芬·卡耐基到纽约来担任我的秘书。她
当时只有 19 岁，高中毕业，没有什么做事的经验。如今，她已是
一位十分干练的秘书了。在刚开始的时候，她十分敏感脆弱。有次
我准备指责她，却又马上对自己说："等一下，戴尔·卡耐基，等一
下。你几乎有乔瑟芬两倍的年纪，做事经验更是多出好几倍，怎么
可以要求她能有你的看法、判断和主动自发的精神——何况你自己
也并不挺出色？还有，戴尔，你在 19 岁的时候是什么德行？记得
你像蠢驴一样犯下的错误吗？记得你做过这些……还有那些……
吗？"

一想到这里，我不得不如实地下个结论：乔瑟芬比我 19 岁时
要好得多——而实在惭愧得很，我反而没有称赞过她。

于是，一遇到乔瑟芬犯错时，我总是这样说："乔瑟芬，你犯下了一项错误。但是，老天知道，我以前也常常如此。判断力并非生来具备，那全得靠自己的经验，何况我在你这个年纪的时候还比不上你呢。我实在没有资格批评你或别人，但是，依我的经验，假如你这么做的话，不是好些吗？"听别人数说我们的错误很难，但假如对方谦卑地自称他们也并非完美，我们就比较容易接受了。

加拿大有位工程师叫迪利斯通，他发现秘书常常把口授的信件拼错字，几乎每一面总要错上二三个字。那么他是如何让秘书改正这一错误的呢？

"就像许多工程师一样，别人并不以为我的英文或拼写有多好。我有个保持了好几年的习惯，就是常常随身带着一本小笔记簿，上面记下了我常拼错的字。我虽然常常指正秘书所犯的错误，但他还是我行我素，一点也没有改进的意思。我决定改变方式，等第二次又发现她拼错时，我坐到打字机旁，告诉她说：

这字看起来似乎不像，也是我常拼错的许多字之一，幸好我随身带有拼写簿（我打开拼写本，翻到所要的那页）。哦，就在这里。我现在对拼写十分注意，因为别人常以此来评判我们，而且拼错字也显得我们不够内行。

我不知道后来她有没有采用我的方法。但很显然，自那次谈话之后，她就很少再拼错字了。"

承认一个人本身的错误，就算你还没有改正过来，也可以帮助改善行为。下面是克莱伦斯·泽休森讲述的故事。

他发现15岁的儿子正学着抽烟——"我自然不愿意大卫抽烟，"泽休森说道，"但是他的妈妈和我都抽烟，我们给孩子作出了不好的榜样。我向大卫解释，自己如何也在年轻的时候开始抽烟，如何为烟瘾所害，到现在已经是无法戒除了。我提醒他，我常咳嗽得很厉害，如果他抽上个几年，情形也会跟我一样。"

我没有劝他不抽，或是警告他抽烟的危险。我只是指出自己如何染上烟瘾，然后受到如何的影响。

　　大卫想了一阵子，决定在高中毕业前暂不抽烟。好几年过去了，大卫一直没有再抽烟，也没有想抽的意思。

　　那次谈话之后，我也决定戒烟，由于家人的支持帮忙，我终于成功了。"

　　如果你要说服他人，那么第三项原则是：

**在指责别人之前，先想想自己的错误。**

# 38

## 没有人喜欢受人指使

　　有次我极荣幸地与资深的传记作家伊达·塔贝儿共进晚餐。我
谈起正在写这本书，于是我们便讨论起如何与人相处这个话题。她
告诉我，在她写《欧文·杨传》的时候，曾和一位与杨先生共事 3
年的人谈话。这位先生宣称，他从未听过杨指使别人，他只是建
议，不是命令。譬如欧文·杨不会说"去干这个，干那个"或"别
这么做，别那么做"，他会说"你可以考虑这样"或"你觉得那样
有用吗"……他常常在口授一封信之后说："你觉得这样如何？"接
过助手写的信之后，他会说，"也许这样写比较好些。"他不教助手
做什么，而让他们自己去做，让他们自己在错误中学习。

这种办法容易让一个人改正错误，保持个人的尊严，给他一种自重感，这样他就会与你保持合作，而不是背叛。无礼的命令只会导致长久的怨仇——即使这个命令可以用来改正他人明显的错误。宾州有位教师丹·桑塔雷利给我讲述了这样一件事。

有个学生把车子停在了不该停的地方，因而挡住了别人的通道。有个老师冲进教室很不客气地问："是谁的车子挡住了通道?"等汽车主人回答之后，这位教师厉声说道，"马上把车子移开，否则我叫人把车拖走。"

这个学生是犯了错，车子是不该停在那里。但是，从那天开始，不只那个学生对老师心存不满，甚至别的学生也常常故意捣蛋，使那位老师过不好日子。如果这位老师用不同方式处理这一事情，结果如何? 他可以好好地问："谁的车挡住了通道?"然后建议这位学生移开车，以方便别人进出。相信这个学生会乐意这么做，也不致引起其他学生的公愤。

伊安·麦当劳是南非约翰内斯堡一家小工厂的总经理。这家工厂专门制造精密机器零件。有人愿意向他们订购一大批货物，但要麦当劳先生保证如期交货。由于工厂进度早已安排好，要在短时间内赶出一大批货，他也不敢保证。麦当劳没有催促工人赶工，他只是召集了所有员工，把事情详细说明了一番，便开始提出问题。

"我们有什么办法可以处理这批订货?"

"有没有人想出其他办法，看我们是否可以赶出这批货?"

"有没有什么办法可以调整一下时间或个人分配的工作，以加快生产进度?"

员工们纷纷提出意见，并坚持接下订单。他们用"我们可以做到"的态度去处理问题，结果接下订单，如期赶出了这批货。

作为一位有头脑的领导者，如果你想说服他人，第四项原则是：

**以提问的方式来代替命令。**

# 39

## 保全他人的面子

　　几年前，通用电气公司碰到了一个棘手的问题，公司不知该如何安排一位部门主管查理·史坦梅兹的新职务。史坦梅兹原先在电气部门的时候，是个一级天才，但后来调到计算部门当主管后，却发现现在的工作非己所长，不能胜任。但公司领导不愿伤他自尊，毕竟他是一个不可多得的人才——何况他还处事十分敏感。于是，当局给了他一个新头衔：通用公司咨询工程师——工作性质仍与原来一样——只是另换他人去主管那个部门。

　　史坦梅兹对这一结局当然很高兴。通用公司当然也很高兴，因为他们终于把这位易怒的明星遭调成功，而且没有引起什么风暴——因为他仍保留了面子。

　　保留他人的面子！这是一个何等重要的问题！而我们却很少会

考虑到这个问题。我们常喜欢摆架子、我行我素、挑剔、恫吓、在众人面前指责孩子或雇员，而没有多考虑几分钟，讲几句关心的话，为他人设身处地想一下，要是这样，就可以缓和许多不愉快的场面。

下一次，当我们必须解雇员工或惩戒他人的时候，不要忘了这点。

一位审定合格的会计师马歇·葛伦杰说："解聘别人并不有趣，被人解雇更是没趣。我们的业务具有季节性，所以，在所得税申报热潮过了之后，我们得解聘许多人。我们这一行有句笑话：没有人喜欢挥动斧头。因此，大家变得麻木不仁，只希望事情赶快过去就好。通常，例行谈话是这样的：'请坐，史密斯先生。旺季已经过去了，我们已没什么工作可以给你做。当然，你也清楚我们只是在旺季的时候雇佣你，因此……'"

"这种谈话会让当事人失望，而且有种损及尊严的感觉。所以，除非不得已，我绝不轻言解雇他人，而且会婉转地告诉他：'史密斯先生，你的工作做得很好（如果他是做得很好）。上次我们要你去纽瓦克，那工作很麻烦，而你处理得很好，一点也没有出差错，我们要你知道，公司十分引你为荣，也相信你的能力，愿意永远支持你，希望你别忘了这些。'结果如何？被遣散的人觉得好过多了，至少不觉得'损及尊严'。他们知道，假如我们有工作的话，还是会继续留他们做的。或是等我们又需要他们的时候，他们还是很乐意再回来。"

宾州的佛雷德·克拉克谈到了发生在他们公司的一段插曲。

"有一次开生产会议的时候，副总裁提出了一个尖锐的问题，是有关生产过程的管理问题。由于他气势汹汹，矛头指向生产部总督，一副准备挑错的样子。为了不愿在同事中出丑，生产部总督对问题避而不答。这使副总裁更为恼火，直骂生产总督是个骗子。"

"再好的工作关系，都会因这样的火暴场面而毁坏。凭良心说，那位总督是个很好的雇员。但从那天开始，他再也不能留在公司里了。几个月后，他转到了另一家公司，据说表现很不错。"

安娜·玛桑也谈到相同的情形，但因处理方法不同，结果也不一样。玛桑小姐在一家食品包装公司当市场调查员，她刚接下第一份差事——为一项新产品做市场调查。她说道："当结果出来的时候，我几乎崩溃，由于计划工作的一系列错误，整个结果当然完全错误，必须从头再来。更糟的是，报告会议即将开始，我已经没有时间同老板商量这件事了。"

"当他们要求我做报告的时候，我吓得发抖。我尽量使自己不致哭出来，免得又惹得大家嘲笑，因为太过于情绪化了。我简短地说明了一下情形，并表示要重新改正过来，以便在下次会议时提出。坐下后，我等待老板大发雷霆。"

"出乎意料地，他先感谢我工作勤奋，并表示新计划难免都会有错。他相信新的调查一定正确无误，会对公司有很大助益。他在众人面前肯定我，相信我已尽了力，并说我缺少的是经验，而非能力。

"我挺直胸膛离开会场，并下定决心不再有第二次这种情形发生。"

纵使别人犯错，而我们是对的，如果没有为别人保留面子，就会毁了一个人。因此，说服他人的第五项原则是：

**保全他人的面子。**

# 40

## 激励他人获得成功

我认识派洛，他终生随同马戏团到处旅行表演。我喜欢看他驯
狗，我留意到一点，在狗显出轻微的进步时，他轻轻地拍它，称赞
它，并给它肉吃，当作一件大事似的。

那不是什么新鲜事，数百年来，训练动物大都是采用同样的方
法。我很奇怪，为什么我们要改变一个人的时候，为何不用改变狗
的同样常识？我们为什么不以肉代鞭？我们为什么不用称赞代替指
责？即使是最微小的进步，我们也要称赞、激励他人继续进步。

劳斯狱长已经发觉，即使对于星星监狱里的罪犯，称赞其最微
小的进步也是值得的。"我已经发觉，"劳斯狱长在写给我的一封信
中说，"对于罪犯所作出的努力进行适当的欣赏，比严厉的批评与

惩罚能得到他们的更大合作，并能有助于他们恢复自己的人格。"

我从未被拘禁在星星监狱中——至少现在还没有，但我回想起自己的生活，看得出有些时候几句称赞的话已深刻地改变了我整个的未来。你难道不能对自己的生活说这样的话吗？

50 年前，一位 10 岁的孩子在那波立斯一家工厂中做工，他极希望成为一名歌唱家，但他的第一位教师给了他一个重大的打击。"你不能唱，"他说，"你完全没有一副好嗓子，那听起来像风雨板中的风声似的。"

但他的母亲，一位贫苦的农家妇女，拥抱着自己的孩子并告诉他，她知道他能唱，她已经看出他的这一进步。她平日赤着脚，为的是省下钱来为孩子学音乐付费。那位农家母亲的称赞与鼓励改变了孩子的一生，你也许已经听到过他，他的名字叫卡鲁沙。

多年前伦敦一位青年希望成为一个作家，但样样事看来都似乎与他作对。他仅读了 4 年书，他的父亲因为付不起债，被捕入狱。这位青年饱尝饥饿的痛苦。最后，他找到了一个工作，在一间老鼠肆行的货房中粘贴黑油瓶上的签条。夜里他睡在一间破旧的阁楼中，同两个来自伦敦贫民窟的肮脏顽童住在一起。他对自己著述的能力信心极小，因此，他在深寂的夜里偷偷地出去，将他的稿件付邮，以免人家笑他一篇一篇的故事被拒绝。最后伟大的一天到来了，终于有一篇被接受了。实际上他没有得到一先令的报酬，但一位编者称赞了他。他非常的兴奋，以至在街上无目的地游荡，泪流满面。

由一篇故事被刊出所得的称赞及承认，改变了他的一生。如不是因为那个鼓励，他或将终身在老鼠肆行的工厂中工作。你或许也已听到过那个孩子，他的名字是狄更斯。

1922 年，有一位住在加利福尼亚的青年，他非常贫困，供养他的妻子也极为困难。他星期日在教会唱诗班中歌唱。他不能住在城中，所以租了间在葡萄园中的破屋子，租金每月只 12.50 美元；房租虽低，但他却付不起，他欠了 10 个月的租金，于是不得不在葡萄园中做摘葡萄的工作，以代付房租。他告诉我，有时除葡萄以外，他简直没有别的东西吃。他非常失望，差不多要放弃歌唱的事业，去卖载重汽车谋生，在这时候，一位牧士称赞了他。牧士对他说："你有一种极好的嗓音天赋，你应到纽约去深造。"

那青年最近告诉我说，就是这一点称赞和轻微的鼓励成为他终身事业的关键，他借了 2500 美元钱踏上去纽约的路。你或许也听到过他，他的名字是席贝德。

讲到改变人，假如你我要激励我们所接触的人，认识他们所具有的宝藏，我们所能做的比实际上改变的人还多。我们真能改变他们。

让我们再听听已故的哈佛教授詹姆士的名言，他算是美国最著名的心理学家和哲学家：

与我们本来应有的成就相比较，我们不过是半醒着。我们现在只利用我们身心资源的一小部分。广义地说，人类的个体就这样地生活着，远在他应有的极限之内；他有着各种力量，但从未被利用过。

是的，你们在读这几句话时都具有各种力量，你们不会利用；这些你极少应用的力量，其中一种就是称赞别人，激励他们，认识他们可能拥有的神奇能力。

所以，如果你要说服他人，第六条原则是：

**称赞他人的每个进步，即使十分微小，要"诚于嘉许、宽于称道"。**

# 41

## 学会给人"戴高帽"

——— 卡耐基金言 ———

◆ 如果你要在某方面改进一个人，就要做得好像那种特
  点已经是他的显著特性之一。

◆ 差不多每一个人——富人、穷人、乞丐、盗贼——保
  全所赐予他的这诚实的名誉。

◆ 如果他得到你的尊重，并且你对他的某种能力表示认
  可，他就很容易受到引导。

　　我有一位朋友琴德夫人，她雇了一个女仆，并告诉她下星期一
上工。在这时候，琴德夫人打电话给那女仆以前的女主人，知道她
一切都不好。当女仆来上工的时候，琴德夫人说："赖莉，我那天
打电话给你以前做事的那家太太，她说你诚实可靠，会做菜，会照
顾孩子，但她说你不整洁，从不将屋子收拾干净。现在我想她是在
说谎，你穿得很整洁，人人可以看得出。我打赌你收拾屋子一定同
你的人一样整洁干净。你也一定会同我相处得很好。"

　　她们后来真的相处得很好。赖莉要顾全名誉，并且她真的顾全
了。她把屋子收拾得发光，她情愿多费一小时打扫，而不愿使琴德

夫人对她的希望落空。

"平常人，"一位工厂经理华克伦说，"如果他得到你的尊重，并且你对他的某种能力表示认可，他就很容易受到引导。"

简言之，如果你要在某方面改进一个人，就要做得好像那种特点已经是他的显著特性之一。莎士比亚说："假定一种美德，如果你没有。"最好是假定，并公开地说，对方有你要他发展的美德。给他一个好名誉去实现，他便会尽力去做，而不愿看你失望。

雷布兰克在她的纪念物《我同马克林的生活》一书中曾叙述一个卑贱的比利时女仆的惊人变化：

一个女仆由一家邻近的旅馆中给我送饭，我称她为"洗碗的玛莉"，因为她开始她的职业时是一个厨师的助手。她好像是一个鬼怪，斜眼，弯腿，是一个肉体及精神都可怜的人。

有一天，当她用她的红手托着一盘面送给我时，我爽直地对她说："玛莉，你不知道你身上有什么宝藏。"

惯于约束情绪的玛莉等了几分钟，不敢冒险表示一点态度，恐怕惹祸。她将盘子放在桌上，叹了口气，巧妙地说："夫人，我以前从来不会相信的。"她没有怀疑，没有发问，只是回到厨房，反复我所说的话，信心非常之大。从那天起，虽然有人给她相当的体恤，但最奇怪的变化，却发生于卑微的玛莉本身。她相信她身上有一种看不见的东西，她开始非常小心地留意她的面部及身体，并将她的平凡之处遮掩起来，使她枯干的青春好像开起花来了。

"两个月以后，在我要离开的时候，她宣布她将要同厨师的侄子结婚。'我将要做太太了。'她说着并向我致谢。一句话竟改变了她整个的人生。"

当吕士纳要影响在法国的美国士兵的行为时，她也采用了同样的办法。哈伯德将军——一位最受人欢迎的美国将军，曾经告诉吕士纳说，按他的意见，在法国的 200 万美国兵，是他曾读到过或接触过的最清洁、最合乎理想的人。

过分的称赞吗？或许是的，但且看吕士纳如何应用它。

　　"我从未忘记告诉兵士们那将军所说的话，"吕士纳写道，"我一刻也不怀疑它的真实性，但我，即使不真，知晓哈伯德将军的意见将激励他们努力达到那个标准。"

　　有一句古语说："给狗一个恶名，不如把它吊死。"但给它一个好名——看有何结果！

　　差不多每一个人——富人、穷人、乞丐、盗贼——保全所赐予他的这诚实的名誉。

　　"如果你必须应付盗贼，"监狱长劳斯说，"只有一个可能的方法可以制他——待他好像他是一个很体面的君子。假定他是规规矩矩的，因之他会有所反应，并把有人信任他引以为豪。"

　　所以，如果你要说服他人，应记住第七项原则：

**　　给人一个美名，并使之努力保全。**

# 42

## 鼓励更易使人改正错误

不久以前，我有一位约 40 岁的未婚男友订了婚，他的未婚妻劝他去学些已过时的跳舞功课。"上帝知道，我真需要跳舞的功课，"他告诉我经过情形的时候承认说，"因为我跳起来还是像 20 年前我开始跳的时候一样。我所请的第一位教师，也许她告诉我的是真话，她说我全都不对，我必须将一切忘掉，重新开始，但那使我灰心。我没有动力继续，所以我辞了她。

"第二位教员或许是说谎的，但我喜欢她。她冷淡地说，我的跳舞姿势或许有点旧式，但基本功是不错的，并且使我确信我不必费时就可学得几种新的舞步。第一位教师因为着重我的错误而使我灰心，这位新教师正好相反，她不断地称赞我做得对的事，减轻我的错误。'你有天生的韵律感觉，'她肯定地对我说，'你真是天生的一位跳舞专家。'现在，我经常告诉自己，我以往总是，将来也总是一个末等的跳舞者；但在我内心的深处，我仍喜欢想或许她是真意。确实，我付钱使她说那话。那么为什么前一位教师要说穿那些话呢？

"无论如何，我知道，如果没有她告诉我有天生的韵律感觉，我就很难有什么进步。她那样鼓励了我，给了我希望，并使我不断进步！"

如果你告诉自己的孩子，丈夫，或他人，他在某件事上真是愚笨，他对某事没有天赋，或者他做的都错了……那么你就差不多消除了他要作出改进的各种动力。但如果我们用相反的办法，宽容他人，鼓励他人，使事情好像容易去做，使对方知道你相信他有能力去做，他对这事有尚未发掘的才干——他为了要争胜就会终夜练习。

汤姆士真是人际关系学的一位伟大的艺术家。他将你造就起来，给你信任，用勇敢及信任鼓励你。

如果你要说服他人，第八项原则是：

**鼓励的办法更易使人改正错误。**

# 43

## 学会给他人授权

1915 年,正值第一次世界大战时期,欧洲各国彼此残杀,规模之大,在人类史上从未有过。美国政府极为惊骇。人们渴望的和平能够得以实现吗? 没有人知道这一点,但威尔逊决意尝试,他要派遣一位私人代表作为和平特使,与欧洲军方进行磋商。

主张和平的国务卿勃拉恩很想获得这次机会,他知道这是使自己立功并名垂青史的一个机会。但威尔逊却委派了另一个人——他的挚友赫斯上校。赫斯上校当然很荣幸,但他还有一个麻烦,他得将这一不受人欢迎的消息告知勃拉恩并且不能激怒他。

赫斯上校在他的日记中写道:"当听说我要到欧洲去做和平特使时,勃拉恩显然很失望,他说他曾打算他自己去干这事。

"我回答说,总统认为任何人正式地去干这事都不大适宜,而派他去则会引起注意,人们会觉得奇怪,为什么他到那里去……"

从赫斯上校的话中我们可以看出其中的暗示,赫斯无异于告诉勃拉恩，他太重要了，不适宜这一工作——这样便使勃拉恩获得了一种满意。

赫斯上校十分精明且饱经世故，他在处理这一事情的过程中遵守了人际关系的一个重要准则：永远使对方乐于做你所提议的事。

我还认识一个人，他必须推辞许多演讲邀请，有来自朋友的邀请，或来自情所难却者的邀请。但他做得巧妙，他既推辞了对方，也令对方满意。那么他是怎样做的呢？他没有只是说太忙，太这个或那个，而是在表示对邀请的感谢与不能接受而感到抱歉以后，再提议另一个人去代替他。也就是说，他不给对方时间对这推辞感到不快，他立刻使对方想到了可以得到另一个演讲者。

当拿破仑创立荣誉队时，共颁发了 1500 枚十字徽章给他的兵士，提升他的 18 位将军为"法国大将"，称他的部队为"大军"，人们也说他孩子气。

拿破仑被人批评给老练的精兵一些"玩物"，而拿破仑回答说："人们本来就受着玩物的统治。"这种给人授衔和权威的办法对拿破仑有效，对你也同样有效。

我的一位朋友，纽约斯卡斯戴尔的琴德夫人，我向她提起过孩子们在她的草地上乱跑，踏坏了青草，她为此事烦扰。她试过批评的办法，也试过利诱的手段，但都没有效果。后来，她想到了一种绝妙的办法，她试着给孩子群中最坏的一个人授予一个头衔，让他获得一种权威，叫他做她的"侦探"，让他管理草坪，不准有人侵入她的草地，谁知这样问题就解决了。她的"侦探"在后院生了一把火，把一根铁条烧得红热，恫吓要烫任何践踏草地的孩子。

获得权威，这是人类的一种天性，所以如果你想说服他人，第九项原则是：

**使对方乐于做你所建议的事。**

# 第六篇

# Ways to Make Your Family Happy

**让你的家庭生活幸福快乐**

# 44

## 切勿喋喋不休

拿破仑·彭纳派德是拿破仑三世的侄子，他与世上美女郁金妮·
德伯女伯爵相爱成婚。他的顾问们认为，她不过是一位不重要的西
班牙伯爵的女儿。但拿破仑辩答说："那又怎么样？"她的优雅，她
的青春，她的诱惑，她的美貌，使他充满了神仙般的幸福。"我已
经喜欢了一位我所敬爱的女人，"他说道，"她不是一位我不了解的
女人。"

　　拿破仑和他的新婚妻子拥有健康、财富、势力、名誉、美貌、
爱情与信仰———一切幸福的条件，但是，他们婚姻的圣火从未发出
过更加光亮的炽热。而且没过多久，那炽热的圣火就熄灭了，直至

化为灰烬。拿破仑可以使郁金妮成为皇后，他可以倾尽美丽的法国的所有，或献出他爱情的全部力量，甚至他皇位的势力，但他无法做到一点：无法使她停止喋喋不休。

出于嫉妒和多疑，郁金妮轻慢他的命令，甚至不许他有秘密的表示。正当他从事国政的时候，她闯入他的办公室，阻挠他最重要的讨论。她拒绝他独处，永远怕他与别的妇人交往。她常常到她姐姐家抱怨她的丈夫。抱怨、哭泣、喋喋不休，甚至恫吓，并强自进入他的书房，向他发作、谩骂。拿破仑，这个法国的皇帝，纵然有许多富丽堂皇的宫殿，但却不能找到一个小橱，以让自己在那里定一下自己的心。

郁金妮如此而为所造成的后果是什么？我们通过莱因哈德精心著作的《拿破仑与郁金妮：一个帝国悲喜剧》中的文字就可以看出："以后拿破仑常在夜里，从一侧门偷偷地出去，戴一软帽，将眼遮起，由一亲信随从，真的前往等待他的美女那里去，或像古时似的遨游于这大城中，见些见不到的东西，吸些可能吸的空气。"

而这一切都是喋喋不休的郁金妮所造成的。她坐在法国的皇位上又是世界上最美丽的妇人；但在喋喋的气氛之中，皇位与美貌都不能保持爱情的存在。这是她自己找来的，可怜的妇人，由她的嫉妒及唠叨所带来的。

在所有一切烈火中，地狱魔鬼所发明的狞恶的毁灭爱情的计划，喋喋不休是最致命的。它像毒蛇的毒汁一样，永远侵蚀着人们的生命。

托尔斯泰伯爵夫人也发现了这一点——可惜她知道的太迟了。在她去世以前，她对她的女儿们承认："你们父亲的死，是因为我的缘故。"她的女儿们都痛哭了起来。她们知道母亲说的是实话，知道她用不断的抱怨、永久的批评、不休的唠叨将父亲害死了。

但托尔斯泰伯爵及其夫人理应享受优越的环境而快乐。托尔斯泰著名的《战争与和平》和《安娜·卡列妮娜》在世界文学史上永远闪烁着光芒。他非常有名望，他的崇拜者甚至终日跟随他，将他所说的每句话都速记下来。甚至连"我想我要就寝"这样的话也一字不漏地记下。除名誉外，托尔斯泰与他的夫人还有财产，有地位，有孩子，没有别的婚姻比这更美满了。起初，他们饱尝幸福的甜蜜，以致他们一同跪下，祈祷万能的上帝继续赐予他们所有的快乐。

以后，一件惊人的事情发生了，托尔斯泰渐渐地变成为一个完全不同的人。他对他所著的伟大著作觉得羞辱。从那时起，他专心著作小册子，宣传和平、停止战争与消灭贫穷。这位曾承认在青年时犯过各种可想像的罪恶的人，要真实遵从耶稣的教训。他将所有地产给了别人，过着贫苦的生活。他种田、砍木、堆草。他自己做鞋，自己扫屋，用木碗吃饭，并尽力爱他的仇敌。

托尔斯泰的人生是一个悲剧，而悲剧的原因，是他的婚姻。他的妻子喜欢奢侈，但他追求简朴；她渴求名誉与社会称赞，但这对他毫无意义；她企求金钱与财产，但他视财富及财产是一种罪恶。多年的时间里，她常常责怪叫骂，因为托尔斯泰坚持要放弃他的书籍出版权，不收任何版税；而她要那些书能产生金钱。当他反对她，她就发狂地躺在地上打滚，并拿一瓶鸦片放在嘴边，声称要自杀，还恫吓要跳井。

在他们的人生中，有一件事是历史上最悲惨的一幕。在他们最初结婚的日子里，他们非常快乐；但48年以后，他不能忍受与她见面。有时晚上这位年老伤心的妻子，基于求情，跪在他的膝前，求他朗读几十年前他在日记中所写的关于她艳美的爱情之语。当读到那些他们已永远失去的美丽快乐的时光时，他俩都痛哭了。生活的现实与他们好久以前一并所做的爱情之梦是何等相异。

最后，82岁的托尔斯泰不能再忍受他家庭的不幸了，他在1910年10月的一个雪夜中，从他妻子那里逃了出去——在寒冷黑暗中漫无目标地走着。11天后，他患肺病死在一个车站上，他临死的请求是不要让她来到他的面前。

这也许是托尔斯泰夫人因唠叨抱怨所付出的代价。

也许我们会想，或许她确实有许多可以嘀咕。我们可以这样去想，也可以承认这一点，但问题是，唠叨给了她什么好的帮助呢？"我想我真是精神失常。"那是托尔斯泰伯爵夫人后来对自己的评价。

海勃格在纽约家事法庭任职了 11 年，曾查阅过数千宗离婚案件，他说男人离家的一个主要的原因就是因为他们的妻子们喋喋不休。或像《波士顿邮报》所说的："许多做妻子的，不断地一点一点地挖掘，造成她们自己婚姻的坟墓。"

所以，如果你要保持你的家庭生活快乐，第一项原则是：

**切勿，切勿喋喋不休！**

# 45

## 不要试图改造对方

───── **卡耐基金言** ─────

◆ 英国伟大的政治家狄斯瑞利说过："我一生或许会犯
许多错误，但我永远在打算为爱情而结婚。"

◆ 与人交往，第一件应学的事情就是不要干涉他们自己
快乐的特殊方法，如果那些方法不激烈地与我们相冲
突的话。

英国伟大的政治家狄斯瑞利说过："我一生或许会犯许多错误，
但我永远在打算为爱情而结婚。"他在 35 岁以前真的没有结婚。后
来，他向一位有钱的、头发苍白且比他大 15 岁的寡妇求婚。也许
我们都会问，他们之间存在爱情吗？她知道他不爱她，知道他为她
的金钱而娶她！所以她只要求一件事：请他等一年，给她一个机会
研究他的品格。一年快到了，她与他结了婚。

这故事听起来有些好笑，也够矛盾的，狄斯瑞利的婚姻，是在
所有破坏了的、玷污了的婚姻史中一个最充溢生气的婚姻。他所选
择的有钱寡妇既不年轻，也不美貌，更不聪敏。她说话时常发生文
字或历史的错误，令人发笑。例如，她永不知道希腊人和罗马人哪

一个在先。她对服装的兴味古怪，她对房屋装饰的兴味奇异，但她是一个天才，一个确实的天才，在婚姻中最重要的事情——处置男人的艺术上。

她没有用她的智力与狄斯瑞利对抗。当他一整个下午与机智的公爵夫人们勾心斗角地谈得精疲力竭以后回家时，恩玛莉的轻松闲谈使他日增愉快，成为他获得心神安宁，并沐浴于恩玛莉的敬爱的温存中的地方。这些与他的年长夫人在家所过的时间，是他一生最快乐的时间，她是他的伴侣，他的亲信，他的顾问。每天晚上他由众议院匆匆回来，告诉她日间的新闻。而这是重要的——无论他从事什么，恩玛莉简直不相信他会失败的。

30年来，恩玛莉为狄斯瑞利而生活，她尊重自己的财产，因为那能使他的生活更加安逸。反过来说她是他的女英雄，在她死后他才成为伯爵；但在他还是一个平民时，他就劝说维多利亚女王擢升恩玛莉为贵族。所以，在1868年，她被封为毕根菲尔特女爵。

无论她在公众场所显示出如何意识，或没有思想，他永不批评她，他从未说出一句责备的话；而且，如果有人敢讥笑她，他即刻起来猛烈忠诚地护卫她。恩玛莉不是完美的，但30年来，她从未厌倦谈论她的丈夫，称赞他。结果呢？"我们已经结婚30年了，"狄斯瑞利说，"她从来没有使我厌倦过。"

"谢谢他的恩爱，"恩玛莉习以为常地告诉他与她的朋友们，"我的一生简直是一幕很长的快乐。"在他俩之间有一句笑话。"你知道的，"狄斯瑞利会说，"无论怎样，我不过为了你的钱才同你结婚。"恩玛莉笑着回答说："是的，但如果你再重选择一次，你就要为爱情而与我结婚了，是不是？"而他承认那是对的。

正如詹姆士所说的："与人交往，第一件应学的事情就是不要干涉他们自己快乐的特殊方法，如果那些方法与我们不相冲突的话。"所以，如果你要你的家庭生活快乐，第二项原则是：

**不要试图改造你的配偶。**

# 46

## 不要批评对方

　　狄斯瑞利在公众生活中最激烈的对手是格莱斯通，这两人在大英帝国的每次辩论中都要冲突，但他们有一件共同的事，即他们的私人生活都无上快乐。

　　格莱斯通夫妇共同生活了59年。我喜欢想到格莱斯通这位英国最尊贵的首相，想到他握着他妻子的手，绕着炉前的地毯跳舞，唱着他们心中的歌。格莱斯通在公众面前是一个可畏的形象，而在家中从未批评过家人。当他早晨下楼用餐时，看见家人还在睡觉，他就用一种温柔的方式表示责备。他提高嗓门使屋中充满了神秘的声音，提醒别人，英国最忙的人独自在楼下等候他一个早晨。他既体恤人，又有外交手段，竭力避免家庭中的批评。

　　凯瑟琳也常这样做。凯瑟琳曾统治世界上一个最大的帝国，她对于数百万的国民操有生杀之权。在政治上，她常是一个残忍的暴君，发动毫无正义的战争，将她的数十个仇人判了死刑，并用射击队杀戮。但如果厨役将肉烤焦，她什么也不说，而是微笑着吃下去。

狄克斯是研究婚姻不幸问题的专家，他认为，在所有婚姻中，有50％以上是失败的；他知道使许多罗曼之梦撞击离婚礁石的一个原因，就是因为批评——无用的，令人心碎的批评。

所以，如果你要想拥有家庭生活的快乐，请记住第三项原则：

**不要批评你的丈夫或妻子。**

# 47

## 真诚地欣赏对方

---

### 卡耐基金言

◆ 男性对于女性追求美观及装束得体的努力应表示欣赏。所有的男人都忘了，如果他们曾有过觉察的话，将知道女性是如何注重自己的衣着。

◆ 对很多男人来讲，他们也许想不起自己 5 年前穿的什么衣服，什么衬衫，他们也丝毫没有意思去记住它们，但女人则不同。

---

"多数男子寻求自己的伴侣时，"洛杉矶家庭关系研究所主任鲍本诺说，"他们不是像在寻找高级职员，而是寻求一个对自己具有诱惑并情愿奉承他们的虚荣心，使他们感到优越的人。"如果一位女办公室主任应邀吃一次午餐，但她总是将大学时代的那些哲学思潮作为谈话的内容，甚至坚持自付餐费，那最后的结果只能是，自此以后独自午餐了。

"反过来说，即使一个未进过大学的打字员，应邀吃午餐的时候，她能温情地注视着她的男伴，仰慕地说'再给我讲些有关你的事。'最后的结果可能是，他会告诉别人：'她不是十分美丽，但我从未遇见过比她更会说话的人。'"

男性对于女性追求美观及装束得体的努力应表示欣赏。所有的男人都忘了，如果他们曾有过觉察的话，将知道女性是如何注重自己的衣着。例如，如果一男子同一女子在街上遇见另一男子同一女子时，这女子很少看那男子，她会不时地留意看另一女子穿的衣服怎样。

数年前，我的祖母在 98 岁时死去。她去世前不久，我们给她看一张她自己在 30 多年前所摄的相片。她的老花眼已看不清相片，但她问的唯一问题是："那时我穿着什么衣服？"试想一想！一位在她生命最后 12 月的老太太，虽然年事已高，卧床不起，记忆力衰弱得几乎不能辨认她自己的女儿了，还注意自己 30 多年前穿的什么衣服！她问这问题时，我在她床边，这事在我脑中留下了一个永不磨灭的印象。

对很多男人来讲，他们也许想不起自己 5 年前穿的什么衣服，什么衬衫，他们也丝毫没有意思去记住它们，但女人则不同。法国上等社会的男子都要接受训练，对女人的衣帽表示赞赏，而且一晚不止一次。5000 万的法国人不会都错的！

在我的剪报中有一段故事，我知道不是真的，但它证明了一种真理，所以我要重述一遍：

有一位农家妇女，经过一天的辛苦以后，在她的男人面前放下一大堆草。当他恼怒地问她是否发狂了，她回答说："啊，我怎么知道你注意了？我为你们男人做了 20 年的饭，在那么长的时间里，我从未听见一句话使我知道你们吃的不是草！"

莫斯科与圣彼得堡的那些养尊处优的贵族曾有很好的礼貌。上层人有一风俗，当他们享受过丰美的菜肴时，定会将厨师召入食堂，接受他们的恭贺。

为什么不同样体恤一下你的妻子？下次她烧鸡烧得很嫩，你就这样告诉她，使她知道你欣赏她的手艺——你不是只在吃草。或像格恩常说的："好好地捧一捧这位小妇人。"因为她们都喜欢被人这样。

当你正要作出这样的表示时，不要怕她知道，她对你的快乐是如何的重要。狄斯瑞利这位英国伟大的政治家，正如我们所知，他就不羞于使世界都知道他对他的"小妇人沾光多少"。有一天，当我浏览一册杂志时，看见这么一段话，那是从埃第康德的访问中得来的："我沾光于我夫人的多于世上其他任何人。我在儿童时，她是我最好的朋友，她帮助我勇往直前。在我们结婚以后，她节省每一镑钱，然后进行再投资，她为我储存了一个家当。我们有五个可爱的孩子。她一直为我建造一个美丽的家庭，如果我有成就应归功于她。"

在好莱坞，婚姻似乎是一件冒险的事，甚至伦敦的劳慈保险公司也不愿打赌，在少数快乐婚姻中，巴克斯德是一个。巴克斯德夫人以前叫勃莱逊，她放弃灿烂的舞台事业而结婚了，但她事业上的牺牲并没有使之失去他们的快乐。"她失掉了来自舞台成功的鼓掌称赞，"巴克斯德说，"但我已尽力使她完全感觉到了我的鼓掌称赞。如果一个女子完全要在她丈夫那里求得快乐，她必须在他的欣赏与真诚中得到。如果那欣赏与真诚是实际的，那他的快乐也就得到了答案。"

现在你应该明白了，如果你要保持家庭生活快乐，第四项重要的原则是：

**给予对方真诚的欣赏。**

# 48

## 注重生活中的小事

> **卡耐基金言**
>
> ◆ 女人对生日和纪念日很重视，这是一种女性的神秘。
>
> ◆ 终究，婚姻就是一串琐事。忽视这一事实，将造成家庭生活的灾难。
>
> ◆ 在很多婚姻破裂的事件中，并非所有的家庭都是因为一些重大的事件而过不下去，相反，大多数人往往是由于一些小小的事情。

　　自古以来，鲜花被认为是爱情的语言，它们不费你许多钱——特别是在盛开的季节。但想想，很多丈夫带一束水仙花回家的很少，你或许以为它们都是贵如兰花，稀如鼠菊，盛开于阿尔卑斯山云霄的绝壁之上。为什么等到你夫人进了医院才送她几朵花？为什么不明晚就给她带回几朵玫瑰花？不信你试一试，看看结果如何。

　　百老汇的忙人高恩都习以为常地给他母亲每天打两次电话，直到她去世。你以为他每次都有一些新奇的新闻讲给她听吗？不，其实没有。这种小小关注只是给人传递一种信息：你想念她，你要使她欢喜；她的快乐及幸福，对你极宝贵并且极密切。

女人对生日及纪念日很重视——究竟为什么？这永远是一种女性的神秘。很多男人可以糊涂一生，不记得许多日期，但有几个不可不记：妻子的生日、结婚的年份及日子。如果记不起来，切不可忘掉最后一个！其实，在很多婚姻破裂的事件中，并非所有的家庭都是因为一些重大的事件而过不下去，相反，大多数人往往是由于一些小小的事情。芝加哥一位法官塞巴斯曾接触过 4 万宗婚姻案子，并调解过 2000 对夫妇，他说："细琐的事情是多数婚姻不幸的根源。一件简单的事，如妻子在丈夫早晨去工作的时候向丈夫招手说再会，就能避免许多离婚。"

勃朗宁与夫人的生活恐怕是记载中最可歌可叹的了，他从未忙得忘了对夫人用小小的恭维及注意来保持爱情的活力。他对生病的妻子极为体恤，她有一次写信给她的妹妹说："现在我自然而然地开始奇怪，到底我是否可成为一个现实生活中的天使了。"

太多的男人轻视这些细小的、天天注意小事的价值。如麦道克斯在一篇文章中说："美国的家庭真需要些新的习惯。例如，在床上吃早餐是一种温和的放荡行为，许多女人想恣意地在床上吃早餐，正像私人俱乐部对男人的诱惑一样。"

婚姻就是一串琐事，忽视这一事实将造成家庭生活的灾难。在伦诺，法庭每星期有 6 天要审理离婚的案件，几乎每 10 分钟一宗。你以为那些婚姻有多少是在真正悲剧的礁石上击破的？极少，我可担保。如果你能终日坐在那里听那些不快乐的夫妻们的陈述，就知道爱情是"毁于小小的事"。现在，用你的剪刀将下面这段话剪下，贴在帽子里或镜子上，以使你每天早晨修面时都能看见：

我从这里只经过一次，所以，我所能做的任何好事，或我能对任何人表示的任何仁慈，让我现在就做吧。让我不要拖延，不要忽略，因为我将不会再从这里经过了。

所以，如果你要保持家庭生活快乐，第五项原则是：

**注重那些看似小事的事情。**

# 49

## 家庭内部也应有礼

丹姆罗希与勃雷的女儿结婚了，勃雷是美国一位有名的演说家，曾一度成为总统候选人。多年前，他们在苏格兰卡耐基的家里认识以后，丹姆罗希夫妇就一直过着令人羡慕的快乐生活。那么他们幸福快乐的秘诀是什么？

"除了慎重选择自己的伴侣外，"丹姆罗希夫人说，"我以为结婚后的礼貌是最重要的。年轻的妻子们对她们的丈夫应该像对刚见面的人一样有礼！否则无论哪一个男人都要逃避一个泼妇的口舌。"

无礼，这是侵蚀爱情的祸水。也许我们每个人都知道这一点，而且我们又都会感觉到这一点，我们对陌生人比对自家人或亲属要更加客气有礼。我们绝对不会想到要阻止陌生人说："哎哟，你又要讲那旧故事了吗！"我们决然不会未经许可而拆朋友的信，或窥探他们私人的秘密。而只有家中的人，我们最亲近的人，我们才敢因为他们的小错而侮辱他们。

让我们看看狄克斯所说的一句话："那是一件惊人的事，但唯一真实地对我们说出刻薄、侮辱、伤感情的话的人，都是我们自家的人。"

在荷兰，当你进入屋子以前，必须将鞋脱在门口。这里我们可从荷兰人学到一个教训——将我们每天工作中的烦闷在进家以前清除掉。

詹姆士有一次曾写过一篇文章——《人类的某种盲目》。"本文所要讨论的人类的盲目，"他如此写道，"是我们人人都患有的关于与我们不同的动物及人的感情的盲目。"

"人人都患有的盲目"，许多男性决然做不到对顾客，或对他们工作中的伙伴说出锋利难听之言，但却会不假思索地对他们的妻子狂吼。而从他们的个人快乐角度来看，婚姻比他们的工作更加重要，关系更加密切。

婚姻幸福的普通人，比幽居的天才快乐得多。俄国著名小说家德琴尼夫受到文明世界各国的敬仰。但他说："如果什么地方有个女人关心我回家吃饭，我情愿放弃我所有的天才及我所有的书籍。"

婚姻幸福的机会究竟如何？我们已经说过，狄克斯相信一半以上是失败的，但鲍本诺博士想法不同。他说：

一个男人在婚姻上成功的机会，比在其他任何事业上都多。所有进入杂货业的男人，70%失败，进入婚姻的男女，70%成功。

与婚姻相比，出生不过是一生的一幕，死亡不过是一件琐屑的意外……女人永远不能明白，为什么男人不用同样的努力，使他的家庭成为一个发达的机关，如同他使他的经营或职业成功一样……虽然有一个妻子，一个和平快乐的家庭，比赚 100 万元对一个男人更有意义……女人永远不明白，为什么她的丈夫不用一点外交手段来对待她。为什么不多用一点温柔手段，而不是高压手段，这是对他有益的。

大凡男人都知道，他可先让妻子快乐然后使她做任何事，并且不需任何报酬。他知道如果他给她几句简单的恭维，说她管家如何好，她如何帮他的忙，她就会节省每一分钱了。每个男人都知道，如果他告诉他的妻子，她穿着去年的衣服如何美丽、可爱，她就不会再买更时髦的巴黎进口货了。每个男人都知道，他可把妻子的眼睛吻得闭起来，直到她盲如蝙蝠；他只要在她唇上热烈的一吻，即可使她哑如牡蛎。

而且每个妻子都知道，她的丈夫都知道自己对他需要些什么，因为她已经完全给他表白过，她又永远不知道是要对他发怒，还是讨厌他，因为他情愿与她争吵，情愿浪费他的钱为她买新衣、汽车、珠宝，而不愿为一点小事去谄媚，按她所迫切要求的来对待她。

所以，如果你要保持家庭生活快乐，第六项原则是：

**对你的妻子（丈夫）要有礼貌。**

# 50

## 如何与女性相处

────── 卡耐基金言 ──────

◆ 今日的婚姻是否美满，要看双方的心理是否成熟。也就是说，他们是否了解自己、了解自己与对方的关系，并且愿意彼此分担责任，以增进对方的快乐与福利。

◆ 婚姻是我们是否成熟的最好试金石。你若不想关心别人，最好是自己独处。

英国著名的哲学家和思想家弗兰西斯·培根曾写道："妻子和儿女是随时可以丧失的财富。"培根认为结婚的人很蠢。为了一个家庭，他们不惜伸出自己的脖子，让"财富"把自己的头砍掉。但至少培根也认为，这些结婚的人们十分勇敢。在一般人看来，单身汉似乎都是横冲直撞、无所顾虑的典型；而结了婚的男子则十分谨慎、庸俗。这些观念似乎要加以修正了。

其实许多单身汉比结了婚的男子要更严肃、认真，在金钱上斤斤计较，也更懂得为自己打算。他们不会冒险到结婚登记处去。他们十分小心、狡猾、不易捉摸——相信许多未婚女子都会这么认为。他们宁可在安全的海滩上游玩，也不愿一头栽进婚姻的大海里。他们会偶尔把脚伸进水里嬉耍片刻，但只要一见到大浪涌过来，便会立刻跑回安全的地方。

结了婚的男子至少应具有杰西·詹姆士的勇气和赌徒般的豪情。他把自己的生命、未来及所有财富作为赌注，以赢得一名女子的欢心，并愿意使她幸福快乐。

因此，我们要向做丈夫的欢呼致意，并希望每个家庭都拥有他。我们不能对一家之主的男人过于持批评的态度，既然他已有结婚的勇气，相信也一定会愿意接受某些建议，以巩固自己幸福的婚姻。

康奈尔大学文理学院院长雷纳·克瑞尔曾提到有关美满婚姻的蓝图。他说道："今日的婚姻是否美满，要看双方的心理是否成熟。也就是说，他们是否了解自己、了解自己与对方的关系，并且愿意彼此分担责任，以增进对方的快乐与福利。"克瑞尔院长又进一步提到了家庭关系的维持，是"凭借内在价值的满足，如感情、友谊、价值观等，而且不能用强求的方式取得。"

这些内在价值虽不能强求，却可以培养、助长或加强。以下有7点建议，我们不妨称之为"妻子的真相"，或如何在结婚之后与妻子相处的技巧。

### 1. 感谢她、称赞她

假如你有时候必须节衣缩食，千万别短缺了太太的配粮。为此，她会心甘情愿为你卖命。在你失去工作、头发或腰围的时候，她会很乐意与你同甘共苦，甚至不会怨天尤人地天天穿着那件仅有的旧外套——只要你不忘记时时称赞她、感谢她。有许多聪明的男士就是不明白这一点对女性的重要，真是令人不解。他们总以为，光是娶她为妻这个理由，就足以说明自己是如何爱她，足够让她受用一辈子了。但是，太太们却偏不如此。她们是有点痴狂，喜欢有人不时地肯定她们的行为。通常，男士们比较容易知道自己的位置。假如他们工作表现不好，上司很快就会提醒他们；假如他们做成了一笔大生意，也很快就会晋升、加薪或在同事中得到表扬。

　　但女士们便不同了。她们待在家里穷忙，却一点也不知道自己的成绩如何，除非她生命中的另一半告诉她、肯定她。因此，他的感谢和赞美是她唯一的奖励。注意你周遭那些快乐的丈夫——他们的家庭舒适、有情爱、有乐趣、食物可口——这都是因为有个能干贤惠的太太。这些幸运的男士也会体认到，要想赢得女人的心，并愿意永远不辞辛劳地取悦自己，最好、最有用、最不会失败的方法，便是时时全心全意地感谢她、赞美她。

　　我的一位好友罗伯·普洛先生是纽约的一位专栏作家，他还写过书。他是许多人欣羡的目标，因为他娶了一位美丽聪慧的太太。珍妮可说是许多男人心目中的贤妻，但珍妮却认为罗伯才是世界上最好的丈夫。罗伯知道如何让珍妮有这种感觉。每当他有什么新书要出版，总不会忘记在首页上写上"献给珍妮——我的妻子、我生命的全部"诸如此类动人的言辞。这些题字比起支票上的数字当然有意义得多，这表示她平日的工作是如何成功、如何受到赞赏。

　　**2. 要慷慨、关心**

　　有许多男士认为：所谓慷慨，指的就是大方地付清所有账单，不发一句牢骚，或甚至给她额外的零花钱等等。这里，我要给男士们一个好消息：许多女人所需要的慷慨，其实是不花一文钱的。诸如，你可以说些"啊，当然，你可以请妈妈过来住一阵子，我们一定好好招待"这一类体贴的话。假如你能在别人面前特别注意她的需要，时时表示你对她的关心，这才是真正受到感谢的慷慨。

　　你有没有在饭店里玩过这样的游戏呢？就是猜猜饭店里的伴侣，有哪些是结过婚的？你可以看到有些伴侣闷不做声——男的专心一意享受眼前的牛排，女的则无聊地玩弄面前的食物——好像这一对的结合是抽奖配对而成的。另有些伴侣则气氛截然不同——男的百般殷勤，对女方照料得无微不至，好像她是易碎的玻璃做的。你对他们的感觉是：若不是热恋中的男女，则大概女方就是来头不小的买主。

　　记得有次我参加一个招待会，男主人是个相当出名的杰出人物，对每个人都极为殷勤有礼——唯独对自己的太太例外。无论是他的眼神或举止，似乎都没有显示他重视太太的存在。他的太太在陌生人群当中显得很不自在，而她亲爱的丈夫则如鱼得水，在人群当中显得容光焕发，十分得意。其实，在这种公共场合当中，分一点关注给自己的太太并不会影响他的公共关系，反而有助他的形象，更可增进他与太太之间的关系。后来，听说他们的婚姻果然恶化，濒于离婚的边缘，这听起来也是在大家的意料之中。关怀、慈善和种种好的行为，都是由家庭开始做起的。

### 3. 不要过于不修边幅

　　一般人都认为，注重打扮或保持吸引力是女人家的事。因此，我们常常被警告不得带着发卷或脸上涂满冷霜上床。我们也常常被告诫身上不得有体臭，或双手不能有洗锅水的怪味等等，并且要注意不得过胖或邋遢。有许多妇女费尽心机要保持年轻苗条，我想主要的原因大概是害怕一旦失去了青春气息，便也会同时失去丈夫。

　　但是，男士们又如何呢？他们每天早上8点钟出门，直到晚上才回家吃饭。也许，他们上班的时候是西装笔挺，但在家里的德性却像尚未整理过的床铺一样，不忍目睹。周末是难得的轻松时刻，他们通常穿着旧T恤，跷着二郎腿，目中无人地只顾看报纸。或者，他们会穿着破拖鞋到处走来走去，不洗脸，不刮胡子，并且还自我陶醉地认为自己是多么潇洒，太太能跟他结婚真是运气。

　　这种邋遢的男子大概从没想到，太太们也是希望自己的另一半清洁整齐。当然，无论你是穿着粗布工作衣，或体面的夜礼服，太太都一样爱你。但是，她更喜欢你能洗脸刮胡子，至少在她眼前晃来晃去的时候，能对得起她的眼睛。

　　一名真正的男子当然不靠外貌，但外表却是他人见到你时对你的印象。以下是些简要的注意事项，可以让你博得女性的好感，包括太太在内。

　　●及时剪头发，使你看起来整齐清爽。

- 在洗漱的时候，千万别忘了刮胡子。除非你打算和其他的男性到森林打猎或钓鱼。
- 永远保持看起来、闻起来、而且的的确确是干净清洁。别以为香皂只是给女性专用的。
- 长裤的摺痕要鲜明笔挺。男士们开始颓靡的第一个征兆，便是长裤的摺痕消失不见。
- 皮鞋要擦亮，袜子要拉平，并时时保持愉快的面容。

### 4. 了解她的工作

现今，许多妇女都已有自力更生的观念，因此，许多人在婚前或结婚之后，都有工作的经验，也多少了解什么是工作要求和环境压力。

但另有许多妇女在结婚之后，因种种缘故而必须留在家里，这时，男士们就应该要去了解另一半的工作环境。家庭主妇的工作环境通常较受限制，最常去的地方大概就是市场或洗衣房，但她的工作分量和忙碌的情形，绝不亚于在外工作的丈夫。此外，她的工作相当繁杂，包括照顾病人、修理家庭用品、大扫除等等。

丈夫们应该要知道这些家务事的内容。每日的家务通常十分单调，并且一再重复。如煮饭、洗衣、清扫、购物等等。此外，还要照顾小孩子、负责接送及看顾病人、娱乐家人……家庭主妇的工作负荷十分沉重，而唯一的代价和酬劳，便是家人的肯定和感谢。

家庭主妇也必须常常与外界接触，以免因单调的工作而变得乏味或不能继续求进步；她也应该有机会了解丈夫的工作性质和环境，以便两人的生活不至脱节。但这要靠丈夫的支持，因为他们平常的工作较具挑战性，需要安静、从容的休闲生活，因此下班后通常不愿再陪伴妻子参加较活跃的社交活动。这对家庭主妇当然不太公平，男士们应该想办法稍作妥协，使妻子也能有机会参加令人鼓舞的社交活动。

### 5. 要做她的后盾

有个朋友告诉我，她最近碰到了一件危机的事情。她有位极好的姑妈第一次前来她家拜访。刚到不久，朋友的孩子忽然得了气管炎，使得所有招待姑妈游玩的计划都泡了汤。"我实在不知该如何是好。"朋友说道，"幸好汤姆安排好一切。他要我留在家里照顾小孩，然后由他负责招待姑妈。他每隔一天，傍晚都会带姑妈外出，让她玩得高高兴兴。到了周末，又带着姑妈到处观光，使姑妈玩得尽兴，也解除了我心理上的负担。虽然平时汤姆也有不尽如人意的地方，但一碰到紧急时刻，我知道他总是可靠的。"

当麻烦事来临的时候，丈夫应该让太太知道，他这个先锋人员比起所有小说上的英雄都要真实可靠。而且丈夫也要时时做太太的后盾，不只碰到大事才偶尔为之，就连日常生活中的小事也该如此。

还有，教导孩子的时候也是如此。

她需要知道他永远与她站在一起——不论是碰到小危机或大变故，不论是发生了什么事。

### 6. 分享她的嗜好

美满的婚姻生活，主要靠双方所具的"分享"和"合作"的能力而定。在处理任何家庭事件的时候，"你"和"我"的心态必须改成"我们"。如：我们到哪里度假？我们的客厅需不需要买新的椅垫套？我们需不需要买新电视机？等等。假如夫妻双方能彼此了解对方在生活中所扮演的角色，那么，在决定这些事项的时候，态度便能更加合理、更加友善。

有些男性可能认为对女人家的事务表示兴趣，会损及大男人的尊严。如穿着、烹饪、料理家务等。但是，假如他想让整个家庭充满情爱和欢愉的气氛，最好能在研究股市行情之外，另外分出一些时间来与家人同处。想想看，当你告诉太太一些公司的趣事时，她的神情显得多么高兴。因此，为什么不在太太告诉你一些家务事的时候，也表现出一点兴趣呢？

安德烈·毛洛斯是个洞悉人情世故的作家。他建议男性如何与女性相处时这么说道："要在她们认为重要的事件上表示兴趣——

她们的装扮、她们料理家务的辛劳、她们的某些特殊感觉等等。如果你有时间，不妨陪太太逛逛街、买些东西……在某些事件上提供意见……在某些小事上表示兴趣——如：与小孩相处的情形、参加朋友的聚会，等等。假如她喜欢音乐、绘画或文学，则要试着去了解她的嗜好，相信不多久，你也会发现：原来自己对这些东西其实也极有兴趣。"

### 7. 爱你的妻子

"被爱的女性，永远不会失败。"作家维琪·包姆曾如是说过："被爱是女性成功的重要因素，因此，丈夫在此所扮演的角色十分重要。结婚，并不只是把一枚戒指套在她的手指上，而是在往后的每一个日子里都让她知道：你是多么高兴与她生活在一起。"作家莫达·雷德曾这么说过："男人喜欢感到被爱，女人则喜欢你告诉她。"

但是，许多丈夫却对开口说"我爱你"，觉得十分难为情，尤其是过了蜜月之后。关于这一点，男士们大可以放心。你不用像欧式的情人那么会谈情说爱，太太们并不迟钝，她们会由各种无言的暗示中体会出你的心意来。如在人群中与她的眼光相接触、看电影的时候轻握住她的手、出乎意料的拥抱、温柔体贴等等。

有许多太太都有这种感觉：婚前那么热情求取欢心的丈夫，婚后却判若两人，不再有什么情爱的表示。有位名叫杰克·杜门的年轻人，不久前曾写给我一封信，坦承他在这方面所犯的错误。

住在加拿大安大略的杜门先生，说他如何用心选择了一名理想中的妻子——聪明美丽，可说是完美女性的化身。但是，结了婚之后，杜门先生便开始把精力倾注在事业上，而把维持婚姻的责任完全丢给太太。

这自然是行不通的。因此，前5年的婚姻生活过得极不愉快。有一天，他又和太太发生争执，两人大吵了一顿。之后，才只4岁大的儿子问父亲："爸爸，你不喜欢妈妈吗？我觉得她很好啊！"一霎时，杜门觉得自己好像是儿子眼中的大坏蛋。"我忽然体会到这个'妈妈'的分量，而我也一直是爱她的。"杜门先生说道，"因为她一直默默为我们做很多事——像4岁大的儿子是一个健康活泼的男孩，这都是她努力的结果，而不是我。我一直没有尽到做父亲和丈夫的责任，如果因此而失去这个家，真是罪有应得。于是，我决定要弥补过失，便请求太太帮助，帮助我做一个'贤夫良父'。十分感谢她，她的确这么做了。现在，我们的婚姻改善多了，不但彼此的感情比较成熟，也彼此互相敬重。我们又添了一个女儿，还有千金难买的快乐生活。我想，不会再有小孩问我喜不喜欢妈妈了！"

爱上一名女子并不只是感情横溢的情绪问题，这同时还包含一个人的所有品质。如：知性、感性、礼节及对人是否敬重，等等。许多男性把自己在这方面的诸多弱点，归咎于"女性是难以理解的动物"这种老掉牙的说法。这些人宁愿相信："男性用的是直流电，女性用的则是交流电。"因此双方无法达成协调的地步。他们宁愿相信这种说法，是因为如此可以省去许多麻烦，不用去尝试各种解决方法。在此，我要告诉这些男士们：现代的女性并不是什么从太空来的怪物，无法让人理解。虽然我们性别不同，但仍然是人，而不是什么神秘怪物，让男性无法了解。在我们当中，还是有许多男性了解女性，也了解他们的妻子。

但是，假如你打算去了解自己的妻子，最好由爱她开始做起，并让她知道。否则，婚姻对双方都不是什么有趣的事。

美国的妇女无论有什么过错，都不应被指责为自大或自满。由于美国妇女极热衷于自我求进步，因此形成了一个极广大的咨询市场。有许多意见不断提供给她们：要如何吸引男人、如何找到丈夫、找到之后又要如何对待他们、要如何抚养小孩、要如何料理家事、要如何安排自己的休闲时间——假如在忙完大家所提议的种种活动之后，天可怜见，她大概也没什么时间可以留给自己了。她要参加各种演讲、支持许多建议妇女如何生活的刊物、选修自我求进步的课程……除此之外，她还是所有商业产品90％的广告目标。

另一方面，她的丈夫也热衷于自我求进步，只是通常局限于如何赚钱，或如何在就业市场上更具竞争能力，以便成为"杰出男性"等这方面。至于在家庭关系上，他们似乎颇满意自己的角色。他们很少读报章杂志或书籍，甚至是演讲或修习课程，不会去研习哪些是教导男性要如何成为一个好丈夫，或如何吸引妻子及如何引起她们的注意力等等？婚姻生活的改善，似乎完全是小女人的事了。

男性也许会急忙这么解释：必须负起大部分的家庭经济负担，因此他们必须把大部分精力用来改进自己的工作能力，而不是如何做丈夫这类问题。但是，妇女并非只靠面包生活，婚姻也不能只靠面包来维持。经济能力只是男性责任的开端，而不是终结，更不是全部。

好几年前，密尔斯大学校长林·怀特先生曾写了一本极好的书——《教育我们的女儿》。他在书中批评大学对妇女的教育不当，男女不分。他认为，妇女的教育课程应经过特别设计，以符合女性的特殊需要。他又说，由于女性将来都要成为人妻，成为人母，所以应该在这方面特别强调。

这听起来似乎不错，但仍没有解决要如何维持美满婚姻的问题。假如只单方面教育女性如何做个好妻子、好母亲，而男性却仍然只业余性地当个丈夫或父亲，这对婚姻生活又会增加多少好处呢？婚姻是人类经验中很重要的一部分，为什么不也同样对男性施以这方面的教育呢？别忘了，他们正是女儿所要结婚的对象啊！

法国著名小说家巴尔扎克曾说过："有许多丈夫不禁使我联想起拉小提琴的大猩猩。"

假如，我们把婚姻关系不仅当成是女性的工作，而且也同时是男性的工作，那么这些丈夫大概就不会像大猩猩，就应该比较像克莱斯勒（著名小提琴家）了。

自人类伊始，家庭便是最基本的团体制度。它不但维系人类目前的实际需要，也是将来的期待。它负有保护、养育及教导的功能，是人类最神圣的要塞。

　　像这么重要的制度，其维护工作岂可单由女性来负责？女性实际花在家庭上的时间要比男性为多，但这并不意味男性就不需要家庭。

　　家庭并不仅是一个提供吃喝、睡觉或喂养小孩的地方。除了这些之外，家庭还提供许多其他的东西，因而使得家庭变得更重要、更具有价值。这些东西包括：温情、彼此关爱、喜怒哀乐的分享，等等。一个女性很难单独提供所有这些东西，这必须由男女双方来共同负责。

　　因此，在这里我要提出一个建议：希望男性能减轻女性的负担，也同时多注意自己所扮演的父亲和丈夫的角色。至少，能够把放在事业上的心神，分出等量的部分给家庭。

　　"婚姻是我们是否成熟的最好试金石。"德鲁大学的人际关系教授大卫·梅斯曾如此写道："你若不想关心别人，最好是自己独处。但你若想与另一个人极亲密地生活在一起，便必须具有关爱别人的能力……这才是成熟的表现。婚姻能有两种结果：一是使我们变得成熟；一是使我们尝到不成熟的苦果。"

　　所以，如果你想使家庭幸福快乐，第七项原则是：

　　**学会与她相处。**

# 51

## 如何与男性相处

男性最希望女性在他们面前表现出的品质是什么？在他们的这份清单中，排名第一的是"舒适"。

在第二次世界大战结束之后有人对军中将士进行过一次调查："你希望从婚姻中得到什么？"这些身穿制服、肌肉发达的年轻小伙子，几乎不假思索地立刻列出了答案。答案不是魅力，不是兴奋，而是平实的、老式的"舒适"！这也许与许多女孩在化妆品或香水广告的暗示中所看到的大不相同，但是，假如这"舒适"正是大家想要的，为什么不提供给他们呢？很明显的，一盎司的"舒适"抵得上一磅的"魅力"。只是，男人心目中的"舒适"指的是什么呢？是令你的眼睛、耳朵及神经都觉得舒服的人？难道是惠斯勒（美国画家及雕刻家）的母亲？还是玛丽莲·梦露？

我们有个训练课程，是让女性讨论"如何与男性相处"这个主题。由她们的诸多经验当中，我们归结出以下几个似乎特别行之有效的重点。

### 1. 要脾气好、善解人意

著名专栏作家桃乐丝·迪克斯曾写过，男性在寻找另一半的时候，最注意的是对方是否具有好脾性。女性与男性相处，无论对方是丈夫、上司、铅管工人或是年方3个月大的儿子，都要特别留意自己的脾气，这比你套裙的款式重要得多。男人宁愿在欢愉的气氛中吃罐头食品，也不愿和一个唠叨、烦躁、牢骚满腹的女性一道吃牛排。

有一位单身汉就曾经坦言道，假如要他在两种女人之中选择其一当作太太——一位是活泼、好脾气、明朗却不忠实的女人；另一位则是贞洁的悍妇——他会毫不迟疑地选择前者！

好几年前，我雇佣了一名速记员，对一名打字员来说，她的工作能力实在差劲——常常拼错字、速度慢、记录又不准确。但是，她一直工作到结了婚才停止，因为她具有一种欢愉的气质，可以忍受住各种怒气、抱怨和批评。她像阳光一样照亮整个房间——光是这一点，便值得付她薪水。我不知道她的烹饪技术是否比速记要好一些，但有时我碰到她夫妻俩在一起，由她丈夫的神情看来，便知道他一点也不会在意的。每次他望着她的时候，脸上都焕发出霓虹灯似的光彩来。

### 2. 当个好伴侣

美国高尔夫公开赛的冠军得主杰克·佛烈克，曾写过一篇文章，内容是讲述他如何在爱荷华州的戴文波接收两个高尔夫球场的承让权。那时，他要同时照顾这两个球场，又要准备自己的高尔夫球赛，工作的确相当辛苦。后来，他与芝加哥来的琳·伯恩丝黛结婚，情况便好多了。琳让杰克全心准备高尔夫球的冠军比赛，自己则全力负起照顾球场事业的工作。

　　1952年，琳、杰克和他们13个月大的儿子格雷一道去参加比赛。在杰克忙着挥棒打球的时候，琳则在家中照顾小孩。因为杰克曾说："我不想让琳在球场上跟着我。你们看过邮差太太在他送信的时候跟着他吗？"

　　琳是不曾实际参与杰克的各种比赛活动。但她总是在一旁为他加油。她是杰克的好伴侣。

　　有个女学员也曾经告诉我，她如何学习做一个丈夫的好伴侣，以协助完成丈夫的美梦。

　　佛罗伦丝·梅娜太太住在纽约州的一个小镇，是个平凡的家庭主妇。在他们婚姻生活的前16年，梅娜太太专心照顾家务，却总是觉得生活里少了某些东西。后来，她终于发现他们缺少的是什么———一份如朋友般的情谊。梅娜太太发现自己和先生没有什么共同的嗜好，于是她决定采取某些行动以改善自己的状况。

　　"我先生对曲棍球职业赛极感兴趣。因此，我决定先培养这方面的兴趣。"梅娜太太说道，"在我还没弄清楚这么做对不对之前，我自己也对曲棍球赛着了迷。我跟先生一样，每次都迫不及待地等着看球赛，而且现在是我先忙着找电视节目表，以便不致错过精彩的球赛。如今，我不仅有了自己的运动嗜好，更与丈夫有了共同的兴趣。

　　"除了曲棍球，我继续了解先生的其他兴趣。在结婚16年之后，我终于能和先生分享乐趣了。"

　　3. 当名好听众

　　许多男性都把女性形容得唠叨不休，认为她们话讲得过多。他们真正的意思是：根本找不到机会可让自己也发表一些长篇大论。许多女性在这方面做得不好，是因为不了解听的艺术。总以为倾听是指坐着一动也不动，必须耐心地保持安静，而让对方讲得尽兴为止。聆听的品质十分重要，可以鼓舞讲话的人表达出完整的意思。因此聆听并不是指必须保持沉默，你大可以从旁加进几句鼓舞的话，这才是善于聆听的人。

要想当名好听众，首先要注意听讲。眼睛不要四处张望，或显出烦躁不安的样子。也不要心里记挂明天的购物单，或想你一直要买的那件新衣服。假如你能专心听讲，一定可从对方的谈话中学到或知道某些新东西。在你听讲的时候，要心情放松，保持自然的神态，以免让讲话的人觉得好像碰到僵尸一样，不敢再多发表意见。据说，舞台剧导演最感头痛的问题，是训练演员在剧中聆听另一位演员讲话。假如你想让共处的男性高兴，不妨就用这种方式来自我训练。

一个好的听众除了要专心之外，还要懂得合作。以前似乎有这么一个理论，你若是想让男性陶然欲醉，那么就在他大吹大擂的时候，很钦佩地望着他，口中时时念道："哦，你真是天才，这简直太不可思议了！"但是现在，这样的台词显然要稍微更改一下。由于许多女性一直奉行这样的理论，因此这个招数似乎有点不那么灵验了。聪明的男性开始分得出什么样的女性真的在听他讲话，或什么样的女性只是敷衍了事，讨他欢心而已。所以，现在你如果想要赢得某位男士的心，或希望对他产生某种影响力，千万别采取以前那种糖衣式的老套，而要真正当一名有头脑的聆听者。

在他讲话的时候，时而插几句问话，如此可显示你是在倾听，并且希望进一步了解得更多。有时也不妨提供一些不同的看法，以刺激或鼓舞对方继续讲下去。假如你对他所讲的内容的确有其他的看法，则要在他讲得告一段落的时候再插话进去，并且要愈简明愈好，以便尽快把发言权还给他。

要这样听讲，才不会让谈话变成一人的独角戏，而是两人经验交流的真正沟通。

有许多人不能当一个好听众，是因为他们还没有足够的练习机会以熟悉听讲的规则。只要勤加练习，一定能够改进。懂得技巧的听众通常也会变成优秀的谈话者，因为听与讲不可分，一方的技巧会加强另一方面的表现。

听讲的艺术不仅能帮助我们与男性相处，对所有其他人也都一样。它还可以帮助我们迈向成熟——因为，这正是我们能不断学习的最佳途径。

### 4．要能适应各种状况

"我们今晚请吉姆和梅珀过来坐坐好吗？"男主人说道，"我们好久没见到老吉姆了。""好啊！"他亲爱的妻子回答道，"我想，最好也打个电话给海伦和汤姆，因为他们最近请过我们两次——啊，对了，海伦的妹妹不是正来拜访他们吗？我得为她请个男伴。你下午最好到店里多买些啤酒，还有那种脆脆的乳酪。我先去打电话，然后再去化妆换衣服——啊，还得去买些东西。对了，你可不可以在我换衣服的时候，清理一下地毯呢？"这时，男主人一定十分后悔自己不该多嘴。他最初的意思只不过是想要和几个老朋友好好地聊个天，却没想到结果却变成了大型的正式晚宴了。

也许基于某些理由，妇女很难接受突发的兴致，除非是她们自己想买一顶帽子。男士们却对此十分了解。他们不能想像为什么连到剧场去看场戏，女性都要在好几个星期之前便开始预备。或是，有时他临时建议周末到乡下走走，而妻子却一直埋怨没有衣服可穿。她最后会要求把郊游延至下星期，好让她有时间可以通知送牛奶的人。

其实，对这些偶发的男性兴致，女性的心灵虽然比较重秩序，但与其说"好的，但是……"为什么不干脆就说"好啊，让我们……"如此偶尔为之，又有什么损失呢？我就认识一位快乐的妻子，她的丈夫很喜欢三两天的短假期，常常在见到一些旅游小册子的介绍之后，便突发兴致说道："亲爱的，收拾行李，我们明天早上到百慕大去！"他的妻子早已精于此道，立刻把泳装丢进行李箱，把家里的长尾鹦鹉交给邻居，打电话取消一切约会，然后便等着第二天早上搭船出发了。她认为这做起来没一点儿困难，任何太太只要稍加练习，便可做得和她一样好。

在我年轻的时候，女孩若是在最后一刻接受男孩的邀请，那是天大没有面子的事。因为，那等于承认自己在最后一刻还没有人邀约。但是，为了维持这种体面，女孩往往失去许多乐趣。反过来说，男孩为什么到最后一刻才来约你呢？是不是在此之前也约过其他的女孩呢？这正好给你一个机会证明：他的第二个选择才是最好的。这就是适应性。你若能顺应男性的心情，便能赢得他的心。

5. 要能干，但不要能干得过分

一个女学员有次告诉大家她如何因为过于能干而失去了一位意中人。这个女孩白天在某家公司上班，拥有一份相当于经理级的职位，负责整个办公室的计划和运作。她工作十分认真，常常因公忘私。"我时常在约会半途中赶去工作。"她坦承，"我也常常指手画脚，要求他做这做那。比如，在晚餐的时候要他吃腌肉或肝，以治疗贫血。他很少有机会向我献点小殷勤，像帮我脱外衣或弄好椅子等等，因为我一向忙碌，早就养成自己做这些事的习惯了。我不只是能干，而且能干得过了头！这使他完全没有插手的余地，我也因此失去了他。"

可怜的女性上班族！由于她们过于忙着工作，使事业成功，以致有适当的男性进入她生命中的时候，她却因忙碌和过于独立而忘了自己也是一个女人。一向被娇宠惯了的男人，他们不但要吃蛋糕，还要讲求营养品质——也就是说，他们不但要女孩具有女孩气质，长得美貌，而且还要有头脑——最好还能同时有一份收入！

不要让他觉得与你在一起有压力。把你的能干放在工作上，只让上司知道你勤劳奋发，但下了班之后，最好让你的男伴觉得他是与一个女人约会，而不是一个大脑。

我和许多其他的女人一样，也是在失去某个对象之后，才逐渐体会到这一点。好几年前，我与一位年轻男士交往，有一阵子算是相当亲近。那时，我正热衷于地方性的政治事务，大部分时间都用在这一类活动上。当我不开会或没有从事运动的时候，便与男友在一起，并告诉他某位法官说了些什么话，他的意思指的是什么，或某些政府官员做错了些什么事等等。有次，他忍不住对我说"你曾是个很不错的女孩，现在却成了一份活动传单。假如我想听某些政治性演讲，我会写信给我的议员。至于现在，我希望与一个真正的女人在一起，使这个夜晚过得愉快。"

后来，我听说他与一个身材窈窕的金发女郎结了婚，婚后过得极为幸福愉快。他的太太把家务料理得很好，并且一直没有忘记自己是个女人。

### 6. 保持自己的本来面目

对男人来说，看到一位 60 余岁的女性穿着俏皮的少女装，脚上踏着 3 寸高的皮鞋，头上又戴了一顶谁也看得出来的假发，这大概是天下最滑稽不过的事了。在许多可悲的景象当中，这一类打扮过火的妇女，她们拒绝成熟，又可说是最可怜的现象了。由于她们深信女性的迷人之处，在于年轻貌美，因此不顾一切地想尽办法要天天维持 29 岁。看见这些女性频频向男人送秋波的种种媚态，你的胃部会难受好久。

因为这些都违反了成熟的重要原则——保持自己的本来面目。有时候，一个安静内向的女孩，由于认为豪放的笑声能增加吸引力，便利用酒精或其他古怪的动作来达到这个目的。事实上，女性的这些奇怪想法实在过于一厢情愿。男人并不傻到分不清什么是鹰鸟，什么是手锯。

认为"改变个性"可以抓住男人的心，或是改变装扮——穿件漂亮的新衣或是梳个迷人的发型，这都是不成熟的想法。男人绝不会因此而被催眠，完全忘记原来的真面目。

没有人能够改变自己的个性。何况，上帝原先所赋予我们的，又有什么不对呢？相反的，我们应该把一些假面具除去，好让原来的品质发出亮光来。我们可以强调自己好的部分，然后把坏的部分扬弃掉，如此才能显现出最好的自己来。这是每个人都能做到的，无论他的性别是什么。

### 7. 要乐于做个女人

不知是谁发明了"两性战争"这个名词，想来必定碰到过极大的麻烦。我一直不清楚为什么两性之间必须时常"战斗"，难道就只是因为性别不同吗？其实，这世间还有许多其他的事才是真正值得我们去战斗呢！

有些女性把男性看成是敌人，认为他们利用先天上的有利条件占女性的便宜。这些女性当然很少想去迎合男性。事实上，她们也不会在乎这一点，因为她们根本就不喜欢男性。

为了与男性建立起较合理、较和谐的关系，女性必须先喜欢自己。她必须接受先天的禀赋，在人类生存过程中扮演特定的角色，并尊重女性所担负的基本功能。拒绝负起女性功能的女人，并不是指一般人所称的“老处女”。根据我自己的亲身经验，有许多未婚的中年女性，不仅心理十分健康，而且处世态度成熟，十分具有魅力。相反的，倒是有不少结过婚的女人，经常抱怨自己“因身为女人而成为次等公民”；或是“大自然在创造两性的时候，的确有点偏心”等这类容易造成两性战争的观念。

一个人是否能愉快地接受自己的性别，与其是否结过婚并没有什么关联，而是与其个人的心理态度和情绪状况有关。一个人如果不能接受自己的性别角色，则两性之间的幸福便很难达成，反而会把一生当中最重要的时间，用来争斗不已。

如何与男性相处，实在很难变成一个简单正确的公式来让人遵循。这必须因每人见识的深浅、个性的明朗与否而有所不同。但是，本章所提到的一些原则，至少指出应如何彼此互相了解。男女两性不应是对立的仇敌。为了建立一个更美好、更和谐的世界，男女双方应彼此携手，以爱和友谊来共同达成这样的理想境界。

因此，如果你想使自己的家庭幸福快乐，第八项原则是：

**学会与他相处。**

# 52

## 不要做婚姻的文盲

─── 卡耐基金言 ───

◆ 所有婚姻的专家，都同意性的配合是绝对的必需。

◆ "性"，众所公认的是生活中最重要的问题。无疑的，
  那也是造成男女快乐破裂原因的东西。

◆ 快乐的婚姻，很少是机会的产物，他们如建筑物似
  的，必需有理智的用心去设计。

社会卫生所总干事戴维斯博士有一次曾引导 1000 位已婚的妇女真实地回答了一系列切身的问题。结果十分惊人——一般的美国成年人在性生活方面都不大快乐。看过她收到的这 1000 位已婚妇女的答案以后，戴维斯博士毫不犹豫地发表她的意见：国内离婚的一个主要的原因，就是生理的不适合。

汉密尔顿博士的调查证实了这种发现。汉密尔顿博士用了 4 年功夫，研究了 100 名男子及 100 名女子的婚姻。他个别地向这些男女提出了约 400 个关于他们婚姻生活的问题，并透彻地讨论他们的问题——非常的透彻，以致整个的调查费时 4 年，这项工作被社会公认为极重要，所以由许多著名慈善家资助。你要知道这调查的结

果，可读汉密尔顿博士与马克哥文所写的《婚姻的症结是什么》。

那么，婚姻的症结是什么呢？"唯有很偏见的很不谨慎的精神病治疗家，"汉密尔顿博士说，"方能说多数婚姻的冲突，不是由于性生活的不和谐。无论如何，由于别种困难所引起的冲突，如果性的关系的本身是满意的，许多时候可以化解。"

洛杉矶家庭关系研究所的主任鲍本诺博士，考察过数千例婚姻，他是美国关于家庭生活的一位最著名的专家。按鲍本诺博士的说法，婚姻的失败，常由4种原因所致：

● 性生活的不和谐；

● 关于消闲的意见不同；

● 经济困难；

● 心理的，身体的，或情绪的反常现象。

注意，性生活居第一，而且很奇怪的，经济困难只居第三。所有婚姻的专家，都同意性的配合是绝对的必需。例如，数年前，星星那第家庭关系法庭的郝门法官——一位曾听过数千家庭悲剧的人——宣称："离婚者中的90％是由于性生活的毛病。"

"性，"著名的心理学家沃森说，"众所公认的是生活中最重要的问题。无疑的，那是造成男女快乐破裂原因的东西。"我听过许多行医的医士在我的班中演讲，说的差不多是一样的话。那么，在20世纪，有众多的书及教育，但因对这种重要天然本能的无知，却导致婚姻破裂，生活毁灭，岂不可怜？

白德费尔牧师做了监理会牧师18年以后，放弃了他的传教事业，去担任纽约市家庭辅导服务处主任，他大概为青年们举行的婚礼比谁都多，他说："根据我早年做牧师的经验，我发觉，虽然有恋爱及善意，许多到结婚台前来的男女是婚姻的文盲。"

婚姻的文盲！

他接着说："当你们想到我们将婚姻调适的艰难大部分交付给机会时，我们的离婚率只有16％，这是一件惊人的事。而处在这个惊人数目中的夫妇实际上并没有真正地结婚，只不过是没有离婚而已：他们几乎是过着地狱生活。"

"快乐的婚姻，"白德费尔特牧师说，"很少是机会的产物，她们如同建筑物似的，必需有理智的用心去设计。"去帮助这种设计，许多年来，白德费尔特牧师坚持凡他证婚的男女，必须同他坦白地讨论他们未来的计划。就是由这些讨论所得的结果，他得出结论：许多急于结合的人，是"婚姻的文盲"。

"性，"白德费尔特牧师说，"不过是在结婚生活中的多种满意中的一种，但除非这种关系适当，没有别的事会适当的。"但如何使之适当呢？

"碍于情面的不言语"——我仍在引证白德费尔特牧师的话——"必须代之以客观言论的能力，并有结婚生活的超然态度及实施。得到这种能力，没有比去从一本认识合理、情趣良好的书籍得到这方面的知识更好的方法了。

所以，保持家庭生活更快乐的第九项原则就是：

**了解一些必备的性知识。**

# 第七篇

# How to Make Yourself Mature

## 如何使你变得更加成熟

# 53

## 不要光踢椅子

─────── 卡耐基金言 ───────

◆ 一个人迈向成熟的第一步应该是敢于承担责任。我们
  生活于世，就要面对生命中的许多责任。

◆ 对那些不成熟的人来说，他们永远都可以找到一些理
  由，以解脱他们自身的某些缺点或不幸。

◆ 把人的生活改造得更美好才重要，而不是整日沉溺在
  自怜的深渊。

有一日，我正在学步的小女儿达娜想将一把小椅子搬到厨房里去，因为她想站上去拿冰箱里的东西。我一看到这一情景，急忙冲过去，但还是没来得及防止她从椅子上摔下来。当我扶起她，看她摔伤没有，这时只见小女儿朝那张结结实实的椅子狠狠地踢了一脚，并且还十分生气地骂道："就是你这坏家伙，害得我摔倒了！"

如果你留心一下幼儿的生活，你一定会听到或见到更多类似的故事。对孩子们来说，他们的这种行为是极其自然的。他们喜欢责怪那些没有生命的东西，或是毫不相干的人物，似乎这样就可以减轻自己跌倒的痛苦。他们的这种表现当然是正常的。

　　但是，假如这种反应行为模式和习惯一直持续到成人期，那可就麻烦了。自古以来，人们就普遍存在着一种诿过于人的不良倾向。偷吃了禁果的亚当，就最后把过错全都推诿于夏娃身上："就是那妇人引诱我，我便吃了。"

　　一个人迈向成熟的第一步应该是敢于承担责任。我们生活于世，就要面对生命中的许多责任，绝不可在受难或跌倒的时候，像孩子一样去踢椅子出气。

　　那为什么有如此众多的人都喜欢诿过于人呢？细想一下也不奇怪，因为责怪别人比自己担负起责任肯定要容易得多。想想你自己，你是否经常喜欢责怪父母、老板、师长、丈夫、妻子或儿女，我们甚至喜欢责怪先祖、政府，以及整个社会，甚至责怪自己不应该来到人世。

　　对那些不成熟的人来说，他们永远都可以找到一些理由——当然是外部环境的理由——以解脱他们自身的某些缺点或不幸。比如，他们的童年极为穷困、父母过于贫苦或过于富有、教导方式过于严格或过于松懈、没有受过教育或健康情况恶劣等等。

　　也有人埋怨丈夫或妻子不了解自己，或是命运与自己作对——你有时不禁要感到奇怪：为什么这整个世界要一致起来欺负这些人呢？对这些人来说，他们从没想到要去克服困难，而是先去找一只替罪羔羊。

　　我还记得，我的一名学员有一天下课之后跑来找我。那天，我们的课程是训练学员记忆别人的姓名。我记得那位学员向我这么说道："我希望你不要指望我能记住别人的姓名，这正好是我的弱点。我一向记不住别人的名字。"

　　"为什么呢？"我问道。

　　"这是我们家的遗传。"她回答道，"我们家族的记忆力一向都不好，所以，我也不期望在这方面有什么改善……"

　　"小姐，"我诚恳地说道，"你的问题不在遗传，而是一种惰性。因为你认为责怪家族的遗传要比努力提高自己的记忆力要容易得多。请你坐下，我来证明给你看。"

我帮助她做了几个简单的记忆训练。由于她十分专心，因此效果良好。当然，要她改变原有的观念需要一些时间，由于她愿意接受我的建议，终于克服了困难，记忆力大有改善。

如今的为人父母者，除了记忆力衰退之外，还有各种大小事情会遭受儿女的抱怨，范围从掉头发到日常生活的许多挫折等。

举例来说，我认识一名年轻女子，她常常抱怨自己的母亲如何影响她的一生。原来这个女孩还很小的时候，父亲因病去世，守寡的母亲只得外出工作，以维持生活并教育年幼的女儿。由于这位母亲能干又肯努力，因此后来成为极有成就的女实业家。她细心照护女儿，让女儿受最好的教育，但结果却并不尽如人意。她的女儿把母亲的成功视为自己最大的障碍！

这名可怜的女孩子宣称：自己的童年完全被毁坏了，因为她随时处在一种"与母亲竞争"的生活状况里。她的母亲迷惑不解地说道："我实在不了解这孩子。这么多年来，我一直努力工作，为的就是想给她一个比我更好的机会，创造更好的条件。但实际上，我只是给她增添了一种压力。"

奇怪的是，像乔治·华盛顿，他虽然没有高贵出身或功绩显赫的父母，但他一样能推动历史，成为举世闻名的人物；亚伯拉罕·林肯，他幼年的物质条件极为匮乏，一切须靠辛勤劳动，这也没有对他产生什么不良影响。而且林肯也没有想着去责怪他人。他曾在1864年做过这样的陈述："我对美国人民、基督教世界、历史，还有上帝最后的审判——均负有责任。"

这可说是人类史上最勇敢的宣言。除非我们也能在其他人面前以同样的勇气承担下自己的责任，否则我们就还不算成熟。

最简单、也是目前最流行的一种逃避责任的方法，就是去找一位心理医生，然后躺到他的诊疗椅上，花一整天时间谈论我们的种种问题，以及为什么我们会变成目前这个模样的原因。这也是极奢侈的一种现代高级享受。

　　假如有人告诉你，你的一切麻烦均来自幼年时期不正常的待遇——如过度占有欲的母亲，或过度专治的父亲——假如这样的说法能让你觉得舒服，并且价钱又付得起的话，我倒不反对你就这么样一辈子依靠心理医生的支持。

　　威廉·戈夫曼医师曾写过一篇极精彩的论文《乳儿精神病学》。文中提到目前日益增多的"心理密医"，是如何把大家宠坏了。戈夫曼医师指出，许多向心理医生求助的人通常喜欢"为自己的弱点及与世俗格格不入的行为找出一个心理学上的借口。"这样他们就似乎得到了某种精神上的安慰。当心理学一直为那些不能面对成人世界的人寻找托辞的时候，更有许多人继续把他们的诸多困难，归咎于外在的各种因素。

　　在较早时期，星相学是人们热衷的对象。"我的生辰八字不好"或"我没有一颗幸运的行星护佑我"，这些都是 16 世纪时，人们对许多困难或不幸最常做的解释。

　　但是，莎士比亚在《恺撒大帝》一剧当中，却让罗马名将恺撒说出如下的话："亲爱的布鲁塔斯，这过错并非由于我们所属的星辰，而是我们有一种听命的习惯。"

　　假如你相信《圣经》中对耶稣事迹的描述，你便会明白耶稣最引人注意的品质之一，便是他择善固执、毫不妥协的性格。当有人找他帮忙或医病的时候，他不会浪费时间去细查对方的潜意识，或去找出何人或何事该为此人目前的困境负责任。

　　"拿起你的被褥回家吧！不要再犯罪，你的罪已被赦免……"

　　耶稣的态度很显然是表示：把人的生活改造得更美好才重要，而不是整日沉溺在自怜的深渊。

　　英国的都铎王朝有个奇怪的习俗，就是王家的小孩都请有一名所谓的"挨鞭子的男孩"。由于冒犯皇族是大逆不道的行为，因此王家的小孩也不可随便侵犯。但小孩难免都有顽皮不守规矩的时候。为了让属下谨守不冒犯皇族的规定，便用钱请来一个"替罪羔羊"，以承受王家小孩应受的责罚。据说这种职位还相当热门，许多人都抢着要做。这不仅是因为可以支领薪水，也是因为以后可以进一步进入王家工作，因此成为许多人追逐的目标。

当然，这种行业目前已经不存在，但对许多幼稚或不成熟的人来说，这种"替罪羔羊"的形式仍然存在。假如他们找不到人可以当作责怪的对象，还可以责怪多变的时代、现代生活的不安全感、国际形势的混乱及其他耸人听闻的情况等等。

前不久，我和一位朋友一起参观一个书展。那位朋友时常自诩对现代艺术的知识十分丰富。我当时看到一幅画，作风十分草率，便无意中说出自己的感觉。我对那位朋友说："我家里有个3岁小孩，搞不好可以画得比这更好。假如这是艺术，我便是米开朗琪罗了。"

朋友回答道："你对人类精神的痛苦，难道没有丝毫感觉吗？这位艺术家所要表现的，是原子时代人类所受的压力与迷惑。"

不错，就连一位画得不知所云的艺术家，也可以把自己的无能归罪于原子时代！

但有一件事是确定的。假如原子时代能对人类带来任何希望或满足，而不是破坏或死亡的话，则我们需要的是坚强、成熟的个人，即那些能够、而且愿意为自己行为承担责任的人。

对那些希望自己不仅是长大，而且是迈向成熟的人来说，他们的第一个法则应该是：

**要承担自己行为的后果，要为自己的行为负责，而不是光踢椅子！**

# 54

## 困难并不意味着不幸

我十分欣赏一位名叫爱德华·道喜的人。他在我家附近经营一家租车店，专门出租高级客车。他很善于听人讲话，心胸开阔，又喜欢接受新事物，因此具备多项才能。有一天，我和他谈到一个话题，我们认为那些伟人和成功者通常也都是能够克服困难的人。接着，爱德华问我："你听说过一位名叫纳达尼·包德齐的人吗？"

我问他是不是一位对航海术相当精通的人。

"不错，就是他！"爱德华说道，"纳达尼·包德齐生于1773年，享年65岁。他在10岁之前，大部分是以自修的方式学习，如拉丁文等。因此他能阅读牛顿的《数学原理》。到 21 岁时，他已经算是一位相当优秀的数学家了。由于他喜欢航海，又开始学习航海术。据说，在一次航程里，他教导全体船员（包括船上的厨子）如何用观察月亮与星座的关系来计算船舶的位置。后来，他写了一本有关航海术的书，并且成为经典之作。这对一个没有受过多少正规教育的人来说，实在不简单，你说是吗？"

我十分赞同爱德华的观点。包德齐的确是个不畏艰险、克服重重困难的人。也许没有人告诉过他："要想当一名科学家，大学教育是不可或缺的训练。"因此，他能不顾一切向前冲，并且用自学的方式得到各种必要的知识。对纳达尼·包德齐或爱德华·道喜这类的人来说，困难只不过是一句无聊话。

对喜欢规避责任的人来说，困难则成了最好的挡箭牌。你也许听过许多人把失败原因归咎于没有受过大学教育——对这些人来说，假如他们真的上了大学，他们仍能为自己找出许多理由。而一个真正成熟的人则不会如此，他们会想办法去克服困难，而不是找借口去规避困难。

亚历山大·贝尔有次向朋友约瑟·亨利抱怨自己的工作不顺利，认为那完全是由于自己缺乏有关电机方面的知识。约瑟·亨利是华盛顿区一家工学院的校长，他虽然同意贝尔的说法，却没有向贝尔说："真不幸，亚历山大，你没有机会学习电机课程真是太不幸了！"

他也没有告诉贝尔该如何去申请奖学金，或如何向父母请求帮助。他只是简短地告诉他："去读吧！"

亚历山大·贝尔果然就去攻读有关电机的课程，最后并成了历史上对传播科学极有贡献的人。

那么，贫穷会不会是失败最有力的理由呢？美国总统赫伯特·胡佛是爱荷华一名铁匠的儿子，后来又成了孤儿；IBM 的董事长托马斯·沃森，年轻时曾担任过簿记员，每星期只赚两美元。这些著名的成功人士，都没有认为贫穷是他们的障碍。他们把所有精力都用在工作上面，因此根本没有时间去自怜。

　　罗伯·路易·史蒂文森一生多病，却不愿让疾病影响自己的生活和工作。与他交往的人，都认为他十分开朗、有活力，并且所写的每一行文字也充分流露出这种精神。由于他不愿向身体的缺陷屈服，因此能使他的文学作品更多彩，更丰盛。

　　历史上，许多举世闻名的人物都有身体上的缺点。如：拜伦爵士长有畸形足，朱利亚斯·恺撒患有癫痫症，贝多芬后来因病成了聋子，拿破仑则是有名的矮子，莫扎特患有肝病，富兰克林·罗斯福则是小儿麻痹症的病患者，而海伦·凯勒更是从小就又聋又盲。

　　谈到女演员，我们不能不提到"女神莎拉"。莎拉是个私生女，而且长得并不出众，因此童年时代饱受折磨，生活似乎完全没有指望。但她克服重重的困难，后来终于成为舞台上不朽的人物。

　　我有一位好朋友的儿子，长得十分高大英俊，就是自小患有口吃的毛病。这男孩在学校里的成绩一向很好，也很为同学所欢迎。从小学开始，他的父母就为他找过许多心理专家和口吃治疗专家来帮忙，却没有什么成效。

　　一天，男孩回家告诉父母，说是他将代表全体毕业学生在毕业典礼上致辞，男孩并兴致勃勃地立刻开始准备讲稿。男孩的父母亲也提供不少意见帮助他准备讲稿，但一直都没有提到该如何在演讲时避免口吃这个老毛病。

　　毕业典礼终于来临。当天晚上，男孩起立开始发表演讲。他站得挺直、端正，会场观众都鸦雀无声地注视他，因为许多人都知道男孩患有口吃的毛病。男孩一开始讲得很慢，但很有信心，接着便很顺利地把 15 分钟的演讲说完，没有丝毫凌乱或迟疑的地方。等他讲完之后，全场报以热烈掌声，因为大家都知道，这男孩是如何努力克服自己的缺陷和困难，理当得到应有的赞赏。

　　住在新泽西的卡尔顿·葛立夫是个生意人。一日，他开车经过莫里镇的一个十字路口，正好见到一名眼盲的少妇，牵着一条狗要穿过街道，卡尔顿急忙踩住煞车停了下来。

不多久，一名男士走到卡尔顿的车旁，说明他是那名少妇的训练师。

"以后请不用紧急煞车，像刚才那样。"他解释道，"这狗是训练用来防止发生交通事故，因此，假如每部车子都像刚才一样停下来，狗会以为这是应有的状况，而不会特别警觉。这么一来，一旦有车子不这么停下来，事故便会发生了。"

这故事留给我极深的印象。不仅是因为那位训练师言之有理，而且是因为得知那名少妇能采用这样的训练来克服自己的缺陷，继续自己正常的生活。

这些人都是具有成熟心灵的人。他们不会陷于自己的困难当中，而是勇敢地去面对它、接受它，然后想办法加以克服、解决。他们不会去乞怜，不会绝望，也不会去找借口逃避。

洛埃·史密斯曾写过一本极富鼓舞性的传记《一个完整的生命——在死神的门口》，写的是有关艾莫·赫姆的故事。艾莫·赫姆出生在俄亥俄州的亨特维，当时他的医师如此说道："这婴儿活下来的机会不大。"

但是赫姆还是活下来了。虽然90年来，他因右半身严重受伤而时常痛楚不已，但他还是没有向死神屈服。由于他不能从事劳力工作，便转而努力阅读。1891年，也就是他28岁的时候，他成了卫理公会的传道士。他曾历经两次致命的事故，都没有因此而失去信念，反而引起有名的巧克力制造商约翰·惠勒的注意，在经济上加以援助。几个月之后，这位倒在死神门口的传道士，顺利地出了院。

艾莫·赫姆开始兴建教堂、募集传道基金，并时时帮助当地的学校和医院。这名"单肺传教士"募集了将近300多万美元，以从事他认为有意义的慈善活动。到了69岁的时候，他"告老退休"，但还是继续不断工作。他又举办了上千次的讲道、写了两本书、为教会和其他慈善机构募集了50万美元，并且担任20余所专业学校的董事，个人并曾捐助5万美元以兴建在加州大学附近的一所教会。

艾莫·赫姆从不知"缺陷"这两字的意思。他只知道自己有生命，而且这生命有个目的。他已把自己有生的 90 多岁充分使用，并使自己的名字成为"勇气"的代名词。

在这个高速的原子时代，处处强调年轻与活力，致使许多上了年纪的人，不免要感叹自己的"缺陷"。有时，他们会感到自己过时了，就要被放进废物堆里了。我记得好几年前，纽约卡耐基训练班里有个身材瘦小、年纪已 74 岁的女学员，她坦然承认不知该如何度过自己的余生。

这名女学员曾当过教员，一直到强制退休才停止。她的储蓄不多，因此必须时时保持忙碌，这对经济和精神上都十分重要。由于她曾担任过教员，有很多教学经验，因此便到各个幼稚园去讲故事。她的故事都经过特别挑选，并且用幻灯片来加强效果。

听了她的话之后，我鼓励她把这当作事业来做。

也许受了我的鼓舞，这名女学员开始了她的晚年事业。她知道，年纪并不是一种障碍或缺陷，相反的，由于多年的教学经验，她现在更有能力把故事讲得更好，更动人。

她先去找"福特基金会"，因为这个组织一直很积极推动文化工作。她把计划写下来，内容包括许多为幼稚园学童所设计的故事节目。她不仅用口讲，并且拿东西让大家看，因此很容易被接受。她充满温馨和富有戏剧性的讲述方式，使她大受欢迎。

如今，这名女学员已把自己的热忱和信心带到美国各地，并把欢乐带给成千上万个孩童。她不愿让自己的年纪成为障碍或偷懒的借口，她不说："我太老了，没有办法工作谋生。"相反的，她重新评估自己的能力和经验，然后把构想付诸行动，因此做得非常成功。对这么一位 74 岁的人来说，成长并没有使她变老，而是变得更成熟。年纪对她不但不是缺陷，反而是一大助力。

萧伯纳对那些时常抱怨环境不顺的人很感厌烦。他说："人们时常抱怨自己的环境不顺利，因此使他们没有什么成就。我是不相信这种说法的。假如你得不到所要的环境，可以制造出一个来啊！"

事实是，假如每个人成天都认为环境不好，当然就会把自己的过失诿诸"缺陷"或种种其他原因。在我年轻的时候，常因自己长得比别人高而气馁不已。经过好几年之后，我才逐渐明白，身高跟其他许多与生俱来的条件一样，可以有好处，也可以有坏处，完全看自己的态度而定。

假如别人有两条腿，而我只有一条腿；假如别人富有，而我比较贫穷；假如我长得胖、瘦、美、丑、金发、黑发、害羞或进取——无论哪一点使我与众不同，都很可能成为我的缺陷——只要你自己这么认为！

不成熟的人随时可以把自己与众不同的地方看成是缺陷、是障碍，然后期望自己能受到特别的待遇。成熟的人则不然，他先认清自己的不同处，然后看是要接受它们，还是加以改进。

因此，如果你想使自己变得成熟，第二项原则是：

**不要在乎困难，也许它是一种幸运的开始。**

# 55

## 摆脱生活中的不幸

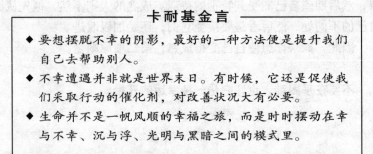

**卡耐基金言**

◆ 要想摆脱不幸的阴影，最好的一种方法便是提升我们
   自己去帮助别人。

◆ 不幸遭遇并非就是世界末日。有时候，它还是促使我
   们采取行动的催化剂，对改善状况大有必要。

◆ 生命并不是一帆风顺的幸福之旅，而是时时摆动在幸
   与不幸、沉与浮、光明与黑暗之间的模式里。

   1945 年 8 月，也就是日本宣布投降后第二天，玛丽·布朗太太
走进位于加拿大渥太华的自家住宅，静听屋子里的寂静与空虚。

   好几年前，她的丈夫死于车祸；接着，与她住在一起的母亲也
因病去世；悲剧的发生经过是这样的：

   "当许多钟声和汽笛声都在宣告和平再度降临的时候，我唯一
的儿子达诺却在此时去世了。我已失去了丈夫和母亲，如今儿子一
死，我是完全孤孤单单的了。

   "孩子的葬礼结束之后，我独自走进空荡荡的屋子里。我永远
也不会忘记那种空虚、无依无靠的感觉。世界上再也没有一处地方

比这更寂寞的了。我几乎整个人充满了哀伤和恐惧，我害怕今后将独自一人生活，害怕整个生活方式将完全改变，而最可怕的，莫过于我将与哀伤共度余生，这才是最让我感到恐惧的。"

接下去的几个星期，布朗太太完全生活在一种茫然的哀伤、恐惧和无依无助的感觉里。她迷惑又痛苦，全然不能接受所发生的一切。她继续描述道：

"渐渐地，我明白时间会帮助我治疗伤痛。只是时间过得实在太慢了，我必须做些事来忘记这些遭遇。因此，我再度回去工作。

"随着时间一天天过去，我也逐渐对生活再度感到兴趣，如朋友、同事等。一日清晨，我从睡梦中醒过来，忽然认识到所有不幸均已成为过去，以后的日子一定会变得更好。我知道'用头撞墙'的举止是愚蠢可笑的，是不能面对现实的表示。对于这些我无法改变的事实，时间已教我如何承担下来。

"整个改变进行得十分缓慢，不是几天或几个星期，而是逐渐来临。总而言之，它发生了。

"现在，当我回过头去再看那段生活，就会感到好像船只虽然历经一场巨大的风浪，如今已重又驶回风平浪静的海面上。"

许多类似布朗太太这样的悲剧，往往很难让我们理解为什么会发生在我们身上，因此最好先面对它们，接受它们。当布朗太太强迫自己接受失去家人的事实时，心理上便已准备将让时间治疗这样的痛楚。抗拒命运就像把毒药倒在伤口，无法让自己开始新的生活。

只有一个方法可以让我们面对不幸——接受它。当我们的生活被不幸遭遇分割得支离破碎时，只有时间可以把这些破片捡拾起来，并重新抚平。我们要给时间一个机会。在初受打击时，整个世界似乎停止运行，而我们的苦难也似乎永无止境。但无论如何，我们总得往前走，去履行生命计划中的种种目的。而一旦我们完成了这些生命中的种种运作，痛楚便会逐渐减轻。终有一天，我们又能唤起以往快乐的回忆，并且感受到被护佑，而不是被伤害。要想克服不幸的阴影，时间是我们最好的盟友，但唯有我们把心灵敞开，完全接受那不可避免的命运，我们才不会沉溺在痛苦的深渊里。

不幸遭遇并非就是世界末日。有时候，它还是促使我们采取行动的催化剂，对改善状况大有必要。它能使我们的才智变得灵敏，以帮助我们解决问题。

印度克里士纳曾有过这样的训言："人的幸福结局，并非是平淡、安稳的喜乐，而是轰轰烈烈地与不幸奋斗。"

人的性质会因"轰轰烈烈地与不幸奋斗"而变得更深沉、更多彩，也更丰盛。它会让我们挖掘出深藏在人性深处的资质。这些能力和资源都一直埋藏在人性深处，直到必要时才会苏醒过来，为我们所用。莎士比亚在《哈姆雷特》一剧中便曾这么说过："要采取行动以抵制困境。只有对抗，才能结束困境。"这是摆脱不幸的第二个方法。这里有个我称之为"尘暴灾难"的例子。

你曾见过美国西南地区的沙尘风暴地带吗？你曾见过那些无情的尘暴摧毁过多少农庄、破坏过多少人的生计吗？你曾感受过那些沙尘，见过那些沙尘，并且日复一日地吞食那些沙尘吗？下面这个故事的主角便是一个自小生活在沙尘阴影下的男孩。他现年21岁，就住在沙尘风暴地带内，双亲终其一生都在为生存而与风暴及干旱奋斗。

自从双亲过世之后，年轻人便担负起家计的重担。直到有一天，他们实在到了山穷水尽的地步——没有农作物可以收割，农仓里一无所有，他们就要饿肚子了——年轻人眼望着农舍屋顶上面的落尘，却也只能一筹莫展地坐着发愁。忽然，他8岁的小妹妹开门走进来，身旁还跟着一个她的好朋友。

"吉米，你可以给我10美分吗？"她渴切地问道："我们想到店里去买些饼干，我们每个人都需要10美分。"

吉米久久说不出话来——因为他想不出一个好理由来拒绝。但他没有10美分，搜遍了全身的口袋也找不到10美分。

"妹妹，非常对不起。"他温和地说道"我没有10美分。"

当天晚上，吉米翻来覆去睡不着，因为他永远也忘不了妹妹脸上失望的表情。有生以来，他历经过不少打击——双亲去世、工人离职、沙尘风暴的袭击……但没有一次像今天一样——他居然没有10美分可以满足自己年幼的小妹妹……这么卑微的要求……难道自己连这么一点要求也无法满足她吗？吉米想了许久，决心采取一些行动。就在天将亮的时候，他也终于下定决心，并想好了整个计划。

吉米一直想当一名教师。但是自从双亲过世之后，他以为自己最好留在家里，以担负起农场的工作。但是，眼见农场一再受到沙尘风暴的摧残，使他不得不考虑从事其他的工作。于是第二天，吉米到镇上给自己找了一份临时工作，从那时起，他借来许多书，每天都认真研读到深夜，以准备有朝一日能得到他真正想要的工作——当一名教员。果然，他后来终于在一间乡村学校找到教职。由于他努力不懈，不但终能如愿以偿，也赢得了邻居的赞美与尊敬。

这是一种不幸的形式——由于一名小女孩向她的兄长要求10美分——这个事件驱使吉米改变生活的方向，并且突破了困难，最后终于达到自己所追求的目标。

有时候，某些行动还可以减轻与家人分离的痛楚。这是发生在密西西比杰克森市一位克文顿太太身上的故事。克文顿太太有3个小孩，身体状况都不好，因此很费一番苦心去照顾他们。不幸的是，他们的家庭医师有天又告诉她，说她的丈夫得了一种严重的心脏病，很可能随时会病发身亡。

我听了医师的话感到恐惧不已，并且开始担忧。我晚上都不能入睡，没多久便瘦了15磅，医师认为我是过于神经质。一天晚上，我又睡不着觉，便自问自己这么担惊受怕是否于事有补。到了第二天早上，我开始计划自己应该做些有用的事。由于我丈夫颇精于木工，能亲手做出许多种家具，所以我要求他替我做了个床头小桌。他答应下来，并且花了好几个下午认真去做。我注意到这工作带给他极大的乐趣，于是过后，他又为朋友做了好几件家具。

此外，我们还开辟了一片园地，开始种花种菜，把最好的收成都送给朋友，并尽量想出一些我们可以帮助别人的事来做。假如一时没有什么事情，我们便坐下来讨论有关种植果树等种种计划。

一日凌晨一点多的时候，我的丈夫突然病发过世。我那时才体认到，其实最近这几年，我们一直把这可怕的压力放在一边，过的却是有生以来最快乐、最有意义的生活。我就是这样面对悲剧，并尽力用最好的方式来接受它。

克文顿太太用无比的勇气来面对不幸，使她丈夫最后几年的岁月过得快乐又有意义，而她自己也因此留下一段美好的回忆。

要想摆脱不幸的阴影，最好的方法便是提升我们自己去帮助别人。我认识一位住在威士康辛州的太太，由于她把自己个人的伤痛化成力量，转而去帮助其他陷于痛苦的人，因此广受别人的敬重。这位太太的儿子是名飞行员，在第二次世界大战期间因公殉职，享年只有23岁。虽然这位母亲十分哀痛，却不需要别人的怜悯，她说道："我认识许多不快乐的母亲。有的因为孩子得了痉挛性瘫痪的疾病；有的则因孩子精神上或心理上不健全，无法正常为社会服务。当然，还有更多妇女极想拥有自己的小孩，却苦于无法如愿。我有幸拥有一个好儿子，并且共度了23个快乐的岁月。我会把这些快乐的记忆保留至生命的尽头，因此，我要服从上帝的意愿，尽可能支持帮助其他需要帮忙的母亲。"

她的确这么做了，不辞辛劳地安慰那些因儿子出征而需要帮助的父母，或是出征者本人。这是她迈向成熟所学的第一课——把自己的心思和精力用来帮助别人，你便没有时间注意自己的烦恼。

生命并不是一帆风顺的幸福之旅，而是时时摆动在幸与不幸、沉与浮、光明与黑暗之间的模式里。我们不能像鸵鸟一样把头埋在沙堆里面，拒绝面对各种麻烦，而麻烦也不会因此获得解决。苦难是人类生活的一部分，只有实实在在地去面对，才是成熟的表现。

不成熟的人最常犯的过错，便是遇事抽身而退，不敢面对现实。许多小孩在游戏的时候，常因自己没有胜算便拒绝玩下去，成熟的成年人便不会如此，他们会一试再试，直到成功为止。

　　以下是康涅狄格州诺维其市长赛门告诉我的一桩事实，内容是有关一名男孩虽然遭遇不幸，却仍然勇往直前的故事。赛门先生在大学时代有个室友名叫杰克，是个活泼有朝气的学生，后来却戏剧性地离大家远去。以下是赛门先生的叙述：

　　杰克是个极热心的学生，而且富有艺术天分。他参加学校各种表演活动，包括幕后工作与幕前的表演。他是学校各种年度表演的总召集人，也在乐队担任鼓手，可说是无所不包，多才多艺。离开学校之后，他到一家电视台工作，后来成为电视影片制作人。他极热爱自己的工作，每天都把全部精神和力气投入到工作上面。

　　一天，我接到朋友打来的电话，告诉我杰克去世了。原来他得了一种绝症，却从来没有让人知道。从大学时代他便知道自己来日不多。我一想到杰克那时的热忱、风趣及积极参与各种活动的精神，实在唏嘘不已。由他身上，我学到了珍贵的一课：除非比赛结束，否则绝不停止。

　　杰克的故事使听的人无不为之动容，也都受到了他精神的鼓舞。他选择了最勇敢、最成熟的方法去面对不可避免的不幸遭遇。

　　在卡耐基的训练班里，有名学生也告诉我另一个类似的故事，其主角名叫迈克。

　　迈克在 1938 年的时候，年方 21 岁，但已经可以进入军中服役，他在一次战役中受了严重的眼伤，眼睛因此看不见东西。虽然他承受这么大的伤害和痛楚，个性仍然十分开朗。他常常与其他病人开玩笑，并把自己配给到的香烟和糖果分赠给好朋友。

　　医师们都尽心尽力想恢复迈克的视力。一日，主治大夫亲自走进迈克的房间向他说道：“迈克，你知道我一向喜欢向病人实话实说，从不欺骗他们。迈克，我现在告诉你，你的视力无法恢复了。”

　　时间似乎停止下来，房间里呈现可怕的静默。

　　“大夫，我知道。”迈克终于打破沉寂，平静地回答道，“其实，我一直都知道会有这个结果。非常谢谢你们为我费了这么多心力。”

　　几分钟之后，迈克对他的朋友说道："我觉得我没有任何理由可以绝望。不错，我的眼睛瞎了，但我还可以听得很好，讲得很好啊！我的身体强壮，不但可以行走，双手也十分灵敏。何况，就我所知，政府可以协助我学得一技之长，以让我维持生计。我现在所需要的，就是适应一种新生活罢了。"

　　这就是迈克，一名拥有明亮视野的盲眼士兵。由于忙着计算自己所拥有的幸福，因此没有时间去诅咒自己的不幸。这便是100%的成熟——也就是我们要面对问题的方法。我们每个人有生之年都要面对这样的考验——你、我还有住在我们隔壁的那个邻居。

　　对那些叫喊"为什么这会发生在我身上"的人来说，这里只有一个答案："为什么不呢?"

　　上帝并不偏爱任何人。身为一个人，我们都得历经一些苦难，正好像我们也历经许多快乐一样。迟早，生活本身便会教我们明了：在受苦受难的经历里，我们每个人都是平等的。无论是国王或乞丐、诗人或农夫、男性或女性，当他们面对伤痛、失落、麻烦或苦难的时候，他们所承受的折磨都是一样的。无论是任何年纪，不成熟的人会表现得特别痛苦或怨天尤人，因为他们不了解，诸如生活中的种种苦难，像生、老、病、死或其他不幸，其实都是人生必经的阶段。我们把如何摆脱不幸的5个方法整理如下，让我们每个人都记住这些方法。

　　1. 接受不可避免的事实，让时间去治疗伤痛；

　　2. 采取行动以抵制困境；

　　3. 集中精神，帮助他人；

　　4. 在有生之年，充分利用自己的生命；

　　5. 计算我们所拥有的幸福。

　　所以，如果你想使自己变得成熟，第三大原则是：

**学会摆脱生活中的不幸。**

# 56

---

## 拥有自己的信仰

　　假如我问你是否相信美国是个充满机会的国度——也就是说，只要能力与精力许可，人人都能达到自己所追求的目标。你极有可能会回答："是。"一声清脆而响亮的"是"，并且还会有别人在旁边摇旗呐喊，表示赞同。但是，你相信的程度如何呢？假如你此时正失业在家，完全没有收入，新的工作又全然无望，你仍会相信这种说法吗？你不但相信，而且会采取行动以证明此话的真实性吗？

　　有个人便如此相信，他名叫雷纳·川伽，住在密苏里州独立市的雷德街。在 1928 年，川伽先生继承了一笔价值 10 万美元的产业。但到了 1938 年，他却宣告破产。事情的经过是这样的：

　　我的父亲不但事业成功，而且为人慷慨。在我高中的时候，只要我需钱花用，他都允许我随时用银行的账号开支票。到了我上大学的时候，我更是精于此道了。我完全不知钱的价值，更不知道要用什么方法去赚取，我只知道如何用父亲的账号去签写支票。

我这样的生命方式一直继续到父亲过世。父亲去世的时候，留给我一块相当大、而且十分值钱的土地，位置就在密苏里河下游靠近莱新顿一带。我开始以农夫自居，但不多久，大萧条横扫全国各地，我第一年的财务便呈现严重赤字。我抵押了一片土地去偿还债务和填补银行存款，但不景气继续维持下去，使我不得不把那片抵押的土地以极低的价格卖出。由于我仍然需钱花用，便又以同样的方法陆续把田地抵押，并最终卖出去。

最后，算总账的日子终于来临了。我知道我已一无所有。假如我要继续活下去，得出去找一份工作——那是我以前从未做过的事。我苦不堪言，夜晚都不能入睡。我唯一的技能是开支票，但这方法已行不通了。我完全不知所措。

一天晚上，我从噩梦中醒来，终于知道自己必须面对事实。我对自己说，滑雪橇的童年日子已过，现在你已长大成人，当然行事也要像个大人。起来吧，要起来工作！

除了面对自己的困境之外，我也开始找出自己究竟信仰什么。以前，我一直人云亦云地认为美国是个充满机会的国度，只要努力，便能达到追求的目标。如今，虽然正值萧条时刻，工作机会不多，但我个人仍有一些长处。

我的健康情形良好，有一份大学文凭和一些商业知识——又有从失败和错误中所得到的经验和体会。现在，我需要的是采取行动，而不是浪费时间去感叹自己的不幸遭遇。

我完全了解自己的生活和想法。对我来说，找份工作并不容易。但是，我不能让自己颓丧下去，我必须强迫自己用信心来取代恐惧和疑惑。我要相信这个国家是个充满机会的地方，只要有决心，人人都可争得一席之地。就是这份信念，使我能够不轻言放弃。

　　这份信念终于得到证实。我在堪萨斯市的一家财务公司找到工作，并在那里愉快地工作了4年。后来，我辞去职务，再度回到农地上。这一次，事情进行得顺利多了。我慢慢建立起自己的信用，并逐渐扩大事业的范围。我买进卖出，便获得不少利润。感谢多年来失败给我的教训，这一次，我是走上成功之路了。

　　我失去的产业，都被我再度赚了回来。我的努力没有白费，但更重要的，是把这些宝贵经验都传给了两个儿子。这比单独只给他们财富要有意义多了。

　　由此可知，我们必须信仰某些事物。但是，假如我们没有就此信仰去采取行动，一切仍然无用。只有信心而没有作为，是无济于事的。

　　川伽先生的故事是迈向成熟的最佳例证——他从一个被娇宠、不知责任为何物的男孩，在一夜之间认清自己不但要有所信仰，并且要因此采取行动来印证这个信仰。在此之前，川伽先生像孩童般的逃避现实，但是，他对美国的信心，使他能像成人一样再度面对现实。

　　《如何度过一年三百六十五天》的作者约翰·席勒告诉我们："成熟必须靠学习得来。"而且通常必须经过心瘁的苦难才能学到。这也正是李莉安·赫德里所学得的教训。

　　赫德里太太住在加拿大的沙卡契文市，是个快乐、平凡的家庭主妇。她的生活一直顺遂无事，直到有天发生一场可怕的车祸，使她毫无防备地掉入一个大深沟里。

　　起初，大家以为赫德里太太的脊椎骨断裂，后来，根据X光显示，虽然她的脊椎骨并没有碎开，但骨骼表面仍因擦伤而长出刺状物。医生吩咐她卧床静养3个星期，并且，还带来另一个坏消息。

　　医生告诉她，由于她的脊椎骨有严重的僵硬现象，也许在五六年之后，会全身无法动弹。

　　赫德里太太描述当时的心情时说道：

"我愣住了。我一向活泼好动，又从没遇到过不顺利的事。但现在，不幸终于发生了。卧床静养的时间由 3 星期延长到 4 星期，然后是 5 星期、6 星期……我的勇气和乐观此时已消失无踪，取而代之的是无尽的恐惧……我只觉得自己一天比一天衰弱。

"一天早晨，我从梦中醒来，发觉自己的思绪如水晶般清澈透明。我告诉自己，5 年的岁月不算短，我可以做许多事情以帮助家人。只要我继续用药物治疗、不多求，并且有决心战胜病魔，说不定还能改善自己的状况。我不想毫无奋斗便宣告投降，我一定要尽可能勇往直前。由于我这么相信，并且又下了决心想要立刻能有所作为，这么一来，恐惧和无力感立刻消失不见。我挣扎着起床，想要立刻开始新生活。

"我找了两个字当成座右铭，时时不停地提醒自己：向前，向前，向前！"

"这已是 5 年半以前的事了。如今，我再度身体检查，医生认为我脊椎骨的情况良好，看起来可以继续维持另一个 5 年。医生要我保持愉快的心境、对生命感兴趣，并且继续向前行。这正是我的信念。只要我身上的肌肉还能活动，我一定会继续走下去。"

赫德里太太的确是另一个鼓舞人心的例证。她成熟的表现来自一个信念，并且根据这个信念采取行动。

当然，仅有信仰并不足以让我们变得成熟。信仰的好处是能增强勇气，使我们在接受考验的时候，不至于临阵退却。除非我们以信仰做基础，然后付诸行动，否则任何道理原则都没有什么用处。

有时候，我们的行动和信仰也会有矛盾的地方。举例来说，有名妇女笑着告诉我，店里的女售货员多找了 50 美分的零钱给她。我问她是否打算把钱退还，并向那位女店员说明理由，她听了大不以为然。

"当然不啊！"她提高了声调急急地说道："那是她的过失，当然得由她负责。想想看，若是她少找了钱给我，不就是我吃亏了吗？"

假如我们要认真质疑这名妇女的诚实度，当然她就要自取其辱了。她对女店员的过失似乎采取幸灾乐祸的态度，甚至到了不顾体面的地步。这种不磊落的行为，完全暴露出她不诚实的品格。

有名会计师也告诉我他接受面谈的经过。他曾应征一家公司的会计职务。由于这个职务须处理极大的款项，公司便派了一名心理学家来与他面谈，借此详细观察他的品格与诚实度。那名心理学家问了他一个问题："假如你有机会可以溜进一家戏院看电影，不用付钱，你会这么做吗？"心理学家知道，假如一个人不能在小事上表现诚实，则在有机会获取大利益的时候，就更不会感到犹豫了。

我们的信念往往借行动表现出来。耶稣曾说过："凭他们所结的果子，就可以认出他们来。"是的，只有行为才算数。如果我们不能遵行，则任何哲学理论叫得喧天价响，对我们也没有丝毫益处。我们所结的果子将是苦的，我们的生命也是假冒伪善的。

我们一旦有了坚定的信念，就应当付诸行动。

在夏威夷有一名建筑承造商，坚信人不可轻言放弃。他不但如此坚信，并且时时在行动中表现出来，因此事业做得十分成功。他的名字叫保罗・玛哈。

在1931年的时候，玛哈先生在建筑和工业界四处打听，想要找一份工作。他年轻没有经验，因此处处碰壁，工作完全没有着落。由于当时不景气，没有公司需要增聘工程或制图人员，就是经验丰富的老手也往往遭到解聘。

"我实在感到气馁。"玛哈先生坦承道，"但后来我决定，假如没有人愿意雇我，我就自己来做。我从亲友那里借了500美元，然后成立了一家小小的建筑承造公司。

"不景气吗？当然是的。想要盖房子的人，谁会愿意找一名没有经验又没有名气的人来做呢？但无论如何，我鼓起勇气，下定决心要干到底。就凭这么一种信念和坚持，我终于找到了几份小生意做。

"我的第一笔生意是承造一栋2500美元的房子。由于缺乏经验，估价不准，结果赔损了200美元。但是，有了这次失败的经验，接下去的几桩生意便弥补过来了。由于我坚信人不可轻言放弃，终于度过了一生中最大的难关。"

不错，人不是因为没有信心而跌倒，而是因为不能把信念化成行动，并且不顾一切地坚持到底。

如果你想变得更加成熟，第四大原则是：

**拥有自己的信仰并付诸行动。**

# 57

## 你是独一无二的

　　我一向热衷园艺，亲手料理一个相当有规模的玫瑰园，这给我
们的生活增添不少乐趣。一日，正当我陶醉在盛开的玫瑰丛中，我
忽然想道："这些玫瑰，粗看起来都十分相像，是吗？其实不然。
只要仔细看，便会发现它们朵朵不同。甚至连属于同种的类别，开
出来的花都彼此不太一样。如生长的速度、花瓣曲卷的程度、颜色
的均匀与否等等，只要仔细分辨，均可发现它们各有独自的风姿。"
　　不仅自然界如此，人类的情形也更如此。亚瑟·吉始博士对古

代的生活及民俗极有研究，他曾说过："没有两个人的生活遭遇是完全相同的……每个人均有他与众不同的生活遭遇。"不错，每个人的生活遭遇都是独一无二的。尽管构成人体的基本因素相同，但我们每个人的生命都很奇妙地自成一格，绝不与人雷同。

要想迈向成熟，我们首先得了解并接受这个事实，因为这便是我们与他人沟通的基础。除非我们真正把他人视为一独立的个体，正如我们本身的情形一样，否则，我们很难与他们建立起有意义的关系来。

这听起来很容易，不是吗？但做起来却困难重重。例如：我们常自认是个没有阶级歧视的国家，实际上，却到处充满了阶级歧视。我们常常把别人定位在某个阶层——如，普通百姓、中上阶层、中下阶层、大众市场、低收入群、街头浪民、白领阶层、蓝领阶层、上流社会，等等——这些都反映出我们不愿或不能把别人视为独立个体，而只能把大家看成没有特色、没有个性、没有姓名的群体之一。

我们自身的情形也是如此，也是别人归类的对象。许多社会研究或调查人员，几乎对我们无所不知：每天喝多少咖啡、有几辆车子、什么品牌、喜欢看什么电视节目、收听什么电台等等。

这一种归类通常强调"定位"、"无藩篱"、"社会流动性"等，以顺应我们评定某族群的需要，而完全忽视个人的独特性。个性主义现已遭到破坏，甚至已濒于灭亡。无怪乎我们现在对自己的独特性已愈来愈没有概念，甚至不敢去思想或采取与他人不同的行动。

当然，现代人对如何使自己变得"独特有个性"这方面的知识，的确充满了渴求。姑且不论社会对我们的评定归类、对我们顺应群体的要求带来什么压力，在内心深处，我们仍知道并希求自己能与他人有所区分。为了表达这种渴求，解除这种束缚，许多人被送到心理分析家的诊所或精神治疗师的病院里。甚至有许多人用酒精、药物来麻醉自己，使自己完全失落。

有什么方法可以治疗这些疾病呢？要如何才能使我们更意识到

自己的独特性？要如何才能以更成熟的态度去认识自己？这里有三点建议：

### 1. 每天抽出时间独处，以进一步认识自己

由于现代生活的忙碌紧张，我们愈来愈少有时间给自己深思的机会。我们一定要想办法抽出时间来面对自己、认识自己。

但是，不同的人通常有不同的独处方法。有一位朋友告诉我，他通常在人群拥挤的街道上，一面散步，一面冥思。"这种方法，可以使我达到忘我的境界，而想出许多解决问题的方法来。"他这么解释。

我喜欢到附近的教堂去，以寻求片刻的宁静。这种方法可以安定神经，恢复精神，并使自己的心灵变得清澈起来。

我也喜欢接触大自然。对我来说，我并没有充裕时间可以散步或从事什么户外活动。但我可以独自到花园里走走，甚至只坐在窗旁偶尔眺望窗外的蓝天或树木，都可以让心灵得到极好的休息。每次见到季节的变迁，无论是面对一望无垠的风景，或只是一片小小的土地，都可以使我感受到大自然的神奇与美妙，更使我自己也融入其中，成为大自然的一部分。

有些人也许比较喜欢静室独处，或用其他自我隔离的方式。总而言之，每天抽一小段时间出来，不受干扰，如此才能好好体验你自己，你的生活、信仰和种种行为。历史上许多哲学家或思想家，便时时独处静修，也都从中获益匪浅。如耶稣、佛陀、施洗约翰、笛卡儿、蒙田、拜扬等。

### 2. 要打破习惯的束缚

我们时常把自己深裹在习惯或习以为常的无聊事件里，在里面窒息而不自知，得用火药或极大毅力才能将之破除。想想看，我们有多少人每天都不断重复相同的行为，生命因此变得迟钝、没精神并且毫无创新的能力。

住在俄克拉何马州的一位年轻妇女，是卡耐基训练班的学员，她把自己如何突破习性束缚的经过告诉我们：

　　我先生和我都是电视迷，每天傍晚一下班回家，便立刻打开电视，然后一面吃速食餐，一面看电视，直到就寝时间为止。我们很少去拜访亲朋好友，或阅读书报，或到外面去参加各种活动。因为一想到就要因此错过某某电视节目，活动便自然取消了。假如有人来拜访我们，我们也常常心不在焉，只盼望赶快回到电视机面前。一天，我和几个老朋友一道吃午餐，发现自己很难和他们打成一片，因为他们所谈的话题我都不清楚。我很少到别的地方去，也很少阅读什么报章杂志，我几乎很少做其他事——除了每天看电视之外，没有其他嗜好。

　　我回去和丈夫提到这个情形，并告诉他，我们得想办法把这个习惯改掉。他极表同意，我们便开始计划要如何去做。我们先报名参加某些成人教育的晚间课程，也开始偶尔去打打保龄球；我们到朋友家拜访，或到图书馆借书来看，并大声念出来给大家听。我实在很高兴终于摆脱了坏习惯，也发现这无论是对工作或婚姻，都大有帮助。我们的生活变得更丰富，与他人的关系也更亲密、更有价值。

　　这两人原本深陷在习惯的泥沼里，不能自拔，但经过两人共同努力，才把自己拯救出来。

## 3. 发现生活中什么东西最能让我们感到满足

　　心理学家威廉·詹姆士在 1878 年写给妻子的一封信里，最能表现出这种思想：

　　"……我经常想，为一个人的品格下注脚的最好方法，应该是去找出他的精神或态度来，尤其是发生某些特别事件的时候，使他能感觉到自己最深刻、最活跃的生命来。在这种重要时刻，通常会有一种声音在他内心深处呐喊：'这是真正的我啊！'……"

　　换句话说，兴奋时刻会把我们的真正面目呈现出来。因为，感觉到"最深刻、最活跃的生命"，正是最令人兴奋的事！

　　这种兴奋也许与观念、性格或某种客观情况有关。但无论如何，兴奋本身能让我们摆脱掉习性、厌烦和压抑，然后把我们整个人生动地表现出来。

兴奋的品质是我们工作能否成功的极重要因素，因为情绪的动力是促成我们向前进的力量。伟大的物理学家及诺贝尔奖的得主爱德华·维克多·亚伯顿爵士即说过："在科学研究的领域里，我认为热忱要比专业技术还重要。"

很显然的，亚伯顿爵士并非表示专业技术在研究工作上不重要，而是认为：热忱——也就是一种兴奋——能使一个人把专业技术淋漓尽致地发挥出来。

在我44年的演讲教育生涯中，我发现，人们在演讲的时候，其效果当视演讲人对其所讲题目热心的程度而定。不论此人讲的是氢弹、岳母大人或是非洲的热带丛林，他对听众所发挥的影响力，完全与自己对题目感情的强度成正比。

人的个性虽不能改变，但可以借由某些行为呈现出来。要想发觉真正的自我——也就是我们与他人不同、真正具有价值的地方——则必须先去除掉许多人性的束缚，诸如：恐惧、畏缩、自我疑虑、迷惑及僵化人性中心思想的种种积习，等等。这时，兴奋便有如火把，能把捆绑住自我面貌的层层束缚挣脱掉，使真正的自我解放出来。

兴奋有许多面貌，爱便是其中之一。有部电影名叫《玛蒂》，便是叙述两个单调寂寞的人，如何因爱而彼此敞开心灵，迈向一个崭新的世界。

对另一些人来说，兴奋也可说是一种令人振奋的工作、活动或创作行为。耶鲁大学的威廉·林恩·菲尔普教授，曾写过一本名叫《教学的乐趣》的书，内中便详细描述了教学生涯如何使他活得又兴奋、又快乐。

危险或紧要时刻也会让人感到兴奋，因为能把人的某些性格呈现出来。有些灾难像战争、洪水或地震等，通常会造就出不少英雄人物。因为人在这种极具刺激或挑战性的时刻，才会把真正的自我和潜藏能力激发出来。还有一些告老退休，与儿女同住的老年人，虽然平常看起来好像没什么用处，但若家庭发生危机或意外打击，他们便能发挥出无比的力量和效率，而变得有如巨塔般令人仰之弥高了。

因此，这便是能使我们发现自我、发现我们与众不同的三种方法：

1. 每天安排独处的时刻；

2. 努力破除束缚自我的种种积习；

3. 用热忱及兴奋去追求。

心灵的成熟过程，是持续不断的自我发现、自我探寻的过程。除非我们先了解自己，否则我们很难去了解别人。根据苏格拉底的说法，"了解你自己"是智慧的开端。那么，"你是独一无二"的说法，便是现代人对古老智慧的新诠释了。

如果你想使自己变得更加成熟，第五项原则是：

**你是独一无二的。**

# 58

## 学会喜欢你自己

史迈利·布兰敦在一本书中写道："适当程度的'自爱'对每一个正常人来说，是很健康的表现。为了从事工作或达到某种目标，适度关心自己是绝对必要的。"

布兰敦医师讲得很对。要想活得健康、成熟，"喜欢你自己"是必要条件之一。但这是表示"充满私欲"的自我满足吗？不是的。这应该是意味着"自我接受"———一种清醒的、实际的接受自己的本来面目，并伴以自重和人性的尊严。

心理学家马斯洛在其著作《动机与个性》中也曾提到"自我接受"。他如此写道："新近心理学上的主要概念是：自发性、解除束缚、自然、自我接受、敏感和满足。"

成熟的人不会在晚间躺在床上比较自己和别人不同的地方——不会担忧自己不像比尔·史密斯那样有信心，或是像吉姆·琼斯那么积极进取。他可能有时会批评自己的表现，或觉察到自己的过错和效率不彰，但他知道自己的目标和动机是对的，他仍愿意继续克服自己的弱点，而不是自悔自叹。

成熟的人会适度地忍耐自己，正如他适度地忍耐别人一样。他不会因自己的一些弱点而感到活得很痛苦。

喜欢自己，是否会像喜欢别人一样重要呢？我们可以这么说：憎恨每件事或每个人的人，只是显示出他们的沮丧和自我厌恶。

哥伦比亚大学教育学院的亚瑟·贾西教授，坚信教育应该帮助孩童及成人了解自己，并且培养出健康的自我接受态度。他在其著作《面对自我的教师》中指出：教师的生活和工作充满了辛劳、满足、希望和心痛，因此，"自我接受"对每名教师来说，是同等重要。

今日，全美国医院里的病床，有半数以上是被情绪或精神出了问题的人所占据。据报道，这些病人都不喜欢自己，都不能与自己和谐地相处下去。

我并不想在此处分析导致这种情况的各种因素。我只是认为，在这个充满竞争的社会，我们往往以物质上的成就来衡量人的价值。再加上名望的追求、枯燥乏味的工作，处处都使我们的灵魂容易生病。我还坚信，由于普遍缺乏一种有力、持续的宗教信念，更是人们精神迷乱的重要因素。

哈佛大学的心理学家罗伯·怀特，在其发人深省的著作《进步中的生命：有关个性自然成长的研究》中提到，现今有一种观念极为流行，就是认为："人必须调整自己，以适应周遭环境的各种压力。"怀特博士继续指出，这个观念是基于一种理想，也就是认为，"人能毫无问题地去适应各种狭窄的管道、单调的例行公事、强制性的规定及达成角色任务的种种压力等等。但其采取的行动是否成功，则须看其是否具有拒绝、帮助成长或是改进角色的能力；并且要能创造、表现出积极的力量——换句话说，就是在其成长过程当中，要具有创意性的方针和态度。"

我十分同意怀特博士的说法。我们很少人有勇气独树一帜，或很清楚明了自己究竟拥护什么主张。我们的行为通常受社交或经济族群的影响，如衣、食、住或思考的方式，大概都与邻居差不多。假如周遭环境与我们的个性格格不入，我们会变得神经质或不快乐，会感到失落和迷惑——会不喜欢我们自己。

好几年前，有位女学员便曾碰到这种情形。她的先生是位成功的律师，有野心，做事积极，也相当独裁。这对夫妇的社交圈子当然是以先生的朋友为主，也都是相同典型的人——都以声望和外在成就来衡量人的价值。这位太太个性十分安静、谦逊，这样的生活环境常常使她觉得自己十分渺小，不能把长处发挥出来；而她所具有的品质，也常常被忽略、被藐视，因此她愈来愈对自己没有信心，也为自己不能达到别人的期望而痛苦不堪。她不喜欢自己。

这位太太的问题不是不能适应环境，而是不能适应自己。她不能愉快地接受自己的本来面目，而期望能变成另一个完全不同的人。她需要明白：每个人都具有一定的作用，可以在生活中表现出来。这种作用必须依着自己的个性表现出来，而不是模仿他人。明白了这点，她才会对自己产生信心。

她自我认同的第一步，是不再用别人的标准来评判自己，而必须建立起自己的一套价值观点，然后开始作为生活的依据。她也必须学习如何与自己相处，不要常常批判自己。

不喜欢自己的人，表现在外的症状之一便是过度自我挑剔。适度的自我批评是健康的、有益的，对自我求进步极有必要。但若超过一定程度，则会影响我们的积极行为。

好几年前，有位女学员在下课之后跑来找我，抱怨自己的演讲没有达到自己预期的效果。

"当我站起来演讲的时候，立刻意识到自己笨拙、胆怯的表现。"她说道，"班上的其他学员似乎都显得泰然自若，很有信心。但我一想到自己的种种缺点，便失去勇气，无法再讲下去了。"

她还继续分析自己的弱点，并说明得十分详细。

等她讲完之后，我便告诉她："别尽想自己的缺点。并不是缺点使你的演讲不好，而是你没有把长处发挥出来。"

的确，并不是缺点使我们的演讲、艺术作品或个人性格显得失败。莎士比亚的戏剧里有许多历史和地理上的错误；狄更斯的小说也有不少过度矫情的地方。但谁会去注意这些缺点呢？这些作品闪耀着不朽的光辉——由于它们的优点那么显著，以至缺点都变得不重要了。我们爱我们的朋友，是因为他们的种种优点，而不是缺点。

把注意力放在我们自身的好品质上，培养优点，克服弱点，如此才能不断进步并自我实践。当然，我们也会随时改正错失，却不必一直放在心上。

当耶稣遇到身体或精神受折磨的人，他不会先去查问为什么这些人会如此，也不会过度给予同情。他不会说："可怜的人哪，你的运气真不好，环境处处与你做对。告诉我，你是如何落难的？"

不，耶稣是直接进入问题重点。他说："你的罪被赦免了，回家去吧，而且不要再犯罪了。"

我们的心灵常因罪恶感，再加上过往和现在所犯的种种过错，而显得自惭形秽。我们不能尊敬或喜爱这样的自己。为了让自己跳出这样的情境，我们必须把过去种种埋葬掉，然后重新出发。

为了学习喜欢自己，我们必须培养出面对自己缺点的耐心。这并不意味我们必须降低水准，变得懒惰、糊涂或不再尽心尽力。这是表示我们必须了解一个事实：没有人——包括我们自己——能永远达到100％的成功率。期待别人完美是不公平的，期待自己完美则是愚蠢荒唐的。

几年前，我参加一个组织，其中有一位女会员是地地道道的完美主义者。她对每件事都力求精确，因此凡事不肯透诸他人，而必

须自己亲自去做。她连做个小小的报告都要费去许多时间研究：至
于演讲，就更要准备得精疲力竭为止。她讨厌不速之客到家里去，
每次请客都要事前计划得尽善尽美——这一位女士费了这么大的苦
心，终于把每件事都料理得井井有条，十分完美——一种冷酷的、
机械性的完美——没有欢乐、自在或温情。这样的完美，十足令人
生厌。

　　要求自己时时保持完美是一种残酷的自我主义。那表示：我们
不能仅表现得和别人一样好，而是要超越其他人，要像明星一样闪
闪发亮。我们的重点不是自我发挥，不是为了把事情弄好；我们注
重的是要胜过别人，使自己达到傲视他人的地位。

　　身为一个人，完美主义者也如同一般人一样会犯错，会失败。
但他们不能忍受这样的状况，因此会变得痛恨自己，不喜欢自己。

　　千万别这么苛待自己。有时候，我们要练习自我放松，取笑自
己的某些错误，要学习喜欢自己。

　　在前面一章，我曾提过要每天找出时间独处，以进一步认识自
己。独处也是学习喜欢自己的好方法。马里兰州巴尔的摩“赛顿心
理学院”的医疗主任李奥·巴德莫医师曾写过：“人们惯常在晚上休
息时冥想当日的种种活动。这种独思冥想的习惯，显然是学习如何
与自己相处的好方法。”

　　除非我们能与自己好好相处，否则很难期待别人会喜欢与我们
在一起。哈里·佛斯迪克曾经观察那些不能独处的人，形容他们好
像“被风吹袭的池水一样，无法反映出美丽的风景来。”

　　独处能使我们发现内在的休息港口，能有参详的对象，是我们
与外界接触的基础。安妮·马萝·林柏在其著作《来自海洋的礼物》
中曾说过：“我们只有在与自己内心相沟通的时候，才能与他人沟
通。对我来说，我的内心就像幽静的泉水，只有在独处时才能发现
其美。”

　　独处能使我们更客观地透视自己的生命。《圣经》里有一句忠
言：“要安静，便可知道我就是神。”这话至今仍是忠言。独处的确

对我们的心灵运动十分有益处，就好像新鲜空气对我们的身体极有帮助一样。

假如我们要依赖别人才能得到快乐与满足，则无疑会为他人增添负担，并影响到彼此之间的关系。要喜欢、尊重、欣赏我们自己，这不但能培养出健康成熟的个性，也能增进与他人相处的能力。

如果你想让自己变得更加成熟，第六项原则是：

**了解并喜欢你自己。**

# 59

## 不要盲从因袭

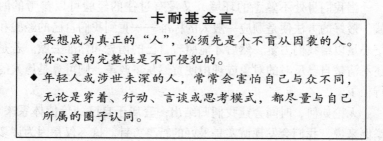

"要想成为真正的'人'，必须先是个不盲从因袭的人。你心灵
的完整性是不可侵犯的……当我放弃自己的立场，而想用别人的观
点去看一件事的时候，错误便造成了……"

这是最不盲从的拉尔夫·瓦多·爱默生所讲的名言。这对喜欢强
调"由别人的观点来看事情"以增进人际关系的人来说，无疑是一
大震撼。

也许，我们可以把爱默生的话作如下诠释："要尽可能由他人
的观点来看事情——但不可因此而失去自己的观点。"假如成熟能
带给你什么好处的话，那便是发现自己的信念及实现这些信念的勇
气——无论遇到什么样的因素。

　　年轻人或涉世未深的人，常常会害怕自己与众不同……无论是穿着、行动、言谈或思考模式，都尽量与自己所属的圈子认同。家里有青少年的父母，最害怕听到这样的话："莎莉的妈妈都让她搽口红。""别的女孩像我这样的年纪，都和男孩出去约会了。""老天爷，你们要我当个老怪物吗？没有人会在 11 点钟以前赶回家的。"如此等等。

　　小孩喜欢与同年龄的人做相同的事，他们很在乎朋友或玩伴对自己的看法。他们需要被自己的同伴接受——这是他存在的最重要证据。假如这同伴之间的标准与父母的标准发生冲突，对他们也会造成极大困扰。对身为父母的人来说，这也正是最让他们头痛的地方。

　　当我们身处不熟悉的环境，又没有过往的经验可以参考的时候，最好的方法便是顺应一般人的标准——直到我们自己的经验和信心足以给我们力量，然后才能照着自己的信念和标准去做。若是还不清楚自己反对的对象或理由便贸然从事改革，则可算是愚人的行径了。

　　无论如何，时间会让我们归结出一套属于自己的价值体系来。举例来说，我们会发现诚实是最好的行事方针。这不仅是因为许多人这么教导我们，也是经由我们自己的观察、经历和思索的结果而来，认为犯罪的代价是不值得的。很幸运的是，对整个社会来说，大部分人都对某些生活上的重要基本原则表示同意，否则，我们就要陷于一片混乱了。

　　但是，就算是基本原则也有受到考验的时候，尤其是一些不随波逐流的人会提出改革——这便是文明进步的动力。比如：人们一向对行之有年的奴隶制度不敢贸然表示反对，直到有少部分前卫人士起来大声疾呼，最后才逐渐得到响应。此外，用酷刑逼供、剥削童工、不人道的刑罚、产品误示等等，实在不胜枚举。这些不合理的现象，一度为大部分人所接受，不曾提出质疑，直到有少部分人起来反对，并坚持到底，事情才有了转机。

要想不随波逐流也并不容易，至少不是件愉快的事。有时，甚至还有危险性。大部分的人宁愿顺应环境，躲在人群当中接受保护，对各种统治者的领导毫不质疑或提出反对——我们不敢做与众不同的事。但是，我们并没有体认到，这种安全其实是虚伪的。大众心理其实最脆弱，最容易被牵着鼻子走的。

像追求安全感一样，人们顺应环境，往往最后变成了环境的奴隶。人的真正自由，是在接受生活的各种挑战，是要不断奋斗，并经历各种争议。著名的战地特派员爱特加·莫勒曾说过："一般男女并不因追求消极性的德行——如：顺应环境、安全或一般所谓的幸福——而达到人格的完整性，而是凭借承受重担以达到卓越的境地（这也是最大的幸福）。健康的人从不逃避困难，我们的祖先一直就了解这一点。"

我在前面曾讨论过接受责任的必要，并认为这是迈向成熟的第一步。由这个观点来看，成长应解释成：在父母的保护荫庇之下，逐渐走向自我发展的广阔世界。

假如我们真的成熟，便不再需要后退躲进懦怯者的避难所里——去顺应环境；我们不必躲在人群当中，不敢把自己的独特性显现出来；我们不必盲从别人的思想，而要凡事有自己的观点。

一些认为自己负有某种特别使命的人，并不需要你向他们发表什么有关人性价值的长篇大论。这种人通常为热诚的使命感所驱使，因此变得义无反顾——一种强烈的内在力量，使他们能不顾一切地去面对各种困难。

但一般人——像你和我，或隔壁的邻居——便常常摇摆于各种团体的压力之间。因为我们认为：假如有那么多人反对，想必是我们错了。我们的信念常常被绝对多数所压倒。当大多数人反对我们的时候，我们会对自己的判断失去信心。

也有人认为：那些不随波逐流的人，通常是一些古怪、喜欢哗众取宠或喜欢标榜"与众不同"的人。我们不会以为一个留胡子的人，或一个在大街上打赤脚的人，或穿着 T 恤参加正式宴会的人，或在剧院内抽雪茄的女士，是一些喜好自由的独立人士，反而会以为他们像动物园里的猴子一般，文明程度不甚高明罢了。

成熟的性格能增进我们的信念，也能驱使我们去遵行这些信仰。每个人对自己、对全人类、对神，都负有一种责任——就是好好运用自身所具备的种种能力，以增进全人类的福祉。

在这方面，爱默生所采取的坚定立场一向赢得我的敬重。他在世的时候，有很多从事反奴隶或其他种种改革运动的人希望得到他的支持，但都遭到拒绝。爱默生当然同情这些运动，也都希望他们能做得很好。但他却不认为应该把自己的精神与能力放到这些运动上面，因为那并不是他的专长。他非常坚持这个原则，虽然因此遭人误解，也在所不惜。

坚持一项并不获人支持的原则，或不随便迁就一项普遍为人支持的原则，都不是件容易的事。当一个不随波逐流的人，愿意在受攻击的时候坚持信念到底，的确需要极大勇气。

有次，我参加某个社交聚会，话题正转入最近发生的某个议题。当时，在场的人均赞成某个观点，只有一位男士表示异议。他先是客气地不表示意见，后来因为有人单刀直入地问他的看法，他才微笑道：“我本来希望你们不要问我，因为我是与各位站在不同的一边，而这又是一个愉快的社交聚会。但既然你们问了我，我就把自己的看法说出来。”接着，他便把看法简要地说明一下，立即遭到大家的围攻。只见他坚定不移地固守自己的立场，毫不让步。结果，他虽然没有说服别人同意他的看法，却赢得大家的尊重。因为他坚守自己的信仰，没有做别人思想的应声虫。

在不久之前，美国人还必须靠个人的决断以求取生存。那些驾着驿马车向西部开发的拓荒者，碰到事情的时候并没有机会找专家来帮忙解决困难。无论是任何危机或紧急状况，他们只有依靠自己。生病的时候，没有医师，他们便依靠常识或家庭秘方；印第安人来攻击的时候，没有警察，他们便依靠自己的力量和机智；要想安顿家庭，那时还没有什么建筑公司，完全得靠自己的双手；想要食物，更是得靠自己去耕种或猎捕。这些人，每次碰到生活上的任何问题，都得立刻下判断、作决定。事实上，他们也一直做得很好。

如今，我们生活在一个充满专家的时代。由于我们已十分习惯于依赖这些专家权威性的看法，因此便逐渐丧失对自己的信心，以致不能对许多事情提出意见或坚持信念。这些专家会这么取代我们的地位，是因为我们让他们这么做。

我们现今的教育趋势，是针对一种既定的性格模式来设计，因此这种教育方式很难训练出什么领导人才。由于大部分的人都是跟从者，不是领导者，所以我们虽然很需要领袖人才的训练，但同时也很需要训练一般人如何有意识、有智慧地去遵从领导。如此，才不会像被送上屠宰场的牛群一样，盲目地跟着走。

根据教育家华德·巴比的说法，我们的孩童是依照国家所需要的人格特性来施与训练，因此都养成了如下的特性——能社交、平易近人、能随时调整自己以适应群体生活等——没有什么小孩可以例外。畏缩性格被认为是不能适应环境的表现，每个小孩都必须参与游戏，都轮流当领导人；每个小孩都必须针对每个题目发表意见，都必须讨别人的欢喜。

但是，假如要使这些国家未来的主人翁，都能在我们的教育体系下愉快地接受训练，我们必须让那些有独立个性的小孩也有独立的空间。如果小孩喜欢阅读，不喜欢玩棒球；或是喜欢音乐，而不喜欢踢足球，都应该允许他们能照自己的意思去做，而不应把他们看成是与群体格格不入的人。

在一般公立学校，那些敢于提高声音，为自己子女的教育方式提出看法和意见的父母们，的确需要勇气。因为通常别人会告诉他们，最好把这些教育上的问题留给那些具有资格的专家去处理。但是，我认识一位住在城郊的年轻人，便勇敢地站出来为自己儿女的教育方式讲话。他是个具有独立思考的人，并对自己的信念极具信心。他不断提出问题，而且独自与一般公众意见奋战。一年之后，有不少人受他的影响，选他出来当社区教育委员会的委员。如今，不但他自己的子女蒙受其益，更有数百名学子因他所提出的意见而连带受到好处。

有许多小儿科医师告诉我们要如何喂养、抚育和照顾子女，也有许多幼儿心理学家也告诉我们该如何教导子女；做生意的时候，有许多专家告诉我们要如何使生意成交；在政治上，我们投票很少是出于个人的选择，大部分是跟从某些特定团体的意见；甚至我们的私生活，也常常受某些专家意见的影响。这些专家观察、制作图表，然后把意见销售给大众，让大众去消化、吸收，并奉之为救世的福音。

大部分人（无论是男女是女），都没有想到自己其实才是世界上最伟大的专家——在他们自己本身、家庭或事业的世界里，他们做某些事，只不过是因为某些"专家"这么说，或因为那是一种流行，跟着做也可以凑个热闹。

爱德加·莫勒常常用所谓的"群体状况"来警告我们——他认为这种东西会扼杀人类个体的珍贵价值。他在《周末文艺评论》中写道："这种扼杀，正如同令人痛恨的纳粹政权一样。它鼓舞了人性中的残暴和专制成分，这正与美国社会的理想背道而驰。美国的立国精神不仅在维护国家的独立，并且要使人民在国家中受到尊重。假如，美国人因受威胁、贿赂，或被教育成不具独立人格的族群，则就难怪他们也会群集起来反对政府了。"

莫勒最后在文章中作了如下结论："由于人类还无法达到天使的境界，但这也并不是他们必须变成蚂蚁的理由。"

不可否认的，我们今日最难要求自己达到的诫命便是："保持自己的真面目。"在这充满了大众产品、大众传播及装配线教育的当今社会，了解自己很难，要维持自己的本来面目更难。譬如，我们便常以一个人所属的团体或阶层来区分他们的属性，如"他是工会的人"、"她是上班的已婚妇女"、"他是自由派"、"他是反动分子"等等。几乎我们每个人都标有标签，也毫不留情地为别人贴上标签，这很像是小孩玩的"官兵捉强盗"的游戏。

普林斯顿大学校长哈洛·达斯，对顺应群体与否的问题十分关切。他在 1955 年的学生毕业典礼上，以《成为独立个体的重要性》的题目发表演说，指出：

无论你受到的压力有多大，使你不得不改变自己去顺应环境，但只要你是个具有独立个性气质的人，便会发现，不管你如何尽力想用理性的方法向环境投降，你仍会失去自己所拥有的最珍贵的资产——自尊。想要维护自己的独立性，可说是人类具有的神圣需求，是不愿当别人橡皮图章的尊严表现。随波逐流虽可一时得到某种情绪上的满足，却也时时会干扰你心灵的平静。

达斯校长最后做了一个很深刻的结论。他指出："人们只有在找到自我的时候，才会明白自己为什么会到这个世界上来、要做些什么事、以后又要到什么地方去等这类问题。"

澳大利亚驻美大使波西·史班德爵士，在 1955 年 6 月受任为纽约联合大学的名誉校长时，也发表了如下演讲：

生命对我们的意义，是要把我们所具有的各种才能发挥出来。我们对自己的国家、社会、家庭，都具有责任。这是我们来到这世上的理由，也能使我们活得更有用处。如果我们不去履行这些义务，社会便不会有秩序，我们的天赋和独立性也不能发挥——我们有权利、也应有一个神圣的机会去培养自己的独特性，并借以追求自己、家人、朋友，甚至全人类的快乐幸福。

如果你想使自己变得更加成熟，第七项原则是：

**不要盲从因袭。**

# 60

## 不要令人生厌

——— 卡耐基金言 ———

◆ 假如预防是最好的治疗，那么，在治疗疾病之前，我们须得先诊断出该疾病的原因来。

◆ 言语乏味的人不但不了解自己、不喜欢自己，甚至也不能保持自己的自然天性。

◆ 人若是心灵成熟，或心智继续成长，就能与人讨论任何事情而不致引人生厌。

在我们的周围，很多人总是在不断地给人制造乏味，让人生厌，这种人说不上什么罪过，也算不上什么不轨行为，却对他人有着极大的危害。而且我们生活的这一世界也无法将这些令人乏味的人或事隔绝开来，使它们不至总是纠缠我们；现在的医学十分发达，可以治疗许多疾病，如口臭、便秘、喉咙发痒、头痛、鸡眼，甚至掉头发等等，但至今似乎仍没有什么药方可以治疗这种"令人乏味"的疾病。

假如预防是最好的治疗，那么，在治疗疾病之前，我们须得先诊断出该疾病的原因来。我们现在就先来分析这"令人乏味的人或事"所产生的条件或方式。假如我们发现自己具有这些症状，便可了解为什么上星期雷苹太太没有邀请我们去参加她家的草坪舞会了。

以下是最会令人生厌的几种状况，如果我们事先了解在自己身上是否发生这些情形，并在今后加以避免，那不就成了一个令人喜欢之人么？

### 1. 不停地谈论小孩或宠物的事

"你的小孩好吗?"是一句最普通的问候语，却最会招来一大串令人生厌的报告。

这些报告通常不具什么价值，但只要一打开话匣子，你便得枯坐在那里，让滔滔不绝的话题把你淹没。这类品牌的谈话内容通常是这样的：

"你知道，约翰近来就是不好好吃早餐了。就是昨天，他把整碗麦片倒翻过来，盖在自己的头上。你看，真是调皮透顶了！于是，我打电话给小儿科医师。我说，医师啊，我已经想尽各种办法了，但强尼总是不肯好好吃东西。他不是把麦片吐出来，便是把麦片弄得到处都是。最严重的情况就是，他把麦片弄得满身都是。

"医师问我有没有试试看把麦片加点香蕉。但奇怪的就是，强尼从来就不喜欢吃香蕉。他叫香蕉'蕉蕉'——呵，怪可爱的。他说：'强尼不要蕉蕉。'胖胖的小手挥个不停，并且还高声大叫，差点把屋顶给掀了。当然，他是比同龄的小孩长得快，我们附近没有一个小孩像他这么有表达能力，真是奇怪！啊，对了，前几天，他还把桌巾从桌上拉下来，然后用那对漂亮的黑眼珠子望着我，说：'强尼拉拉。'我和他爸爸差点都笑死了。"

天啦，像这种说个没完没了的话题，相信你听到这里也快要烦死了。

可恨的是，这种人能够把各种话题轻而易举地引到他所想要说的方向，无论是多么风马牛不相干的事，都能马上"言归正传"。你若想把话题岔开，比如谈谈马龙·白兰度或洛赫逊，还是一点用处也没有，他们仍旧只喜欢谈自己的宝贝孩子。

我便遇见过这样的一位女士。假如当时的话题是有关国际关系或牛肉价格的，她都能干净利落地把话题直接引到她女儿达芬身上。她的技巧如下："啊，你当然不能相信那些俄国人。就在去年夏天，达芬有个大学朋友邀她参加一个到欧洲的旅行团。他们并没有进到铁幕去，只是考虑到要不要去一趟西柏林。达芬问我：'妈，你认为怎样？'然后我回答……"

就是如此这般。实际上，这些都是心灵尚未成熟的人，因为他们还不懂得交友的第一法则——为别人着想。

不幸的是，这些令人生厌的话题不仅只是来自喜欢话当年的父亲，或是喜欢巨细无遗、凡事交代详细的母亲。像一位住在水牛城的销售员，他刚做成一笔雪胎的生意，因此会不厌其烦地向你详述他如何连哄带骗地要一家百货公司签下一笔价值一万美元的大生意。

或是，你是否听过一名桥牌高手谈到他如何赢得满贯——是3胜1，或2胜？另有些热情影迷，他们喜欢把刚看过的电影情节，丝毫没有遗漏地从头到尾讲给你听，使你听得几乎想用台灯当头向他打下去。

这些令人生厌的话题范围包含甚广，不仅只是有关小孩、桥牌或电影而已，那很可能是丈夫的最大嗜好——重新整修家具，或是爱玛表姐的水果收藏室；那很可能是某兄弟的工作，或是某姐妹的痛苦遭遇；甚至也可能是有关猫狗等宠物的琐事。有次，我在曼哈顿的某个街角碰到一位老朋友，她便用了20分钟向我详述她家金丝雀的消化系统如何出了毛病。

## 2. 谈话没有重点

马克·吐温有篇作品，是模仿一个唠叨乏味的人，如何漫无边际地描述一件事，却从没有讲到要点的经过。故事是这样的："啊，我跟你讲过我到西部参观哈比印第安村的事吗？我们是星期五早上出发——啊，不是，应该是星期四——记得吗？我告诉过你我们得星期四走，因为星期三我要去看牙医。我上面的牙有点松动，因此要牙医帮我修理一下。天，那个牙医真是啰嗦，一直讲个不停。幸好他还懂得做生意。我曾和上司提起过他。说到我的上司，他真是个怪人，什么事都要靠我，因为他老是心不在焉。有天，我对爱拉说：'爱拉，假如我哪天不干了，你想我的上司会怎么办？'爱拉回答说：'比尔，假如你辞职不干，我就要回家去找妈妈了。'这不是很孩子气吗？"

结果，你一直都不知道那个哈比印第安村究竟是怎么一回事！

### 3. 踢到铁板了

这种典型的人，较诸健谈的人当然为数较少，但也值得一提。

当你使出浑身解数，想要找出一个意气相投的话题来当作谈话的材料，却发现完全是对牛弹琴。你试了又试，想要逗他讲出一些东西，但得到的只是面无表情的反应，或几声单调的"哦"而已。假如幸运的话——我可从来没有过——或许可以听到一句比较具体的问话——"是吗"以作为你"单人秀"的奖励。

这种人似乎完全没有感性。想从他身上挖掘出什么智慧或礼貌性的反应，就好像打算到外星球去发行股票一样困难。他们不会对你感兴趣，只会永远保持那种马铃薯似的安静，绝不受外界干扰。他们正如同威廉·史特格笔下的漫画人物重新复活——假如那也可以称之为"活"的话。

### 4. 不管谈什么，都一直要争论不休

与这种典型的人交谈，任何话题都会像回力球一样，反弹打到你脸上。

这种人似乎知道每件事的答案，并且能断然用几句话，便很有效率地结束任何讨论，别人都没有再发言的余地。假如你同他有不同的观点，他会毫不客气地指出你得了严重的斗鸡眼。

"天啊，你疯了吗？"他大声咆哮，"难道你不知道这事早经证实，就是……"或是，假如他当天情绪较好，则会放低声音告诉你："不是的，先生，你完全错了！我告诉你……"

这种毫无情趣的人，其实也是不成熟的表现。麻烦的是，他们总会告诉你一些事——断然地、结论性地、鲁莽地——而且也不是你特别喜欢听的东西。

应付这种人，只有一个方法：就是无论他讲些什么，都要表示同意的样子。否则，纵使温和地表示不同意，那么，一场消耗战便要弄得你精疲力竭了。与这种人交谈，你很难期待能彼此讨论或交换看法，因为他只注意如何把自己的意见说清楚，并且像摩西颁布律法那样具有不可侵犯的权威性。

### 5. 永远唱低调的人

这些人对事都充满悲观的看法。在他们眼中，这世界简直像地狱一样。他们对人生没有什么指望，认为人世间到处是傻瓜、骗子和各式各类恶毒的人；甚至连气候也变了——当然是变得不稳定，变得比以前更坏了。

与这种人谈上十几分钟，你大概也会不知不觉地感染上这种低调，变得闷闷不乐起来。因为这种气氛跟坏天气一样，具有不良的影响力，无论你自己的情绪有多好，只要气候一变，也很难不被卷入风暴里了。

我认识一位太太，正是这类人的典型。每次见面，她都要向我详细报告近况。不幸的是，似乎总没有一件是好事。

"我刚去逛街，想要买些厨房窗帘的布料。"她会这么开始，"没有一个店员过来帮忙。我足足等了有十几分钟。他们不是很忙，只是走来走去，或聚在角落里聊天。当然，他们偶尔也望我一眼，但大概觉得我不像是什么有钱人，不值得特别侍候。其他店的情形也是一样，我最近真是受够了！还有，我的健康情形也愈来愈坏。医师说，他实在不知道我日子是怎么过的——我的消化功能已快要完全丧失了！还有这天气，总是使我的骨头疼痛难当。像我这种情形，也许你会以为我的家人多少会关心我一点，但是，不瞒你说，若我需要什么帮忙，这可是我最后会考虑的地方。"

我仅是举出一小部分而已。这些人所能抱怨的，可是毫无止境。

无论是喜欢诉苦的女孩，或是健壮的大男人，这类人只要一开口，通常是说个没完没了。他们把自己放在舞台中央，是各方注意的焦点。只是，听众所能回报的，大概只是一个大大的、深长的哈欠，并希望自己就此失去意识，直到话题结束为止。

对这些令人苦恼的人士，最麻烦的是，他们并不知道自己的言谈令人生厌。正如我们所说，没有人会故意惹人讨厌。这些人，他们认为自己是各种集会的活力泉源，是聪明伶俐的社交家、是提供情报或珍贵信息的人。也许你和我也正是这一类型的人，只是自己毫无所觉罢了。

所幸这类状况还是有迹可循，只要我们留心观察，随时警觉，应该还能及时挽回我们的听众。

比如，有些听众会现出不自然的微笑或眼神。如果我们正滔滔不绝地谈到自家的小威利如何讨人喜欢，然后，发现听众正坐立不安、心神不宁的样子，那时我们便要赶快停止话题，或是让对方也有机会可以谈谈他们家的孙女儿。当然，接下去便是轮到你受苦了。

另一个值得注意的迹象，是对方开始偷偷地看手表。假如，他们开始用力甩手表，或是把手表拿到耳朵旁边，其用心就更明显了。你那时若不立即打住话题，就要明白对方已开始在内心嘀咕，甚至开始咒骂了。公开演讲的人士尤其应该随时注意这种"看表征候"。

飘忽的眼神也是一项不可忽略的警示，那是对方对目前的话题不感兴趣的表示。例如在一个鸡尾酒会上，我们正好逮住一个可怜的家伙倾听我们发言。那时，假如他急切地想摆脱苦难，唯一的方法便是用乞求的眼神向经过的人求救。当然这个方法一点效用也没有，没有人会傻得愿意同他交换位置。因此，假如你尚有些人性的话，最好赶快停止话题，放了那个可怜的家伙。

也许你会问：以上谈到的问题，究竟与心灵的成熟有什么关系呢？我们可以这么说：言语乏味可以显示出说话的人缺乏智性、想像力和对人的敏感性，而这些特性都是完成健全人格、能对别人有正常反应所不可或缺的重要因素。

言语乏味的人不但不了解自己、不喜欢自己，甚至也不能保持自己的自然天性。由于他不能使别人了解自己的基本需要，并得到满足，因此在与别人交往的时候，也很难去了解并满足他人的需要。为了补偿内心的空虚，这种人会把注意力集中在一些琐事上面，并过分加重这些琐事的重要性。他的沟通方式与其精神层面一样毫无趣味。他绝不是个真正有趣的人——而是现代人沉浮在人世间的悲剧象征——没有坚定的支持力量或对事物有一定的看法。

言语乏味是人格生病的一种症状，也是人格不再成长的一种现象。

人若是心灵成熟，或心智继续成长，就能与人讨论任何事情而不致引人生厌。因为凡是经由他处理的每件事，都会变得有意义。同样的事，言语乏味的人处理起来是毫无趣味，但成熟的人却能将其变得活泼有朝气。

但这些令人生厌的人，却是使我们愿意为成熟而更努力的最大刺激因素。因为这些人让我们深深体会到：假如我们不努力，终有一天也会变成那副模样。所以，如果你想让自己变得更加成熟，第八项原则是：

**时时注意自己身上的那些令人讨厌之举。**

# 61

## 为什么别人要喜欢你

当我们还是处在做梦年龄的时候，常常梦想有朝一日要写出最
伟大的小说来。想像别人是如何赞赏那本书；如何听到掌声；如何
嗅到那永远的荣耀。

想像自己要穿什么样的衣服；所到之处，别人是如何赞美、追
求、不断引用自己讲过的话。我们想了许许多多，就是从来不曾想
过可能会遭到的困难，或是那些沉闷辛苦的工作，那些在创作过程
中所要流出的泪和汗。我们想的都是有关荣耀的报偿，而不是如何

努力去赢得这份荣耀。

像这种幼年时期的稚气行为，可说是典型的"一颗寂寞的心灵想要得到友谊"，或是"想要与他人建立良好关系"的心理表现。只是，我们把次序弄错了——我们是希望别人先来喜欢我们，却不曾想到要如何才能让人喜欢。

我常听到许多人埋怨："我性情过于羞怯，很难引起别人注意"、"没有人会对我感兴趣"或是"别人并不想认识我"等等。

不错，别人为什么要喜欢你呢？这世界并没有义务非要喜欢你或我，或任何一个人。有什么特别理由别人会特别选中你（无论是工作或社交的理由）？除非我们具有他们所要的特质，否则，他们没有必要特别注意到你。

中国的孔子曾经说过："最重要的，不是别人有没有爱我们，而是我们值不值得被爱。"要想赢得别人的友谊或感情，必须先不去担心别人是否喜欢我们，而是要用心去改善自己的态度，并增进能让别人喜欢你的品质。

玛丽安·安德逊曾经很生动地描述她早期的生活——她那时事业失败，整个人很不得志，几乎就要放弃歌唱生涯。后来，凭借心灵的追求，她才逐渐恢复勇气和信心，准备继续为自己的事业奋斗下去。有一天，她兴致勃勃地向母亲说道："我要再唱下去！我要每个人都喜欢我！我要继续追求完美！"

母亲回答道："很好啊！这是很好的志向——但是，要知道，人在成就伟大的事业之前，必须先学会谦卑。"玛丽安听了，深受感动，因此决心在音乐造诣上"力求"完美，而不是"想要"完美。"谦卑先于伟大。"这是母亲给她的最好赠言。

在好莱坞默片时代，以拥有狗明星"强心"而名噪一时的亚伦·卜恩，由于观察许多狗的动作和行为，因而写下一本极为轰动的畅销书：《写给强心的信》。他在书中说道，强心在拍片时，很能自得其乐，看起来不是为报酬而工作，而是它本身真的喜欢这项工作。好几次，现场根本没有人要求它表演，它却一直表演得兴高采烈，可见它丝毫不是为报酬或奖赏而工作——这就是它能成为明星的小秘密。

卜恩先生另外告诉我们一个小舞星的故事。那个小女孩在试镜的时候，十分紧张，几乎没有勇气出场。卜恩告诉她："不要去揣想试镜的结果，只要高高兴兴地跳就是成功。"

果然，那女孩不再紧张，并且试镜之后获得录用。

是的，赢得别人注意的最好方法，是不要去担心结果如何，或在意别人是否喜欢我们。只要我们开始采取行动，努力去实践那些必须完成的事项即可。正如威廉·奥斯勒爵士所说的："不用为模糊不清的未来担忧，只要清清楚楚地为现在努力即可。"

名作家荷马·克洛维是我的好朋友，十分懂得交友之道。凡是碰到他的人，无论是清道工、百万富翁、妇孺老幼——都会在与他相处 15 分钟之内，对他产生好感。为什么呢？他既不年轻，又不英俊，更不是百万富翁，他有什么魅力可以吸引人呢？很简单，因为他一点也不矫揉造作，并且能让别人感觉到他真的喜欢、关心他们。

小孩会爬到他的膝上；朋友家的仆人会特别用心为他准备餐点；而且，假如有人宣布："今晚荷马·克洛维会到这里来！"则当天的宴会一定没有人缺席。除了朋友间深厚的感情之外，荷马·克洛维的家人也都十分敬爱他。他的妻子、女儿，还有好几个孙儿女，全都对他称赞不已。

究竟这位作家是如何赢得这种幸福的？说来也很简单——就是待人诚恳、热爱人类而已。对他来说，对方是什么人，或做什么事，他都不会在意。只要是身为一个人，对他便意义重大，值得付出关爱。每次他遇见陌生人，很快就能像老朋友一样交谈起来——并不是专谈自己的事，而是尽量谈对方的事。他借由问问题，可以知道对方是从哪里来，做什么事，有没有什么家人等等。他不会唠叨个不停，只是向对方表示自己的兴趣和关心，借以建立起友谊。

这种方法，连最爱嘲笑人生的人，都会像阳光下的花朵一样吐露芬芳。正像约瑟夫·格鲁大使所说的："外交的秘诀仅在5个字：我要喜欢你。"

荷马·克洛维从不担心要如何结交朋友——因为他已经是每一个人的朋友。他不在意别人是否喜欢自己，而是专心一意去喜欢别人，结果反而有"无心插柳柳成荫"的效果。

有经验的销售人员一定都知道，假如你一直担心生意是否成交，则一定会造成心理负担而不能好好表现。"大众食品"的董事长哈利·布里斯在大学时代，曾经靠推销缝纫机来赚取学费。布里斯先生认为，好的销售员不会去关心买卖是否成交，而是专心一意去服务顾客。

假如销售员的注意力是集中在服务顾客，其产生的力量会较大，也比较不会遭到拒绝。想想看，谁会拒绝别人来帮忙解决问题呢？

布里斯先生说："我现在常常告诉销售员，假如他们每天早晨都先这么想过一遍：'今天，我要尽可能去帮人解决问题。'而不是认为：'今天，我要尽可能多做几笔生意。'那么，他们会更容易与顾客沟通，生意自会成交。那些致力于帮助别人解决问题，使别人能活得更好、更快活的人，才是真正最好的销售人员。"

我们玩高尔夫球的时候，眼光通常都集中在球上。我在教导学生如何与人沟通的时候，则通常告诉他们把注意力集中在所要传达的信息上面。假如你遇事过于在意成效如何，就容易产生紧张、害怕、表达不良等副作用，结果反而真的达不到你所要的效果。

我自己也是尝尽苦头才学到这个教训。由于我胆小，因此惹得别人特别喜欢欺负我。像餐馆的侍者、火车站的脚夫、计程车司机等等，都经常喜欢吓唬我。此外，我也不是个公开演讲的料子，要我站在别人面前讲点话，其花费的精力大概和别人主持大型的会议不相上下。

好几年前，我准备发表演讲，当时的听众据说相当难缠。我事前与一位好朋友共餐，免不了流露出紧张的情绪。"假如听众不同意我讲的话，怎么办？"我神经兮兮地问那位朋友，"假如他们不喜欢我，该怎么办？"

"不错，"朋友回答道，"他们为什么要喜欢你呢？你能给他们干什么？你认为自己要讲的话很重要吗？"

我承认那些东西对我来说，的确意义十分重大。

"很好，"她继续说道，"我倒不觉得听众喜不喜欢你有什么重要。重要的是你有没有把想讲的信息传达出去。至于他们喜欢或讨厌你，又有什么关系呢？至少，你已完成了任务。"

朋友的这番话，改变了我对演讲的整个看法。现在，每当我准备发表演讲的时候，都会在事前先静心祷告："神啊，求你帮助我传达出对这些听众有益的信息来，让他们有所收获，满心欢喜地回家。"这样的祷告对我十分有用，而我也的确希望能对听众有帮助。这样的祷告使我谦卑地体认到自己只不过是个传达某些信息的讲员，而不是要显露自己的学问或风采。我的目的是要带给听众一些鼓舞性的思想，以期对他们的生活有助益。

得到友谊的最佳方法，是必须注重施予，而不是获得——但应该是亲自赢取得来，而不是靠一时的吸引或哄骗。所谓赢取友谊的能力，并不是指勾肩搭背、与人攀谈、动作滑稽或讲些逗趣的笑话等。那应该指的是一种心境、一种处世的态度或是一种愿意把自己的爱、兴趣、注意力及服务精神献给他人的愿望。

这听起来很像是牧师的讲道内容，是吗？不错，我们的文明愈进步，就愈可发现在几千年前的宗教信仰里，早已经详细说明过这些事实了。

《来自史洛夏普的少年》一书作者休士曼，可说是英国杰出的知识分子。他身兼诗人、评论家、演讲家和教师等身份，一向不喜欢教条和所谓的"宗教传说"。但有一次，他在演讲中却这么提到："我认为人类史上最有深度的一句话是：'那些想挽救生命的人，往往会失去生命；而那些失去生命的人——对我来说，其实是挽救了生命。'"

休士曼讲的是有关艺术、美学的精神，强调创作性艺术家应当看重创作本身，而不是创作所可能得到的报偿。上面的一席话，不但对艺术的理论属实，对事业、对赢取友谊、对人类各方面的种种努力，亦是属实。我们须把首要的事放在前头，如：要想赢得爱情，先要值得被爱；要想赢得友谊，先要表示友善；要想赢得别人对我们感兴趣，就得先要对他们发生兴趣——没有什么方法可以一劳永逸。

当然，为了要得到友谊和情爱，我们必须先认清"施比受更有福"，然后把这种认知用实际行为表现出来。我们不能只是把金矿藏在内心，黄金必须使用才能显示其价值。像《圣经》所说的："由所结的果子，便可认出他们来。"

不错，夫妻间深厚的感情，是不必常用言语表达出来。但是，假如这种感情也不用其他方法来表示的话，很可能就会因失去滋养而干枯掉。我们常听许多太太言道，当她们亲爱的丈夫为某些小事表达谢意的时候，她们是多么高兴！

爱是人类能够进步的基础，也是我们与他人交往的桥梁，更是衡量一个人是否成熟的依据。我们必须感受到他人的感受，要有"人饥己饥，人溺己溺"的敏感。这就是"同情心"，是我们与他人"同在"的一种感觉。同情心能使你对弟兄情谊有真正的体会，也是人与人之间"四海一家"的感情联系。同情心使人类能够摆脱奴隶制度，迈向真正的文明。假如我们想与他人维持成熟的人际关系，同情心可说是一种必备的感受能力。

如果你想使自己变得更加成熟，第九大原则是：

**要让别人喜欢你，先得使自己让人喜欢。**

# 第八篇

# Perfect Ways to Conquer Worry

## 走出孤独忧虑的人生

# 62

## 孤独是现代人的通病

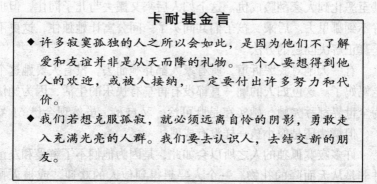

**卡耐基金言**

◆ 许多寂寞孤独的人之所以会如此，是因为他们不了解爱和友谊并非是从天而降的礼物。一个人要想得到他人的欢迎，或被人接纳，一定要付出许多努力和代价。

◆ 我们若想克服孤寂，就必须远离自怜的阴影，勇敢走入充满光亮的人群。我们要去认识人，去结交新的朋友。

5年前，我的一位朋友失去了自己的丈夫，她悲痛欲绝，自那以后，她便和成千上万的人一样，陷入了一种孤独与痛苦之中。"我该做些什么呢？"在她丈夫离开他近一个月之后的一天晚上，她跑来向我求助，"我将住到何处？我还有幸福的日子吗？"

我极力向她解释，她的焦虑是因为自己身处不幸的遭遇之中，才50多岁便失去了自己生活的伴侣，自然令人悲痛异常。但时间一久，这些伤痛和忧虑便会慢慢减缓消失，她也会开始新的生活——从痛苦的灰烬之中建立起自己新的幸福。

"不!"她绝望地说道,"我不相信自己还会有什么幸福的日子。我已不再年轻,孩子也都长大成人,成家立业。我还有什么地方可去呢?"可怜的妇人是得了严重的自怜症,而且不知道该如何治疗这种疾病。好几年过去了,我发现朋友的心情一直都没有好转。

有一次,我忍不住对她说:"我想,你并不是要特别引起别人的同情或怜悯。无论如何,你可以重新建立自己的新生活,结交新的朋友,培养新的兴趣,千万不要沉溺在旧的回忆里。"她没有把我的话听进去,因为她还在为自己的命运自艾自叹。后来,她觉得孩子们应该为她的幸福负责,因此便搬去与一个结了婚的女儿同住。

但事情的结果并不如意,她和女儿都是面临一种痛苦的经历,甚至恶化到大家翻脸成仇。这个妇人后来又搬去与儿子同住,但也好不到哪里去。后来,孩子们共同买了一间公寓让她独住,这更不是真正解决问题的方法。

有一天她对我哭诉道,所有家人都弃她而去,没有人要她这个老妈妈了。这位妇人的确一直都没有再享有快乐的生活,因为她认为全世界都亏欠她。她实在是既可怜,又自私,虽然现今已61岁了,但情绪还是像小孩一样没有成熟。

许多寂寞孤独的人之所以会如此,是因为他们不了解爱和友谊并非是从天而降的礼物。一个人要想得到他人的欢迎,或被人接纳,一定要付出许多努力和代价。要想让别人喜欢我们,的确需要尽点心力。情爱、友谊或快乐的时光,都不是一纸契约所能规定的。让我们面对现实。无论是丈夫死了,或太太过世,活着的人都有权利再快乐地活下去。但是,他们必须了解:幸福并不是靠别人来布施,而是要自己去赢取别人对你的需求和喜爱。

让我们再看另一个故事。

一艘正在地中海蓝色的水面上航行的游轮,上面有许多正在度假中的已婚夫妇,也有不少单身的未婚男女穿梭其间,个个兴高采烈,随着乐队的拍子起舞。其中,有位明朗、和悦的单身女性,大约 60 来岁，也随着音乐陶然自乐。这位上了年纪的单身妇人，也和我的那位朋友一样，曾遭丧夫之痛，但她能把自己的哀伤抛开，毅然开始自己的新生活，重新展开生命的第二度春天，这是经过深思之后所做的决定。

她的丈夫曾是她生活的重心，也是她最为关爱的人，但这一切全都过去了。幸好她一直有个嗜好，便是画画。她十分喜欢水彩画，现在更成了她精神的寄托。她忙着作画，哀伤的情绪逐渐平息。而且由于努力作画的结果，她开创了自己的事业，使自己的经济能完全独立。

有一段时间，她很难和人们打成一片，或把自己的想法和感觉说出来。因为长久以来，丈夫一直是她生活的重心，是她的伴侣和力量。她知道自己长得并不出色，又没有万贯家财，因此在那段近乎绝望的日子里，她一再自问：如何才能使别人接纳她，需要她。

她后来找到了自己的答案——她得使自己成为被人接纳的对象。她得把自己奉献给别人，而不是等着别人来给她什么。想清了这一点，她擦干眼泪，换上笑容，开始忙着画画。她也抽时间拜访亲朋好友，尽量制造欢乐的气氛，却绝不久留。不多久，她开始成为大家欢迎的对象，不但时有朋友邀请她吃晚餐，或参加各式各样的聚会，并且还在社区的会所里举办画展，处处给人留下美好印象。

后来，她参加了这艘游轮的"地中海之旅"。在整个旅程当中，她一直是大家最喜欢接近的人。她对每一个人都十分友善，但绝不紧缠着人不放。在旅程结束的前一个晚上，她的舱旁是全船最热闹的地方。她那自然而不造作的风格，给每个人留下了深刻印象，并愿意与之为友。

从那时起，这位妇人又参加了许多类似这样的旅游。她知道自己必须勇敢地走进生命之流，并把自己贡献给需要她的人。她所到之处都留下友善的气氛，人人都乐意与她接近。

虽然现在时代进步，医学发达，但我们的社会却有一种疾病愈来愈普遍，那就是处于拥挤人群中的孤独感。

在加州奥克兰的密尔斯大学，校长林·怀特博士在一次女青年会的晚餐聚会里，发表了一段极为引人注意的演讲，内容提到的便是这种现代人的孤寂感："20世纪最流行的疾病是孤独。"他如此说道，"用大卫·里斯曼的话来说，我们都是'寂寞的一群'。由于人口愈来愈增加，人性已汇集成一片汪洋大海，根本分不清谁是谁了……居住在这样一个'不具一格'的世界里，再加上政府和各种企业经营的模式，人们必须经常由一个地方换到另一个地方工作——于是，人们的友谊无法持久，时代就像进入另一个冰河时期一样，使人的内心觉得冰冷不已。"

那些能克服孤寂的人，一定是生活在怀特博士所说的"勇气的氛围"里。无论我们走到哪里，一定要培养出与人们亲密的情谊关系。就好像燃烧的煤油灯一样，火焰虽小，却仍能产生出光亮和温暖来。

我们若想克服孤寂，就必须远离自怜的阴影，勇敢走入充满光亮的人群里。我们要去认识人，去结交新的朋友。无论到什么地方，都要兴高采烈，把自己的欢乐尽量与别人分享。根据统计显示，大部分结过婚的妇女，都比先生活得长寿。但是，一旦先生过世之后，这些妇女都很难再创新生活。而男性由于工作的关系，基于工作本身的要求，他们不得不驱使自己继续进步。通常，夫妇当中，先生要比太太来得强壮，也更富进取性。妻子则大部分以家庭为中心，以家人为主要相处对象。所以，她对必须独自生活或追求个人的幸福，并没有什么心理准备。但是，假如她决心迈向成熟的话，应该是可以做得到的。

当然，孤寂并不专属于鳏夫或寡妇。无论是单身男子或美丽的女王，无论是城市的异乡人或村里的流浪汉，都一样会尝受到孤寂的滋味。

几年前，有个刚从学校拿到证书的毕业生，只身来到纽约，准备大展宏图，为这城市带来一点光彩。这位青年长得英俊潇洒，受过良好的教育，也颇有阅历，自己也很为自身的条件感到骄傲。安顿妥当之后的第一天，他在白日参加了一个销售会议，到了夜晚，他忽然感到孤单起来。他不喜欢独自一人吃饭，不想一个人去看电影，也不认为应该去打扰一些在城市里的已婚朋友。或许，我们还可以再多添一个理由——他也不想让女孩缠上自己。

当然，他是希望能碰到一个好女孩，但那绝不是从酒吧或什么单身俱乐部一类的场所去随便挑一个来。结果，他只好在那个准备大展宏图的城市里，独自度过了寂寞凄凉的夜晚。

我能了解大都会的生活，有时是比小镇更会让人有孤寂感；我也了解，要在大都市里生活，有时更得花点心神去结交朋友，并让这些朋友接纳你、需要你。在去一个大都市之前，要先想好以后的日子——尤其是下班后的时间——要如何打发。你当然需要有些兴趣相同的人在一起，但你得先伸出友谊之手。

初到一个陌生的城市，其实有很多事情可做——你可以上教堂或参加同好俱乐部——都可以增加认识人的机会。你也可以选修成人教育课程——不但可以自我求进步，更可以得到同伴和友谊。但是，假如你只是默默一人在餐馆里吃饭，或在酒吧独自喝闷酒，那就无怪乎得不到什么情谊了。你一定得去安排或做些什么事。我们都知道纽约的地铁是全世界最大的地下交通网，但假如你不愿意先投下一个硬币，走进那个旋转门，整个地下铁路系统对你就没有什么用处。

好几年前，我认识了两个女孩，她们在纽约东区共租了一间公寓同住。两个女孩都长得十分迷人，也都有一份待遇不错的工作，都希望自己有朝一日能出人头地。让我惊奇的是，其中一位女孩，以她的年纪来说，是相当具有智慧的。她认为居住在大都会的女孩——尤其是单身女孩——一定要仔细安排自己的生活，并计划自己的未来。她到一间教会去，积极参加各种活动。她还加入一个研讨会，甚至选修一门改进个性的课程。她把自己的薪水尽量用来与人交往，并开创出多彩多姿的生活内容。

她有适度而愉快的休闲活动，但对于社交关系则相当谨慎，尤其尽量避免暧昧不清的男女关系。

她初到纽约的时候，当然也感到寂寞——哪一个女孩不会有这种感觉呢？但是，她不是像某些男性一样，在海底潜游了半天，却只寻得一块海绵。她知道，自己一定要有计划。如今，她已成了我的好朋友，我也时常去探访她。她与一位聪明的年轻律师结了婚，婚后生活十分愉快。这便是她强调"要达到目标"的结果——她得到了幸福快乐的人生。

至于另外的那个女孩呢？她当初也很孤单寂寞，却没有细心安排自己的生活。她四处到一些游乐场所或酒吧寻找朋友，最后只是加入了一个俱乐部——协助酗酒者的"戒酒俱乐部"！

所以，如果你不想让自己孤独忧虑，第一项原则是：

**幸福并不是靠别人来布施，而是要自己去赢取别人对你的需求和喜爱。**

**克服忧虑的真实故事**

# 99％的烦恼其实不会发生

C. I. 布莱克伍德

1943年夏季，世界上大多数烦恼似乎都降临到我的头上。

40年来，我的生活一直很顺畅，只有一些身为大夫、为人之父及生意上的小烦恼。我通常也能从容应付。可是突然间，接二连三的打击向我袭来，我因为下面这些烦恼整晚辗转反侧：

1．我办的商业学校，因为男孩都入伍作战去了，因此面临严重的财务危机，很多不学无术的女孩在武器工厂工作的工资，比我们学校的毕业生上班的薪水还高。

2．我的长子也在军中服役，像所有儿子出外作战的父母一样，我非常牵挂担忧。

3．俄克拉何马市正在征收土地建造机场，我的房子——由我父亲继承来的——正位于这片土地上。我能拿到的赔偿金只有市价的 1/10，可是最惨的是，我无家可归，因为城市内的房屋不足，我担心我能不能找到一个遮蔽一家 6 口的房子。说不定我们得住在帐篷里，连能不能买到一顶帐篷，我也觉得不放心。

4．我农场上的水井干枯了，因为我房子附近正在挖一条运河。再花 500 美元重新挖个井，等于把钱丢到水里，因为这块土地已被征收了。我每天早上得运水去喂牲口，可能要搞两个月，说不定后半辈子都得这么累了。

5．我住在离商业学校 10 英里远的地方，限于战时的规定，我又不能买新轮胎，所以我老担心那辆老爷福特车会在前不着村后不着店的荒郊野外抛锚。

6．我的大女儿提前一年高中毕业，她下决心要念大学，我却筹不出学费，她会因此心碎的。

一天下午，我正坐在办公室里为这些事烦恼着，我忽然决定把它们全部写下来，我倒不怕给我一个奋斗的机会去解决这些问题，只是这些困难好像已超出我的控制范围。看着这些问题我觉得束手无策。于是只有把这张打了字的烦恼事项收起来。就这样，几个月过去了，我几乎忘了写下的是什么。一年半以后，有一天整理东西时，又看到这张列下了摧残我健康的 6 大烦恼。我一面看一面觉得很有趣，同时也学到了一些东西，因为我现在知道，其中没有一项真正发生过。

这六大烦恼的发展情形如下：

1．我发现担心学校无法办下去是没有意义的，因为政府开始拨款训练退役军人，我的学校不久就招满了学生。

2．我发现担心从军的儿子也没有意义，他毫发无损地回来了。

3．我发现担心土地被征收去盖机场也是无意义的，因为附近发现了油田，因此不可能再被征收。

4．我发现担心没水喂牲口是无意义的，既然我的土地不会被征收，我就可以花钱掘口新水井。

5．我担心车子在半路抛锚是无意义的，因为我小心保养维护，倒也维持下来了。

6．我发现担心长女的教育经费是无意义的，因为就在大学开学前六天，有人奇迹一般地提供我一份从事稽查的工作，可以用课后的时间兼差，这份工作帮助我筹足了学费。

我以前也听过人们谈道，99％的烦恼都不会发生，我一直不大相信，直到我再看到自己这张烦恼单，我才完全信服。

虽然我白白为这些烦恼而担忧，但我还是觉得很值，因为我学到了一个永生难忘的经验，让我体会到一个深刻的道理，为了根本不会发生的事而饱受煎熬，这是一件多么悲惨的事啊！

请记住，今天正是你昨天所担心的明天。问问你自己：我怎么知道我所担心的事真的会发生？

# 63

## 忧虑是健康的大敌

---

**卡耐基金言**

◆ 在纷繁复杂的现代社会，只有能保持内心平静的人，才不会变成神经病。

◆ 不知道如何抗拒忧虑的人就会寿命减少。

◆ 再没有什么比忧虑使一个女人老得更快，而摧毁她的容貌。

---

很多年前的一个晚上，一个邻居来按门铃，要我和家人去种牛痘，预防天花。他是整个纽约市几千名志愿者中去按门铃的人之一。很多吓坏了的人都排了好几个小时的队接种牛痘。所有医院、消防队、派出所和大工厂里都设有接种站。大约有 2000 名医生和护士夜以继日地替大家种痘。怎么会这么热闹呢？因为纽约市有 8 个人得了天花——其中 2 人死了——800 万纽约市民中死了 2 人。

我在纽约市已经住了 37 年，可是还没有一个人来按我的门铃，并警告我预防精神上的忧郁症——这种病症，在过去 37 年里所造成的损害，至少比天花要大 1 万倍。

从来没有人来按门铃警告我：目前生活在这个世界上的人中，

每 10 个人就有 1 个会精神崩溃，而大部分都是因为忧虑和感情冲突引起的。所以我现在写本章，就等于按你的门铃向你发出警告。

# 忧虑容易导致三大病

曾经获得诺贝尔医学奖的亚历克西斯·卡锐尔博士说："不知道抗拒忧虑的商人都会短命而死。"

其实不止商人，家庭主妇、兽医和泥水匠……都是如此。

几年前，我在度假的时候，跟戈伯尔博士一起坐车经过得克萨斯州和新墨西哥州。戈伯尔博士是圣塔菲铁路的医务负责人，他的正式头衔是海湾—科罗拉多和圣塔菲联合医院的主治医师。当我们谈到忧虑对人的影响时，他说：

在医生接触的病人中，有 70% 的人只要能够消除他们的恐惧和忧虑，病就会自然好起来。不要误以为他们都是生了病，他们的病都像你有一颗蛀牙一样实在，有时候还严重 100 倍。我说的这种病就像神经性的消化不良，某些胃溃疡、心脏病、失眠症、一些头痛症和麻痹症等等。

这些病都是真病，我这些话也不是乱说的，因为我自己就得过 12 年的胃溃疡。

恐惧使你忧虑，忧虑使你紧张，并影响到你胃部的神经，使胃里的胃液由正常变为不正常。因此就容易产生胃溃疡。

约瑟夫·蒙塔格博士曾写过一本《神经性胃病》的书，他也说过同样的话："胃溃疡的产生，不是因为你吃了什么而导致的，而是因为你忧愁些什么。"

梅奥诊所的阿尔凡莱兹博士说："胃溃疡通常根据你情绪紧张的高低而发作或消失。"

他的这种说法在对梅奥诊所的 15000 名胃病患者进行研究后得到了证实。每 5 个人中，有 4 个并不是因为生理原因而得胃病。恐惧、忧虑、憎恨、极端自私，以及无法适应现实生活，才是他们得胃病和胃溃疡的原因……胃溃疡可以让你丧命。

　　我最近和梅奥诊所的哈罗德·哈贝恩博士通过几次信。他在全美工业界医师协会的年会上读过一篇论文，说他研究了176位平均年龄在44.3岁的工商界负责人。他报道说：大约有1/3多的人因为生活过度紧张而引起下列三种病症之一——心脏病、消化系统溃疡和高血压。想想看，在我们工商界的负责人中，有1/3的人都患有心脏病、溃疡和高血压，而他们都还不到45岁，成功的代价是多么高啊！而他们甚至都不是在争取成功，一个身患胃溃疡和心脏病的人能算是成功之人吗？就算他能赢得全世界，却损失了自己的健康，对他个人来说，又有什么好处？即使他拥有全世界，每次也只能睡在一张床上，每天也只能吃三顿饭。就是一个挖水沟的人，也能做到这一点，而且还可能比一个很有权力的公司负责人睡得更安稳，吃得更香。我情愿做一个在阿拉巴马州租田耕种的农夫，在膝盖上放一把五弦琴，也不愿意在自己不到45岁的时候，就为了管理一个铁路公司，或者是一家香烟公司而毁了自己的健康。

　　说到香烟，一位世界最知名的香烟制造商，最近在加拿大森林里想轻松一下的时候，因为心脏病发作而死了。他拥有几百万元的财产，却在61岁时就离世了。他也许是牺牲了好几年的生命换取了所谓的"生意上的成功"。

　　在我看来，这个有几百万财产的香烟大王，其成功还不及我爸爸的一半。我爸爸是密苏里州的农夫，一文不名，却活到了89岁。

## 忧虑容易导致神经和精神问题

　　著名的梅奥兄弟宣布，我们有一半以上的病床上，躺着患有神经病的人。可是，在强力的显微镜下，以最现代的方法来检查他们的神经时，却发现大部分人都非常健康。他们"神经上的毛病"都不是因为神经本身有什么异常的地方，而是因为情绪上有悲观、烦躁、焦急、忧虑、恐惧、挫败、颓丧等等的情形。柏拉图说过：

医生所犯的最大错误是，他们想治疗身体，却不想医治思想。可是精神和肉体是一体的，不能分开处置。

医药科学界花了 2300 年的时间才认清这个真理。我们刚刚才开始发展一种新的医学，称之为"心理生理医学"，用来同时治疗精神和肉体。现在正是做这件事的最好时机，因为医学已经大量消除了可怕的、由细菌所引起的疾病——比方说天花、霍乱、黄热病，以及其他种种曾把数以百万计的人埋进坟墓的传染病症。可是，医学界一直还不能治疗精神和身体上那些不是由细菌所引起、而是由于情绪上的忧虑、恐惧、憎恨、烦躁，以及绝望所引起的病症。这种情绪性疾病所引起的灾难正日渐增加，日渐广泛，而速度又快得惊人。

医生们估计说：现在活着的美国人中，每 20 人就有 1 人在某一段时期得过精神病。第二次世界大战期间被征召的美国年轻人，每 6 人中就有 1 人因为精神失常而不能服役。

精神失常的原因何在？没有人知道全部的答案。可是在大多数情况下，极可能是由恐惧和忧虑造成的。焦虑和烦躁不安的人，多半不能适应现实的世界，而跟周围的环境隔断了所有的关系，缩到自己的梦想世界，以此解决他所忧虑的问题。

在我写这一章时，我书桌上就有一本书，是爱德华·波多尔斯基博士所写的《停止忧虑，换来健康》。书中谈到了几个问题：

- 忧虑对心脏的影响。
- 忧虑造成高血压。
- 风湿症可能因忧虑而起。
- 为了保护你的胃，请少忧虑些。
- 忧虑如何使你感冒。
- 忧虑和甲状腺。
- 忧虑与糖尿病患者。

另外一本讨论忧虑的好书，是卡尔·明格尔博士所写的《与己作对》。此书没有告诉你如何避免忧虑的规则，却能告诉你一些很可怕的事实，让你看清楚我们怎样通过焦虑、烦躁、憎恨、后悔、反叛和恐惧等情绪来伤害我们的身心健康。

忧虑甚至会使最强壮的人生病。在美国南北战争的最后几天中，格兰特将军发现了这一点。故事是这样的：

格兰特围攻里奇蒙德有 9 个月之久，李将军手下衣衫不整、饥饿不堪的部队被打败了。有一次，好几个兵团的人都开小差。其余的人在他们的帐篷里开会祈祷——叫着、哭着，看到了种种幻象。眼看战争就要结束了，李将军手下的人放火烧了里奇蒙德的棉花和烟草仓库，也烧了兵工厂，然后在烈焰升腾的黑夜里弃城而逃。格兰特乘胜追击，从左右两侧和后方夹击南部联军，而由骑兵从正面截击，拆毁铁路线，俘获了运送补给的车辆。

由于剧烈头痛而眼睛半瞎的格兰特无法跟上队伍，就停在了一个农家。"我在那里过了一夜"，他在回忆录里写道，"把我的两脚泡在加了芥末的冷水里，还把芥末药膏贴在我的两个手腕和后颈上，希望第二天早上能复原。"

第二天清早，他果然复原了。可是使他复原的，不是芥末药膏，而是一个带回李将军降书的骑兵。

"当那个军官到我面前时，"格兰特写着，"我的头还痛得很厉害，可是我一看到那封信的内容，我就好了。"

显然，格兰特是因为忧虑、紧张和情绪上的不安才生病的。一旦他在情绪上恢复了自信，想到他的成就和胜利，就马上好了。

70 年后，罗斯福总统的财政部长亨利·摩根索发现忧虑会使他病得头昏眼花。他在日记里记述说，为了提高小麦的价格，罗斯福总统在一天之内买了 440 万蒲式耳的小麦，使他感到非常忧虑。他在日记里说："在这件事情没有结果之前，我觉得头昏眼花。我回到家里，在吃完中饭以后睡了两个小时。"

如果我想看看忧虑对人会有什么影响，我不必到图书馆或医院找到例证。我只是从我现在坐着的家里望望窗外，就能够看到在不到一条街远的一栋房子里，有一个人因为忧虑而精神崩溃；另外一个房子里，有个人因为忧虑而得了糖尿病——股票一下跌，他的血和尿里的糖分就升高。

著名的法国哲学家蒙泰格被选为老家的市长时，他对市民们说："我愿意用我的双手处理你们的事情，可是不想把它们带到我的肝里和肺里。"但我那个邻居却把股票市场带到他的血液里，差点送了他的老命。

## 忧虑容易导致关节炎和其他疾病

如果我想记住忧虑对人有什么影响，我不必去看我邻居的房子，只要看看我现在坐着的这个房间，想想以前这栋房子的主人——他因为忧虑过度而进了坟墓。忧虑会使你患风湿症或关节炎而坐进轮椅，康奈尔大学医学院的罗素·塞西尔博士是世界知名的治疗关节炎权威，他列举了四种最容易得关节炎的情况：

1．婚姻破裂。
2．财务上的不幸和难关。
3．寂寞和忧虑。
4．长期的愤怒。

当然，以上四种情绪状况，并不是关节炎形成的唯一原因。而产生关节炎最"常见的原因"是西基尔博士所列举的这四点。举个例子来说，我的一个朋友在经济不景气的时候，遭到很大的损失。结果煤气公司切断了他的煤气，银行没收了他抵押贷款的房子，他太太突然染上关节炎——虽然经过治疗和注意营养，关节炎却一直等到他们的财务情况改善之后才算痊愈。

忧虑甚至会使你蛀牙。威廉·麦克戈尼格博士在全美牙医协会的一次演讲中说："由于焦虑、恐惧等产生的不快情绪，可能影响到一个人身体的钙质平衡，而使牙齿容易受蛀。"麦克戈尼格博士提到，他的一个病人起先有一口很好的牙齿，后来他太太得了急病，使他开始担心起来。就在她住院的三个礼拜里，他突然有了九颗蛀牙——都是由于焦虑引起的。

你是否看过一个甲状腺反应过度的人？我看过。我可以告诉你，他们会颤抖、会战栗，看起来就像吓得半死的样子——而事实上也差不多是这种情形。甲状腺原来应该能使身体规律化，一旦反常之后，心跳就会加快，使整个身体亢奋得像一个打开所有炉门的火炉，如果不动手术或加以治疗的话，就很可能死掉，很可能"把他自己烧干"。

不久以前，我和一个得这种病的朋友到费城去。我们去见伊莎瑞尔士内·布拉姆博士——一位主治这种病达38年之久的著名专家。在他候诊室的墙上挂了一块大木板，上面写着他给病人的忠告。我把它抄在一个信封的背面：

### 轻松和享受

最使你轻松愉快的是，
健全的信仰、睡眠、音乐和欢笑。
——对前途要有信心
——要能睡得安稳
——喜欢好的音乐
——从滑稽的一面来看待生活，
健康和快乐就都是你的。

他问我朋友的第一个问题就是："你的情绪是否已经使你影响了身体健康和心理平和？"他警告我的朋友说，如果他继续忧虑下去，就可能会染上其他并发症、心脏病、胃溃疡，或是糖尿病。"所有的这些病症，"这位名医说，"都互为亲戚关系，甚至是很近的亲戚。"一点都不错，它们都是近亲——由忧虑所产生的病症。

我去访问女明星莫乐·奥伯恩时，她告诉我她绝对不会忧虑，因为忧虑会摧毁她的主要资产——她美丽的容貌。她告诉我说：

当我最先想要进入影坛的时候，我既担心又害怕。我刚从印度回来，在伦敦一个熟人也没有，却想在那里找到一份工作。我见过几个制片家，可是没有一个人肯用我。我仅有的一点钱渐渐用光了，整整有两个礼拜，只靠一点饼干和水过活。这下我不仅是忧虑，还很饥饿，我对自己说："也许你是个傻子，也许你永远也不可能闯进电影界。归根究底，你没有经验，也从来没有演过戏，除了一张漂亮的脸蛋，你还有些什么呢？"

我照了照镜子。就在我望着镜子的时候，才发现忧虑对我容貌的影响。我看见忧虑造成的皱纹，看见焦虑的表情，于是我对自己说："你一定得马上停止忧虑，不能再忧虑下去了，你所能给人家的只有你的容貌，而忧虑会毁了它的。"

再没有什么会比忧虑使一个女人老得更快，而摧毁了她的容貌。忧虑会使我们的表情难看，会使我们咬紧牙关，会使我们的脸上产生皱纹，会使我们老是愁眉苦脸，会使我们头发灰白，有时甚至会使头发脱落。忧虑会使你脸上的皮肤发生斑点、溃烂和粉刺。

心脏病是美国的第一号凶手。在第二次世界大战期间，大约有三十几万美国人死在战场上，可是在同一段时间里，心脏病却杀死了 200 万平民——其中有 100 万人的心脏病是由于忧虑和过度紧张的生活引起的。不错，就因为心脏病，亚历西斯·戈锐尔博士才会说："不知道怎么抗拒忧虑的商人都会短命而死。"

中国人和美国南方的黑人却很少患这种因忧虑而引起的心脏病，因为他们处事沉着。死于心脏病的医生比农夫多 20 倍。因为医生过的是紧张的生活，所以才有这样的结果。

"上帝可能原谅我们所犯的罪，"威廉·詹姆斯说，"可是我们的神经系统却不会。"

这是一件令人吃惊而难以相信的事实：每年死于自杀的人，比死于种种常见的传染病的人还要多。

为什么呢？答案通常都是"因为忧虑"。

古时候，残忍的将军要折磨他们的俘虏时，常常把俘虏的手脚绑起来，放在一个不停地往下滴水的袋子下面……水滴着……滴着……夜以继日，最后，这些不停滴落在头上的水，变得好像是用槌子敲击的声音，使那些人精神失常。这种折磨人的方法，以前西班牙宗教法庭和希特勒手下的德国集中营都曾经使用过。

忧虑就像不停地往下滴、滴、滴的水，而那不停地往下滴、滴、滴的忧虑，通常会使人心神丧失而自杀。

当我还是密苏里州一个乡下孩子的时候，礼拜天听牧师形容地狱的烈火，吓得我半死。可是他从来没有提到，我们此时此地由忧虑所带来的生理痛苦的地狱烈火。比方说，如果你长期忧虑下去的话，你有一天就很可能会得到最痛苦的病症：狭心症。

这种病要是发作起来，会让你痛得尖叫，跟你的尖叫比起来，但丁的《地狱篇》听来都像是"娃娃游玩具国"了。到时候，你就会跟你自己说："噢，上帝啊！噢，上帝啊！要是我能好的话，我永远也不会再为任何事情忧虑——永远也不会了。"如果你认为我这话说得太夸张的话，不妨去问问你的家庭医生。

你爱生命吗？你想健康、长寿吗？下面就是你能做到的方法。我再引用一次亚历西斯·戈锐尔博士的话："在纷繁复杂的现代城市中，只有能保持内心平静的人，才不会变成神经病。"

你是否可以在现代城市的混乱中保持内心的平静呢？如果你是一个正常人，答案应该是："可以的。""绝对可以。"我们大多数人实际上都比我们所认为的更坚强得多。我们有很多也许从来没有发现的内在力量，就像梭罗在他不朽的名著《狱卒》里所说的：

我不知道有什么比一个人能下定决心改善他的生活能力更令人振奋了……要是一个人，能充满信心地朝他理想的方向去做，下定决心过他所想过的生活，他就一定会得到意外的成功。

我相信，本书的很多读者会有像奥尔嘉·加维的那种意志力和内在的力量。她住在爱达荷州，在最悲惨的情况之下，发现自己还能够停止忧虑。我非常坚定地相信你和我也都能那样做，只要我们应用这本书里所讨论的一些很古老的真理。下面就是奥尔嘉·加维所写的故事：

八年半以前，医生宣告我不久于人世，会很慢、很痛苦地死于癌症。国内最有名的医生——梅奥兄弟也证实了这个诊断。我走投无路，死亡就要扑向我。我还很年轻，我不想死，绝望之余，我打电话找到了我的医生，告诉他我内心的绝望。他有点不耐烦地拦住我说："怎么回事，奥尔嘉？难道你一点斗志也没有吗？你要是一直这样哭下去的话，毫无疑问，你一定会死。不错，你碰上了最坏的情况。好吧！要面对现实，不要忧虑，然后想点办法。"就在那一刹那，我发了一个誓，我的态度严重得指甲都深深地掐进肉里，而且背上一阵发冷："我不会再忧虑，我不会再哭泣，如果还有什么需要我常常想的，就是我一定要赢！我一定要继续活下去！"

在不能用镭照射的情况之下，每天只能用 X 光照射十分半钟，连续照 30 天。但他们每天为我照了 14 分半钟的 X 光，照了 49 天。虽然我的骨头在我瘦削的身体上撑出来，像是荒凉山边的岩石，虽然我的两脚重得像铁块，我却不忧虑，也没哭过一次。我面带微笑，不错，我的的确确勉强自己微笑。

我不会傻到以为只要微笑就能治疗癌症。可是我的确相信，愉快的精神状态有助于抵抗身体的疾病。总之，我经历了一次治愈癌症的奇迹。在过去这几年里，我再也没有像现在这么健康过，这都多亏了这句富于挑战性和战斗性的话："面对现实，不要忧虑，然后想点办法。"

在这一章结束的时候，我要再重复一次亚历西斯·卡锐尔博士的这句话："不知道怎样抗拒忧虑的人都会短命而死。"

卡瑞尔说的也许就是你，对吗？

也许是！

如果你想拥有一个健康的人生，第二项原则是：

消除心中的忧虑。

**克服忧虑的真实故事**

# 忧虑是最凶猛的对手

杰克·登普西

在拳击生涯中，我发现比重量级拳击手还难缠的对手就是忧虑。我体会到一点，一个人不能学会停止忧虑，就只有听任忧虑蚕食我的活力，影响到我的成功。因此，我逐渐训练出一套方法，并用之于实践，以下是我的一些心得：

1. 为保持在场内的勇气，我会给自己打气。举例来说，当我的交战对手很强时，我会不断告诉自己："什么也阻挡不了我，他伤不了我的，我不可能受伤，不管发生什么事，我都要一直继续下去。"告诉自己一些积极的话，想积极的事对我很有帮助。它使我心里想着这些话，有时连打到身上的拳也没有感觉到。职业拳赛中，我曾嘴唇碎裂、眼角破裂、肋骨断裂——对方一拳把我挥出场外，我摔在记者的打字机上，弄断了肋骨。可是我对我们的拳击几乎毫无所觉。只有一拳，我真正有感觉的，是强生有一次击断我的三根肋骨。那一击对我损伤不大，但对我的呼吸影响不小。老实说，我在场中挨拳时真的没有感觉。

2. 我还不断提醒自己忧虑的后果。多半出赛前的训练是我最担心的时候。我常躺在床上几个小时睡不着，辗转反侧。我怕折断手臂、扭伤脚踝，或第一回合就眼睛挂彩，后面出拳就没法协调了。每当我这么神经兮兮时，我就下床照镜子，好好的给自己打打气，我会跟自己说："你为还没有发生的事烦心，多笨呀！说不定它根本不会发生。生命是短暂的，我也不过有几年好活，我一定要好好享受人生。"我还告诉自己，"没有什么比我的健康更重要的，没有什么比我的健康更重要的了。"我不断提醒自己失眠、担心只会损害我的健康。我发现我不断重复这些话，一晚又一晚、一年又一年，它们终于融入我的身体里去了。

3. 第三件——也是最重要的一件事，是我常祈祷！当我在训练时，一天我会祈祷好几次。进入场中后，每一回合摇铃前，我也都会祈祷。祈祷帮助我怀着勇气及自信应战。晚上就寝前我从来不忘祈祷，每餐进食前，也从来不忘感谢天主……我所祈祷的，有过回应吗？噢！可多着呢！

学学给自己打气；不断提醒自己忧虑的后果；经常祈祷！

# 64

## 消除忧虑的灵丹妙药

---

**卡耐基金言**

◆ 能接受既成事实，这是克服随之而来的任何不幸的第一步。

◆ 能接受最坏的情况，就能在心理上让你发挥出新的能力。

◆ 忧虑最大的坏处就是摧毁我们集中精神的能力，一旦忧虑产生，我们的思想就会到处乱转，从而丧失作出决定的能力。

---

你是否想得到一个快速而有效的消除忧虑的灵丹妙法——那种在你不必再往下看之前，就能马上应用的方法？

那么让我告诉你威利斯·卡瑞尔所发明的这个办法吧。卡瑞尔是一个很聪明的工程师，他开创了空气调节器的制造业，现在是位于纽约州塞瑞库斯市的世界闻名的卡瑞尔公司负责人。这是我所知道的消除忧虑的最好办法，是我和卡瑞尔先生在纽约的工程师俱乐部吃午饭时亲自从他那里学到的，卡瑞尔先生向我讲述道：

年轻的时候，我在纽约州巴法罗城的巴法罗铸造公司工作。我必须到密苏里州水晶城的匹兹堡玻璃公司——一座花费好几百万美元建造的工厂去安装一架瓦斯清洁机，以清除瓦斯燃烧的杂质，使瓦斯燃烧时不会伤到引擎。这种瓦斯清洁方法是一种新的尝试，以前只试过一次——而且当时的情况很不相同。我到密苏里州水晶城工作的时候，很多事先没有想到的困难都发生了。经过一番调整之后，机器可以使用了，可是效果并不像我们所保证的那样。

我对自己的失败非常吃惊，觉得好像是有人在我头上重重地打了一拳。我的胃和整个肚子都开始扭痛起来。有好一阵子，我担忧得简直无法入睡。

最后，出于一种常识，我想忧虑并不能够解决问题，于是便想出一个不需要忧虑就可以解决问题的办法，结果非常有效。我这个抵抗忧虑的办法已经使用 30 多年了。这个办法非常简单，任何人都可以使用。这一方法共有三个步骤：

第一步，首先毫不害怕而诚恳地分析整个情况，然后找出万一失败后可能发生的最坏情况是什么。没有人会把我关起来，或者把我枪毙，这一点说得很准。不错，很可能我会丢掉工作，也可能我的老板会把整个机器拆掉，使投下去的 20000 美元泡汤。

第二步，找出可能发生的最坏情况之后，让自己在必要的时候能够接受它。我对自己说，这次失败，在我的记录上会是一个很大的污点，我可能会因此而丢掉工作。但即使真是如此，我还是可以另外找到一份差事。事情可能比这更糟。至于我的那些老板——他们也知道我们现在是在试验一种清除瓦斯的新方法，如果这种实验要花他们 20000 美元，他们还付得起。他们可以把这个账算在研究费上，因为这只是一种实验。

发现可能发生的最坏情况，并让自己能够接受之后，有一件非常重要的事情发生了。我马上轻松下来，感受到几天以来所没有经历过的一份平静。

第三步，从这以后，我就平静地把我的时间和精力，拿来试着改善我在心理上已经接受的那种最坏情况。

我努力找出一些办法，让我减少我们目前面临的 20000 美元损失。我做了几次实验，最后发现，如果我们再多花 5000 美元，加装一些设备，我们的问题就可以解决了。我们照这个办法去做，公司不但不会损失 20000 美元，反而可以赚 15000 美元。

如果当时我一直担心下去的话，恐怕再也不可能做到这一点。因为忧虑的最大坏处就是摧毁我集中精神的能力。一旦忧虑产生，我们的思想就会到处乱转，从而丧失作出决定的能力。然而，当我们强迫自己面对最坏的情况，并且在精神上先接受它之后，我们就能够衡量所有可能的情形，使我们处在一个可以集中精力解决问题的地位。

我刚才所说的这件事，发生在很多很多年以前，因为这种做法非常好，我就一直使用。结果呢，我的生活里几乎不再有烦恼了。

为什么威利斯・卡瑞尔的奇妙公式有这么大的价值，并且如此实用呢？从心理学上来讲，它能够把我们从那个巨大的灰色云层里拉下来，让我们不再因为忧虑而盲目探索。它可以使我们的双脚稳稳地站在地平面上，而我们也都知道自己的确站在地平面上。如果脚下没有坚实的土地，又怎么能希望把事情想通呢？

应用心理学之父威廉・詹姆斯教授已经去世几十年了，可是如果他今天还活着，听到这个解决最坏情况的公式的话，一定也会大加赞同。他曾经告诉他的学生说：

要愿意承担这种情况，……能接受既成事实，就是克服随之而来的任何不幸的第一个步骤。

林语堂先生在他的《生活的艺术》里也谈到了同样的概念。

心理的平静……能接受最坏的情况，在心理上就能让你发挥出新的能力。

这一说法一点也不错。在心理上就能让你发挥出新的能力。当我们接受了最坏的情况之后，就不会再损失什么，这也就是说，一切都可以寻找回来。"在面对最坏的情况之后，"威利斯・卡瑞尔告诉我们说，"我马上就轻松下来，感到一种好几天来没有经历过的平静。然后，我就能思想了。"

他的说法很有道理，对不对？可是现实中还有成千上万的人因为愤怒而毁掉自己的生活。因为他们拒绝接受最坏的情况，不肯由此作出改进，不愿意在灾难之中尽可能救出点东西。他们不但不重新构筑自己的财富，还"与经验进行了一次冷酷而激烈的斗争"——终于变成我们称之为忧郁症的那种颓丧情绪的牺牲者。

你是否愿意看看其他人怎样利用威利斯·卡瑞尔的奇妙公式来解决问题呢？好！下面就是一个例子。这是以前我班上的学生——目前是纽约的一位石油商——所做过的事情：

我被勒索了，我不相信会有这种事情——我不相信这种事情会发生在电影以外的现实生活里——可是我真的是被勒索了。事情的经过是这样的：

我主管的那个石油公司有好几辆运油的卡车和很多司机。在那段时期，物价管理委员会的条例管制得很严，我们所能送给每一个顾客的油量也都有限制。我起先不知道事情的真相，可是好像有些运货员减少了我们固定顾客的油量，然后再把偷下来的卖给一些他们的顾客。

有一天，有位自称是政府调查员的人来看我，跟我索要红包。他说他拥有我们运货员舞弊的证据。他威胁说，如果我不答应的话，他要把证据转给地方检察官。这时候，我才发现公司有这种不法的买卖。

当然，我知道我没有什么好担心的——至少跟我个人无关。只是我也知道法律规定，公司应该为自己员工的行为负责。还有，我知道万一案子打到法院去，上了报，这种坏名声就会毁了公司的生意。我对自己的事业非常骄傲——那是我父亲在24年前打下的基础。

我担心得生病了，三天三夜吃不下睡不着。我一直在那件事情里面打转。我是该付那笔钱——5000美元——还是该跟那个人说，你爱怎么干就怎么干吧。我一直做不了决定，每天都做噩梦。

后来，在礼拜天的晚上，我碰巧拿起一本叫做《如何不再忧虑》的小册子，这是我去听卡耐基公开演说时所拿到的。我开始阅读，读到威利斯·卡瑞尔的故事，里面教我："面对最坏的情况。"于是我问自己："如果我不肯付钱，那些勒索者把证据交给地检处的话，可能发生的最坏的情况是什么呢？"

答案是："毁了我的生意——最坏就是如此。我不会被关起来。所可能发生的，只是我会被这件事毁了。"

于是我对自己说："好了，生意即使毁了，但我在心理上可以接受这点，接下去又会怎样呢？"

嗯，我的生意毁了之后，也许得去另外找份工作。这也不坏，我对石油知道的很多——有几家大公司可能会乐意雇佣我……我开始觉得好过多了。三天三夜来，我的那份忧虑开始消散了一点。我的情绪稳定下来……而意外地，我居然能够开始思想了。

我头脑清醒地看出第三步——改善最坏的情况。就在我想到解决方法的时候，一个全新的局面展露在我的面前：如果我把整个情况告诉我的律师，他可能会找到一条我一直没有想到的路子。我知道这乍听起来很笨，因为我起先一直没有想到这一点——当然是因为我起先一直没有好好考虑，只是一直在担心的缘故。我马上打定主意，第二天清早就去见我的律师——接着我上了床，睡得安安稳稳。

事情的结果如何呢？第二天早上，我的律师叫我去见地方检察官，把整个情形告诉他。我果然照他的话做了。当我说出原委之后，出乎意外地听到地方检察官说，这种勒索的案子已经连续好几个月了，那个自称是"政府官员"的人，实际上是警方的通缉犯。当我为了无法决定是否该把5000美元交给那个职业罪犯而担心了三天三夜之后，听到他这番话，真是松了一大口气。

这次的经验使我上了一堂永难忘怀的课。现在，每当面临使我忧虑的难题时，我就把威利斯·卡瑞尔的奇妙公式派上用场。

如果你认为运用威利斯·卡瑞尔公式也有烦恼，那请听下面这则故事吧。

这则故事是艾尔·汉里在 1948 年 11 月 17 日于波士顿斯泰勒大饭店亲口告诉我的：

20 多年前，我因为常常发愁，得了胃溃疡。有一天晚上，我的胃出血了，被送到芝加哥西北大学的医学院附属医院里。我的体重从 175 磅下降到 90 磅。病情严重到医生警告我连头都不许抬。3 个医生中，有一个是非常有名的胃溃疡专家。他们说我的病是"已经无药可救了"。我只能吃苏打粉，每小时吃一大匙半流质的东西，每天早上和晚上都要护士拿一条橡皮管插进我的胃里，把里面的东西洗出来。

这种情形熬了好几个月……最后，我对自己说，"你睡吧，汉里，如果你除了等死之外没有什么别的指望了，不如好好利用你剩下的一点时间。你一直想在你死以前环游世界，所以如果你还想这样做的话，只有现在就去做了。"

当我对那几位医生说，我要去环游世界、我自己会一天洗两次胃的时候，他们都大吃一惊。不可能的，他们从来都没听说过这种事。他们警告我说，如果我开始环游世界，我就只有葬在海里了，"不，我不会的。"我回答说，"我已经答应过我的亲友，我要葬在莱布雷斯卡州我们老家的墓园里，所以我打算把我的棺材随身带着。"

我去买了一具棺材，把它运上船，然后委托轮船公司安排好，万一我去世的话，就把我的尸体放在冷冻舱里，一直等我回到老家。就这样，我开始踏上旅程。

我从洛杉矶登上了亚当斯总统号轮船向东航行的时候，就觉得好多了，渐渐地不再吃药，也不再洗胃。不久之后，任何食物都能吃了——甚至包括许多奇怪的当地食品和调味品。这些都是别人说我吃了一定会送命的。几个礼拜过去之后，我甚至可以抽长长的黑雪茄，喝几杯老酒。多年来我从来没有这样享受过。我们在印度洋上碰到季节风，在太平洋上碰到台风。这种事情就只因为害怕，也会让我躺进棺材里的，可是我却从这次冒险中得到很大的乐趣。

我在船上和他们玩游戏、唱歌、交新朋友，晚上聊到半夜。我们到了亚洲的几个国家之后，我发现我回去之后要料理的私事，跟在东方所见到的贫穷与饥饿比起来，简直像是天堂跟地狱之比。我中止了所有无聊的担忧，觉得非常舒服。回到美国之后，我的体重增加了90磅，几乎忘记了我曾患过胃溃疡。我这一生中从没有觉得这么舒服。我回去做事，此后一天也没再病过。

艾尔·汉里告诉我，他发现自己下意识地应用了威利斯·卡瑞尔的征服忧虑的办法。

首先，我问自己，"所可能发生的最坏情况是什么？"答案是：死亡。

第二，我让自己准备好接受死亡，我不得不如此，因为别无其他的选择，几个医生都说我没有希望了。

第三，我想办法改善这种情况。办法是，"尽量享受我所剩下的时间"……如果我上船之后还继续忧虑下去，毫无疑问，我一定会躺在我自备的棺材里，完成这次旅行了。可是我放松下来，忘了所有的忧虑。而这种心理平静，使我产生了新的体力，救了我的性命。

所以，第三项原则是：**如果你有担忧的问题，就应用威利斯·卡瑞尔的奇妙公式，做到下面三件事情：**

● 问你自己："可能发生的最坏的情况是什么？"

● 如果你必须接受的话，就准备接受它。

● 然后镇定地想办法改善最坏的情况。

# 如何消除自卑

### 爱尔默·托马斯　曾任美国国会参议员

　　我15岁时，常常因忧虑恐惧和一些自我意识所困扰。比起同年龄的少年，我长得实在太高了，而且瘦得像支竹竿。我有6.2英尺高，体重却只有118磅。除了身体比别人高之外，在棒球比赛或赛跑各方面都不如人。他们常取笑我，封我一个"马脸"的外号。我的自我意识极重，不喜欢见任何人，又因为住在农庄里，离公路很远，也碰不到几个陌生人。我们的农庄离公路还有半英里远，平常我只见到父母及兄弟姐妹。

　　如果我任凭烦恼与恐惧占据我的心灵，我恐怕一辈子也无法翻身。一天24小时，我随时为自己的身材自怜。别的什么事也不能想。我的尴尬与惧怕实在难以用文字形容。我的母亲了解我的感受，她曾当过学校教师，因此告诉我："儿子，你得去接受教育，既然你的体能状况如此，你只有靠智力谋生。"

　　可是父母无力送我上大学，我必须自己想办法。我利用冬季捉到一些貂、浣熊、鼬鼠类的小动物，春天来时出售得了4美元，再买回两头猪，养大后，第二年秋季卖得40美元，以这笔钱，我到印第安纳州去上师范学校。住宿费一周1.4美元，房租每周0.5美元。我穿的破旧衬衫是我妈妈做的（为了不显脏，她有意用咖啡色的布），我的外套是我父亲以前的，他的旧外套、旧皮鞋都不合我用，皮鞋旁边有条松紧带，已经完全失去了弹性，我穿着走路时，鞋子会随时滑落。我没有脸去和其他同学打交道，只有成天在房间里温习功课。我内心深处最大的愿望是，有一天我能在服装店买件合身而体面的衣服。

不久以后发生的几件事帮助我克服了自卑感。其中有一件事带给了我勇气、希望与自信，改变了我今后的人生。这些事件的经过如下：

第一件：入学后8周，我通过了一项考试，得到一份三级证书，可以到乡下的公立学校授课。虽然证书的有效期只有半年，但这是我有生以来，除了我母亲以外，第一次证明别人对我有信心。

第二件：一个乡下学校以月薪40美元的工资聘请我去教书，这更证明了别人对我的信心。

第三件：领到第一张支票，我就到服装店，买了一套合身的服装。现在即使有人给我100万，我的兴奋程度也不及我当时穿上第一套新衣服时的一半。

第四件：这是我生命中的转折点，战胜尴尬与自卑的最大胜利，发生在一年一度举行的集会上。我母亲敦促我参加集会上的演讲比赛。对我来说，那当然是天方夜谭。我连单独跟一个人说话的勇气都没有，更何况是面对很多人。可是我母亲对我的信心仍然不可动摇。她对我的未来寄予远大的梦想，把一生的期望寄托在我身上。她鼓励我去参加比赛。我抽中的题目，可说是最不适合我发表意见的，题目是：《美国的美术与人文艺术》。坦白承认，我在作准备时，还搞不清楚人文艺术是什么，不过反正观众也不懂什么是人文艺术，我想倒也没什么大不了的。我把演说内容都记熟了，而且对着树木与牛群演练了上百遍。为了母亲的缘故，我渴望自己表现出色，因此，在演讲中，我真情流露。完全出乎意料，我竟然得了冠军。我太吃惊了，群众开始欢呼。一些以前取笑我的男孩们跑来拍我的背说："我早知道你能办到的！"我母亲紧紧地拥抱着我。当我回顾我的人生，那次演说得奖确实是我一生的转折点。当地一家报纸以头版文章刊登我的故事，而且看好我的未来。赢得演说使我在本地得到了肯定，更重要的是，它使我信心倍增。如果没有那次成功的经验，我也不可能成为国会议员，因为它提升了我的勇气，开拓了我的视野，并让我认识到了自己拥有的一些从不敢想像的才能。其中最重要的还有一点，那次获胜为我赢得了一年的师范学院奖学金。

我变得十分渴求得到更多的知识。因此以后的几年中，我的时间完全用于教学与研究两个方面。为了筹足上大学的学费，我夏季到麦田、玉米田里干活，并参加道路工程。

1896 年，我虽然只有 19 岁，却已作过 28 场演说，鼓励人们投票选举威廉·詹亨斯·布莱恩为美国总统。为布莱恩的助选演说，令人振奋，也促使我进入了政界。上大学后，我主修法律的公众演说。1899 年，我代表学校与一所大学进行辩论，主题是：《国会议员是否应开放全民投票》，因为我以前曾是演说冠军，因此被选为学校年刊及校报的主编。

大学毕业后，我到俄克拉何马州开了一家律师事务所，接办了一些涉及印第安保留区的法律问题。我在州议会中工作了 13 年，并在下议院工作了 4 年。在我 50 岁那年，我终于实现了一生的抱负——成为俄克拉何马州的国会议员，并在 1927 年 3 月 4 日就任。自从 1907 年 11 月 16 日，俄克拉何马与印第安保留区合为一州，我常受到民主党的提名肯定，先是提名为州议员，后来成为国会议员。

我讲述这个故事，绝非为了吹嘘自己的成就，没有人会对我的成就感兴趣。我只是希望它能带给那些贫困子弟一些新生的勇气与信心，也许他们正像我小时候穿着父亲的旧衣旧鞋时一样苦恼、害羞与自卑。

那些天生缺陷或处于贫穷处境的人更容易感到羞怯与自卑，要看到自己光明的一面，并做出一番成绩，这样就可以克服你的自卑与忧虑。

# 65

## 运用亚里士多德法则

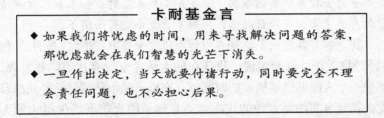

卡耐基金言

◆ 如果我们将忧虑的时间，用来寻找解决问题的答案，那忧虑就会在我们智慧的光芒下消失。

◆ 一旦作出决定，当天就要付诸行动，同时要完全不理会责任问题，也不必担心后果。

前面提到的威利斯·卡瑞尔的奇妙公式是否是一个万能公式，是否能解决你所有的忧虑问题呢？不，当然不能！

那么当你面对忧虑时，应该怎么办呢？答案是，我们一定要学会用下面三种分析问题的基本步骤来解决各种不同的困难。这三个步骤是：

1. 弄清事实；

2. 分析事实；

3. 达成决定——然后依此行事。

这是亚里士多德所教的方法，他也使用过。我们如果想解决那些逼迫我们、使我们日夜像生活在地狱里一样的问题，我们就必须运用这几个步骤。

　　我们先来看看第一步：弄清事实。弄清事实为什么如此重要呢？因为如果我们不能把事实弄清楚，就不能很明智地解决问题。没有这些事实，我们就只能在混乱中摸索。这一方法是我研究出来的吗？不，这是已故的哥伦比亚大学哥伦比亚学院院长赫伯特·郝基斯所说的。他曾经帮助过 20 多万个学生解决忧虑的问题。他说，世界上的忧虑，一大半是因为人们没有足够的知识来作决定而产生的。他告诉我说：

　　混乱是产生忧虑的主要原因。比方说，如果我有一个必须在下周二以前解决的问题，那么在下周二之前，我根本不会去试着做什么决定。在这段时间里，我只集中全力去搜集有关这个问题的所有事实。我不会发愁，我不会为这个问题而难过，我不会失眠，只是全心全力去搜集所有的事实。等星期二到来之时，如果我已经弄清了所有的事实，一般说起来，问题本身就会迎刃而解了。

　　我问郝基斯院长，这是否说他可以完全排除忧虑？"是的，"他说，"我想我可以老实说，我现在的生活完全没有忧虑。我发现，如果一个人能够把他所有的时间都花在以一种十分超然、客观的态度去找寻事实的话，他的忧虑就会在知识的光芒下消失得无影无踪。"

　　可是我们大多数人怎么做呢？如果我们去考虑事实——爱迪生曾郑重其事地说："一个人为了避免花工夫去思想，常常无所不用其极。"——如果我们真的去考虑事实，我们通常也只会像猎狗那样，去追寻那些我们已经想到的，而忽略其他的一切。我们只需要那些能够适合于行动的事实——符合于我们的如意算盘，符合于我们原有偏见的事实。

　　正如安德烈·马罗斯所说："一切和我们个人欲望相符合的，看来都是真理，其他的，就会使我们感到愤怒。"

　　难怪我们会觉得，要得到问题的答案是如此困难，如果我们一直假定二加二等于五，那不是连做一个二年级的算术题目都会有问题吗？可事实上，世界上就有很多很多的人硬是坚持说二加二等于五——或者是等于五百——弄得自己跟别人的日子都很不好过。

关于这一点，我们能怎么办呢？我们得把感情排除于思想之外，就像郝基斯院长所说的，以一种"超然、客观"的态度去弄清事实。

要在我们忧虑的时候那样做不是一件简单的事。当我们忧虑的时候，往往情绪激动。不过，我找到了两个办法，有助于我们像旁观者一样很清晰客观地看清所有事实：

1. 在搜集各种事实的时候，我假设不是在为自己搜集这些资料，而是在为别人，这样可以保持冷静而超然的态度，也可以帮助自己控制情绪。

2. 在试着搜集造成忧虑的各种事实时，有时候可以假设自己是对方的律师，换句话说，我也要搜集对自己不利的事实——那些有损于我的希望和我不愿意面对的事实。

然后我把两方面的所有事实都写下来——我通常发现，真理就在这两个极端之间。

这就是我要说明的要点：如果不先看清事实的话，你、我、爱因斯坦，甚至美国最高法庭，也无法对任何问题作出很明智的决定。爱迪生很清楚这一点，他死后留下了 2500 本笔记簿，里面记满了有关他面临的各种问题的事实。

所以，解决我们问题的第一个办法是：弄清事实。让我们仿效郝基斯院长的方法吧。在没有以客观态度搜集到所有的事实之前，不要去想如何解决问题。

不过，即使把全世界所有的事实都搜集起来，如果不加以分析和诠释，对我们也丝毫没有好处。

根据我个人的经验，先把所有的事实写下来，再做分析，事情会容易得多。事实上，仅仅在纸上记下很多事实，把我们的问题明明白白地写出来，就可能有助于我们得出一个很合理的决定。正如查尔斯·凯特林所说的："只要能把问题讲清楚，问题就已经解决了一半。"

让我用事实来告诉你这种做法的效果吧，中国有句古话："百闻不如一见。"我要告诉你一个人怎样把我们刚刚所说的那些真正付诸行动。

就拿盖伦·利奇费尔德的事情来说——我认识他好几年了，他是一个远东地区非常成功的美国商人。1942 年，日军侵入上海，利奇费尔德正在中国，下面就是他在我家做客的时候给我讲述的故事：

日军轰炸珍珠港后不久，他们占领了上海，我当时是上海亚洲人寿保险公司的经理，他们派来一个所谓的"军方清算员"——实际上他是个海军将领——命令我协助他清算我们的财产。这种事，我一点别的办法也没有，要么就跟他们合作，要么就算了，而所谓算了，也就是死路一条。

我只好遵命行事，因为我无路可走。不过，有一笔大约 75 万美金的保险费，我没有填在那张要交出去的清单上。我之所以没有把这笔保险费填进去，是因为这笔钱属于我们的香港公司，跟上海公司的资产无关。不过，我还是怕万一日本人发现了这件事，可能会对我非常不利。他们果然很快就发现了。

当他们发现的时候，我不在办公室。不过我的会计主任在场。他告诉我说，那个军官大发脾气，拍桌子骂人，说我是个强盗，是个叛徒，说我侮辱了日本皇军。我知道这是什么意思，我知道我会被他们关进宪兵队去。

宪兵队，就是日本秘密警察的行刑室。我有几个朋友就宁愿自杀，也不愿意被送到那个地方去。我还有些朋友，在那里被审问了 10 天，受尽了苦刑之后，死在那个地方。现在我自己也可能要进宪兵队了。

当时我怎么办呢？我在礼拜天下午听到这个消息，我想我应该吓得要命。如果我没有可以解决问题的方法，我一定会吓坏了。多年来，每次我担心的时候，总坐在我的打字机前，打下两个问题，以及问题的答案：

1. 我担心的是什么?

2. 我能怎么办呢?

我以往都不把答案写下来,而在心里回答这两个问题。不过多年前我就不那样做了。我发现同时把问题和答案都写下来,能够使我的思路更清楚。所以,在那个星期天的下午,我直接回到上海基督教青年会我住的房间,取出我的打字机。我打下:

1. 我担心的是什么?

我怕明天早上会被关进宪兵队里。

然后我打下第二个问题:

2. 我能怎么办呢?

我花了几个钟点去想这个问题,写下了 4 种我可能采取的行动,以及每一种行动可能带来的后果。

我可以尝试着去跟那位日本海军将领解释。可是他"不会说英文",若是我找个翻译来跟他解释,很可能会让他火起来,那我可能就是死路一条了。因为他是个很残酷的人,我宁愿被关在宪兵队里,也不愿去跟他谈。

我可以逃走。这点是不可能的,他们一直在监视着我,我从基督教青年会搬出搬进都需要登记,如果打算逃走的话,很可能被他们抓住而枪毙掉。

我可以留在我的房间里,不再去上班。但如果我这样做的话,那个日本海军将领就会起疑心,也许会派兵来抓我,根本不给我说话的机会,而把我关进宪兵队里。

礼拜一早上,我可以照常到公司去上班。如果我这样做的话,很可能那个日本海军将领正在忙着,而忘掉我那件事情。即使他想到了,也可能已经冷静下来,不会来找我麻烦。要是这样的话,我就没问题了。甚至即使他还来烦我,我仍然还有个机会去向他解释,所以应该像平常一样,在礼拜一早上到办公室去,好像根本没出什么事,可以给我两个逃避宪兵队的机会。

等我把所有事情都想过,决定采取第四个计划——像平常一样，礼拜一早上去上班——之后，我觉得大大地松了一口气。

第二天早上我走进办公室的时候，那个日本海军将领坐在那里，嘴里叼根香烟，像平常一样地看了我一眼，什么话也没说。6个礼拜以后——谢天谢地，他被调回东京去了，我的忧虑就此告终。

就像我前面所说过的，我之所以能捡回一条命，大概就是因为在那个礼拜天下午我坐下来写出各种不同的情况，和每一个步骤所可能带来的后果，然后很镇定地作出决定。如果我没有那样做的话，我可能会很混乱，或者是迟疑不决，而在紧要关头走错一步。要是我没有分析我的问题，做出决定，那整个礼拜天下午，我就会急得心乱如麻，当天晚上我也肯定睡不着觉，礼拜一早上上班的时候，一定会满面惊慌和愁容，光是这一点，就可能引起那个日本海军将领的疑心，而使他采取行动。

以后，一次又一次的经验证明，渐渐作出决定的确有莫大的价值。我们都是因为不能达成既定目的，不能控制自己，老是在一个令人难过的小圈子里打转，才会精神崩溃和生活难过。我发现，一旦很清楚、很确定地做出一种决定之后，50%的忧虑就会消失，在我按照决定去做之后另外还可以消失40%。

也就是说，采取以下4个步骤，就能消除掉我90%的忧虑：

1. 清楚地写下我所担心的是什么？

2. 写下我可以怎么办。

3. 决定该怎么办。

4. 马上就照决定去做。

盖伦·利奇费尔德今天是亚洲最重要的美国商人之一，他很诚恳地告诉我，他的成功应归功于这种分析忧虑、正视忧虑的方法。威廉·詹姆斯说：

一旦作出决定，当天就要付诸实行，同时要完全不理会责任问题，也不必关心后果。

他的意思是说——一旦你以事实为基础，作出了一个很小心的决定，就要付诸实行，不要停下来重新考虑，不要迟疑、担忧和犹豫：不要怀疑自己，否则会引起其他的怀疑，不要一直回头看。

我问一位俄克拉何马州最成功的石油商人韦特·菲利浦，如何把决心付诸行动，他回答说："我发现，如果超过某种限度之后，还一直不停地去思考问题的话，一定会造成混乱和忧虑。当调查和多加思考对我们有害的时候，也就是我们该下决心、付诸行动、不再回头的时候了。"

所以第四项原则就是：**马上利用盖伦·利奇费尔德的方法来解决你的忧虑。**

下面就是第一个问题——我担忧的是什么？（请在空白处写下你的答案）

第二个问题——我能怎么办？（请在空白处写下答案）

第三个问题——我决定怎么做？（请在空白处写下答案）

第四个问题——我什么时候开始做？（请在空白处写下答案）

## 克服忧虑的真实故事

# 克服忧虑的 5 种办法

### 威廉·菲尔普　耶鲁大学教授

　　菲尔普教授去世前不久，我曾荣幸地在耶鲁大学跟他谈过一个下午，这篇文章是我根据谈话资料整理出来的，谈的是菲尔普教授用来克服忧虑的 5 种方法。

　　1. 保持热忱与积极的心态。我 24 岁时，眼睛忽然无法看东西，阅读三五分钟后，我的眼睛像针刺般难受，即使不是看书，眼睛也对光线过分敏感，使我简直不能面对窗户。我求诊过纽约最好的眼科医生，似乎没有什么好办法。每天下午 4 点以后，我就只能坐在墙角的暗处，等着上床就寝了。我十分惊恐，怕就此放弃教学生涯。后来却发生了一件奇异的事，证明心智的力量可以战胜病痛。在我视力最恶化的那个难挨的冬天，我接受邀请去给一群大学生演说。大厅的天花板上挂着很亮的电灯，刺得我眼睛痛得不得了，坐在台上的时候，我只能看着地面。可是演讲的那 30 分钟内，我一点都没有觉得疼痛，甚至我直视灯光也不用眨眼。演讲过后，我又开始痛起来了。

　　于是我想到只要把注意力集中在某件事上，不只是 30 分钟，说不定是一周，可能眼疾就痊愈了。很显然，心理战胜了生理上的病痛。

　　我在船上时有过一次类似的经验。当时我的腰痛得不能走路，要直起腰来，简直痛得要了命。即使在那样的状况下，我还是应邀在船上作了 7 场演讲。我一开口说话，所有的疼痛都消除了，我站得笔直，随意移动，一直讲了一个钟头。演讲结束后，我轻轻松松地走回舱房，有一阵子，我以为自己没事了，不过那只是短暂的，后来腰还是痛。

　　这些经验都证明一个人的心理态度是何等重要！也让我体会到享受人生的重要性。所以，现在我把每一天都当作是我目睹的第一天，同时也是最后一天。日常生活也能令我兴奋，而处于兴奋状况的人是不可能作无谓的烦忧的。我热爱我的教学工作，我写过一本书，书名为《教学的乐趣》。教学对我而言，绝不只是一种职业，甚至不只是艺术。它是一种热情。我爱教学，正如同画家热爱绘画或歌唱者热爱唱歌一样。我早上一醒来，就先想到我那班可爱的学生。我一直觉得成功的人生来自于热忱。

　　2. 我还发觉阅读一本可以沉迷其中的书，也能克服忧虑。我59岁时，有一阵子精神状况不佳，我开始阅读大卫·威尔逊的《卡莱尔的一生》。我完全被这本书所吸引，渐渐忘却了自己意气消沉，也因此逐渐痊愈。

　　3. 另一次我感到消沉时，我强迫自己每个小时都保持体能上的忙碌。每天早上，我打五六回合网球，冲个澡，午餐后，每天下午都玩18个洞的高尔夫球。周五晚上，我跳舞跳到凌晨一点。我很相信所有的挫折忧虑都会随着汗水流逝。

　　4. 我很早就学会避免匆忙，不在压力下工作。我一直遵循韦尔伯·克罗斯的哲学。当克罗斯担任康涅狄格州长时，他告诉我："有时我觉得事情多得一下子处理不了，我就坐下来休息，抽我的烟斗，什么事都不做。"

　　5. 我也学会了用时间和耐心来解决很多问题。当我烦心某件事时，我试着去看我的问题将来会如何。我自问："两个月后，我就不会担心这件事了，那又何必现在来担心？何不让自己现在就换上两个月后的态度呢？"

# 66

## 将忧虑减半的四个步骤

---

---

如果你是一个生意人，也许你现在会对自己说："这个标题实在荒谬，我干这一行已经19年了，要说有谁能知道这个答案的话，当然是我了。居然有人想要告诉我怎么消除我生意上50%的麻烦——简直是荒谬。"

这话一点也不错。我如果在几年前看到这样的标题，也会有这样的感觉。这个题目好像能答应你很多事，但这种空口白话根本一文不值。

让我们开诚布公地谈谈吧。也许我的确不能帮你解除生意上50%的忧虑，从我刚才分析的结果来看，除了你自己，没有人能做得到这一点。可是我所能做到的是，让你看看别人是怎么做的，剩下的就要看你自己的了。

前面曾经提过世界著名的亚历西斯·卡锐尔博士的话："不知道怎样抗拒忧虑的生意人都会短命而死。"

既然忧虑的后果如此严重，那么如果我能帮你消除——即使是其中的10％，你是否也觉得满意呢？……会的？……很好，我下面就要告诉你一位生意人，他不仅消除了50％的忧虑，还减少了70％的以前用来开会、用来解决他生意上问题的时间。

而且我不会告诉你那种你没办法去查证的故事，如某一位"琼斯先生"或我在俄亥俄州认识的某一个人。这个故事的主角是一个活生生的人——利昂·席孟金。多年来他一直是西蒙出版社几个高阶层单位主管之一，现在是设在纽约州纽约市洛克菲勒中心的袖珍图书公司董事长。下面就是利昂·席孟金的经验：

15年来，我几乎每天花一半的时间开会和讨论问题。讨论我们是否该这样或那样，还是什么都不管。开会时我们很紧张，在椅子上坐立不安，在办公室里走来走去，彼此辩论，不停地绕着圈子。到了晚上，我会弄得精疲力竭。我原以为我这辈子大概就只能这个样子了。而且一直这样做了15年，并不觉得应该有更好的办法。如果有人告诉我可以减去那些花在会议上时间的3/4，即可以消除3/4的神经紧张。我会认为他是一个睁着眼睛、咧着大嘴、不懂事的乐观主义者。可是，我却拟出一个恰好能做到这一点的计划。这个办法我已经用了8年，对我的办事效率、我的健康和快乐来说，都带来了意想不到的好处。

这话听起来像变魔术——可是就像所有的戏法一样，一旦你弄清楚是怎么做的，就非常简单了。

下面就是我的秘诀：

第一，我立即停止15年来我们会议中所使用的程序——在以往，我那些很烦恼的同事会先把问题的细节报告一遍，最后再问："我们该怎么办？"

第二，我订下一个新的规矩——任何一个想要把问题拿来问我的人，必须先准备好一份书面报告，并在报告中回答以下4个问题：

**问题1：究竟出了什么问题？**

以前我们在这种会议中通常花上一二个小时，还没人弄清楚真正的问题在哪里。我们常会开始讨论我们的问题，却不肯先费点时间明白地写出我们的问题是什么。

**问题2：问题的起因是什么？**

我回顾一下，吃惊地发现我在这种会议上浪费了很多很多个小时，却没有清楚地找出构成问题的基本要素是什么。

**问题3：这个问题能找到哪些解决方法？**

在以前的会议中，总有一个人建议一种解决方法，另外一个人会跟他辩论，大家发起火来，常常讲到题外去。而开完会时，还没有找到可以解决问题的有效方法。

**问题4：你建议用哪一种方法？**

以往跟我一起开会的人，会花上好几个钟点为一种情况担心，不断地绕圈子，从没有想过所有可能的解决方法，然后写下来：这是我建议的解决方案。

现在，我的手下很少把他们的问题拿来找我了。为什么？因为他们发现，为了要回答上面的4个问题，他们得把所有的事实搜集起来，把他们的问题仔细加以考虑，在他们做过这些之后，他们会发现3/4的问题都不必再来找我商量。因为最适当的解决方案，就会像面包从烤面包机里跳出来一样。即使是在那些必须跟我讨论的情况下，所花去的时间也不过是以前所花的1/3，因为讨论的过程非常有秩序而符合逻辑，最后都能得到很明智的结论。

现在，袖珍图书公司的办公室里，不会有人再花那么多的时间去担心、去讨论出了什么问题，而会以更多的行动来解决问题。

弗兰克·贝特吉尔是美国最了不起的保险业巨子。他告诉我，他不仅减少了生意上的忧虑，而且收入倍增，所使用的也是类似的方法。以下是他给我讲述的故事：

很多年以前，我刚开始推销保险的时候，对自己的工作充满了无限的热诚和喜爱。然后发生了一点事情，使我非常气馁。我开始看不起我的工作，甚至想放弃。我几乎都要辞职了——可是我突然想到一件事。在一个星期六的早晨，我坐下来，想找出我忧虑的根源所在。

1.我首先问自己："问题到底是什么？"我的问题是：我访问过那么多的人，可是业绩并不够好。我似乎跟那些潜在的顾客都交谈得很好，可是到最后快要成交的时候，那位顾客就会跟我说："啊！我要再考虑考虑。贝特吉尔先生，什么时候再来时再说吧。"于是我又要再去找他，浪费掉不少的时间，使我觉得很颓丧。

2.我问自己："有什么可能的解决办法？"可是要得到问题的答案，我一定得先研究以前的事实。我拿出过去12个月以来的记录，仔细看看上面的数字。

结果，我有一个非常惊人的发现，就在本上，白纸黑字写得很明白。我发现我所卖的保险里，有70%是在第一次见面就成交的；另外有23%，是在第二次见面的时候成交的，还有7%，是在第三、第四、第五次……才成交。这些东西，让我觉得很难过，很浪费时间。换句话说，我的工作时间，几乎一半都浪费在实际上只有7%的业务上。

3."那么答案是什么呢？"答案很明显，我立刻停止第二次以后的所有访问，把空出来的时间拿来寻找新的顾客。结果真是令人难以相信：在很短的时间里，我就把平均每一次赚2.8元的业绩提高到4.27元。

弗兰克·贝特吉尔是美国最著名的人寿保险推销员，每年接进来的保险业务都在100万美元以上。可是他曾经一度想放弃他所从事的职业，几乎就要承认失败。结果呢？分析问题使他步入了成功之路。

你是否也应该把这些问题应用在你的问题上呢？让我们记住第五项原则，重复一下这几个问题：

● 问题是什么？

- 问题的成因是什么？
- 可能解决问题的方法有哪些？
- 你建议用哪一种解决的方法？

**克服忧虑的真实故事**

# 熬得过昨天，就过得了今天

美国专栏作家　　陶乐丝·狄克斯

我曾濒临贫病的深渊，人们问我是如何度过的，我常回答："熬得过昨天，我就能熬得过今天，我绝不允许自己去想明天会如何。"

我深切体会过欲望、挣扎、焦虑与绝望，我总是不断透支地工作着。当我回顾自己的过去，正如同满目疮痍的战场，充满了破碎的梦想与希望，堕落的幻觉——一场极不利于我的战争，令我伤痕累累，提早衰老。

不过，我并不自怜，也从不为过去悲伤流泪，我也不羡慕比我幸运的人。因为我真正有血有泪地活过，不只是存在而已。我饮尽了生命之杯中的每一滴，而别人只是浅尝杯口的泡沫。我了解到了一些其他人永远不会知道的事。我看得很明白的事，别人却是盲目的。只有泪水冲洗过的眼睛，才能有真正开阔的视野。

在大学时代我已了解到一个生活的哲理，那是养尊处优的人所不能体会的。我学会了只活在今天，而不去预支明日的烦恼。令人心生恐惧的是生命中不可知的部分。我之所以不先去担忧，是因为我由经验中得知，真正面对我所恐惧的事时，上天会赐给我所需要

的智慧与力量。我不再为琐事心烦。当你目睹过整个人生在你眼前
瓦解之后，你不会去在乎仆人忘了在盘下加垫子，或有人把汤泼在
你的身上。

　　我也学习到不对别人期望过高，因此，我仍能从那些对我不坦
白的朋友或说闲话的朋友处得到快乐。毕竟我已培养出一种幽默
感，一位遇到烦恼，能够以开玩笑代替歇斯底里的女人，已经坚强
到刀枪不入了。我一点都不为自己受过的苦感到遗憾，因为我在痛
苦中，真正体会到生命的意义。这绝对是值得的。

　　陶乐丝·狄克斯只"活在今天的方格中"，他战胜了忧虑。

# 67

## 让忙碌消除你的忧虑

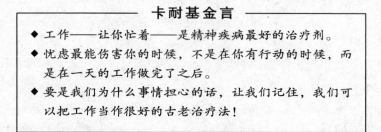

**卡耐基金言**

◆ 工作——让你忙着——是精神疾病最好的治疗剂。

◆ 忧虑最能伤害你的时候，不是在你有行动的时候，而是在一天的工作做完了之后。

◆ 要是我们为什么事情担心的话，让我们记住，我们可以把工作当作很好的古老治疗法！

我永远也忘不了几年前的一天夜里，我班上的一个学生道格拉斯告诉我们，他家里遭受了不幸，不止一次，而是两次。第一次他失去了自己5岁的女儿，一个他非常喜欢的女孩子。他和妻子都以为他们没有办法忍受这个打击。可是，正如他说的：

10个月之后，上帝又赐给我们另外一个小女儿——而她只活了5天就死了。

这接二连三的打击，对任何人来讲都无法承受。"我实在承受不了，"这个做父亲的告诉我们说，"我睡不着觉，吃不下饭，也无法休息或放松。我的精神受到致命的打击，信心尽失。"最后他去看医生。一个医生建议他吃安眠药，另外一个则建议他去旅行。他两个方法都试过了，可是没有一样能够对他有所帮助。他说："我的身体好像被夹在一把大钳子里，而这把钳子愈夹愈紧，愈夹愈紧。"那种悲哀给他的压力——如果你曾经因悲哀而感觉麻木的话，你就知道他所说的是什么了。

不过，感谢上帝，我还有一个孩子——一个4岁的儿子，他教我们得到解决问题的方法。有一天下午，我呆坐在那里为自己感到难过的时候，他问我："爸爸，你肯不肯为我造一条船？"我实在没有兴致去造条船。事实上，我根本没有兴致做任何事情。可是我的孩子是个很会缠人的小家伙，我不得不顺从他的意思。

造那条玩具船大概花了我3个钟头，等到船弄好之后，我发现用来造船的那3个小时，是我这么多个月来第一次有机会放松我的心情的时间。这个大发现使我从昏睡中惊醒过来。它使我想了很多——这是我几个月来的第一次思想。我发现，如果你忙着去做一些需要计划和思想的事情的话，就很难再去忧虑了。对我来说，造那条船就把我的忧虑整个击垮了，所以我决定让自己不断地忙碌。

第二天晚上，我巡视了屋子里的每个房间，把所有该做的事情列成一张单子。有好些小东西需要修理，比方说书架、楼梯、窗帘、门钮、门锁、漏水的龙头等等。叫人想不到的是，在两个礼拜以内，我列出了242件需要做的事情。

在过去的两年里，那些事情大部分已经完成。此外，我也使我的生活充满了启发性的活动：每个礼拜，我有两天晚上到纽约市参加成人教育班，并参加了一些小镇上的活动。我现在是校董事会的主席，参加很多会议，并协助红十字会和其他的机构募捐。我现在简直忙得没有时间去忧虑。

没有时间忧虑，这正是丘吉尔在战事紧张到每天要工作18个小时的时候所说的。当别人问他是不是为那么重的责任而忧虑时，他说："我太忙了，我没有时间去忧虑。"

查尔斯·柯特林在发明汽车的自动点火器的时候，也碰到这样的情形。柯特林先生一直是通用公司的副总裁，负责世界知名的通用汽车研究公司，最近才退休。可是，当年他却穷得要用谷仓里堆稻草的地方做实验室。家里的开销，都得靠他太太教钢琴所赚来的1500美金。后来，他又去用他的人寿保险作抵押借了500美金。我问过他太太，在那段时期她是不是很忧虑。"是的，"她回答说，"我担心得睡不着，可是柯特林先生一点也不担心。他整天埋头在工作里，没有时间去忧虑。"

伟大的科学家巴斯特曾经谈到"在图书馆和实验室所找到的平静"。平静为什么会在那儿找到呢？因为在图书馆和实验室的人，通常都埋头在他们的工作里，不会为他们自己担忧。做研究工作的人很少有精神崩溃的现象，因为他们没有时间来享受这种"奢侈"。

为什么"让自己忙着"这么一件简单的事情，就能够把忧虑赶出去呢？因为有这么一个定理——这是心理学上所发现的最基本的一条定理——不论这个人多么聪明，人类的思想，都不可能在同一时间想一件以上的事情。让我们来做一个实验：假定你现在靠坐在椅子上，闭起两眼，试着在同一个时间去想：自由女神；你明天早上打算做什么事情。

你会发现你只能轮流地想其中的一件事，而不能同时想两件事，对不对？从你的情感上来说，也是这样。我们不可能既激动、热诚地想去做一些很令人兴奋的事情，又同时因为忧虑而拖累下来。在同一时间里，一种感觉会把另一种感觉赶出去，也就是这么简单的发现，使得军方的心理治疗专家们，能够在战时创造这一类的奇迹。

当有些人因为在战场上受到打击而退下来的时候，他们都被称为"心理上的精神衰弱症"。军方的医生，都以"让他们忙着"为治疗的方法。除了睡觉的时间之外，每一分钟都让这些在精神上受到打击的人排满了活动，如钓鱼、打猎、打球、拍照片、种花，以及跳舞等等，根本不让他们有时间去回想那些可怕的经历。

"职业性治疗"是近代心理医生所用的名词，也就是把工作当作治病的药。这并不是新的办法，在耶稣诞生500年以前，古希腊

的医生就已经使用了。在富兰克林时代，费城教友会教徒也用这种
办法。1774 年，有一个人去参观教友会的疗养院，看见那些患精
神病的病人正忙着纺纱织布，使他大为震惊。他认为那些可怜的不
幸之人在被压榨劳力——后来教友会的人才向他解释说，他们发现
那些病人唯有在工作的时候病情才能真正有所好转，因为工作能安
定神经。

随便哪位心理治疗医生都能告诉我：工作——让你忙着——是
精神病最好的治疗剂。名诗人亨利·朗费罗在他年轻的妻子去世之
后，发现了这个道理。有一天，他太太点了一枝蜡烛，来熔一些信
封的火漆，结果衣服烧了起来。朗费罗听见她的叫喊声，就赶过去
抢救，可是她还是因为烧伤而死去。有一段时间，朗费罗没有办法
忘掉这次可怕的经历，几乎发疯。幸好他 3 个幼小的孩子需要照
料。虽然他很悲伤，但还是要父兼母职。他带他们出去散步，讲故
事给他们听，和他们一同玩游戏，还把他们父子间的亲情永存在
《孩子们的时间》一诗里。他还翻译了但丁的《神曲》。这些工作加
在一起，使他忙得完全忘记了自己，也重新得到思想的平静。就像
班尼生在最好的朋友亚瑟·哈兰死的时候曾经说过的那样："我一定
要让我自己沉浸在工作里，否则我就会在绝望中苦恼。"

对大部分人来说，在集中主要精力于工作或被工作忙得团团转
的时候，"沉浸在工作里"大概不会有多大问题。可是在下班以后
——就在我们能自由自在享受悠闲和快乐的时候——忧虑的魔鬼就
会来攻击我们。这时候我们常常会想，我们的生活里有什么样的成
就，我们有没有上轨道，老板今天说的那句话是不是"有什么特别
的意思"，或者我们的头是不是秃了。

我们不忙的时候，脑筋常常会变成真空。每一个学物理的学生
都知道"自然中没有真空的状态"。打破一个白炽灯的电灯泡空气
就会进去，充满了理论上说来是真空的那一块空间。

你脑筋空出来，也会有东西进去补充，是什么呢？通常都是你
的感觉。为什么？因为忧虑、恐惧、憎恨、嫉妒和羡慕等等情绪，

都是由我们的思想所控制的，这种种情绪都非常猛烈，会把我们思想中所有的平静的、快乐的思想和情绪都赶出去。

詹姆士·穆歇尔是哥伦比亚师范学院的教育学教授。他在这方面说得很清楚："忧虑最能伤害到你的时候，不是在你有行动的时候，而是在一天的工作做完了之后。那时候，你的想像力会混乱起来，使你想起各种荒诞不经的可能，把每一个小错误都加以夸大。在这种时候，"他继续说道，"你的思想就像一部没有载货的车子，乱冲乱撞，撞毁一切，甚至自己也变成碎片。消除忧虑的最好办法，就是要让你自己忙着，去做一些有用的事情。"

不见得只有一个大学教授才能懂得这个道理，才能付诸实行。战时，我碰到一个住在芝加哥的家庭主妇，她告诉我她如何发现"消除忧虑的好办法，就是让自己忙着，去做一些有用的事情"。当时我正在从纽约回密苏里农庄的路上，在餐车上碰到这位太太和她的先生。

这对夫妇告诉我，他们的儿子在珍珠港事件的第二天加入陆军。那个女人当时因担忧她的独子，而几乎使她的健康受损。他在什么地方？他是不是安全呢？这时正在打仗？他会不会受伤、死亡？

我问她，后来她是怎么克服她的忧虑的。她回答说："我让自己忙着。"她告诉我，最初她把女佣辞退了，希望能靠自己做家事来让自己忙着，可是这没有多少用处。"问题是，"她说，"我做起家事来几乎是机械化的，完全不用思想，所以当我铺床和洗碟子的时候，还是一直担忧着。我发现，我需要一些新的工作才能使我在一天的每一个小时，身心两方面都能感到忙碌，于是我到一家大百货公司里去当售货员。"

"这下成了，"她说，"我马上发现自己好像掉进了一个行动的大漩涡里：顾客挤在我的四周，问我关于价钱、尺码、颜色等等问题。没有一秒钟能让我想到除了手边工作以外的问题。到了晚上，我也只能想，怎么样才可以让我那双痛脚休息一下。等我吃完晚饭之后，我爬上床，马上就睡着了，既没有时间也没有体力再去忧虑。”

她所发现的这一点，正如约翰·考伯尔·波斯在他那本《忘记不快的艺术》里所说的："一种舒适的安全感，一种内在的宁静，一种因快乐而反应迟钝的感觉，都能使人类在专心工作时精神镇静。"

而能做到这一点是多么的有福气。世界最有名的女冒险家奥莎·强生最近告诉我，她如何从忧虑与悲伤中得到解脱。你也许读过她的自传《与冒险结缘》。如果真有哪个女人能跟冒险结缘的话，也就只有她了。马丁·强生在她16岁那一年娶了她，把她从堪萨斯州查那提镇的街上一把抱起，到婆罗洲的原始森林里才把她放下。25年来，这一对来自堪萨斯州的夫妇旅行全世界，拍摄在亚洲和非洲逐渐绝迹的野生动物的影片。9年前他们回到美国，到处做旅行演讲，放映他们那些有名的电影。他们在彤佛城搭飞机飞往西岸时，飞机撞了山，马丁·强生当场死亡，医生们都说奥莎永远不能再下床了。可是他们对奥莎·强生的认识并不够深，3个月之后，她就坐着轮椅，在一大群人的面前发表演说。事实上，在那段时间里，她发表过100多次演讲，都是坐着轮椅去的。当我问她为什么这样做的时候，她回答说："我之所以这样做，是让我没有时间去悲伤和忧愁。"

奥莎·强生发现了比她早一世纪的但尼生在诗句里所说的同一个真理："我必须让自己沉浸在工作里，否则我就会挣扎在绝望中。"

海军上将拜德之所以也能发现这一点，是因为他在覆盖着冰雪的南极的小茅屋里单独住了5个月——在那冰天雪地里，藏着大自然最古老的秘密——在冰雪覆盖下，是一片没有人知道的、比美国和欧洲加起来都大的大陆。拜德上将独自度过的5个月里，方圆100英里内没有任何生物存在。天气奇冷，当风吹过他耳边的时候，他能感觉他的呼吸冻住，结得像水晶一般。在他那本名叫《孤寂》的书里，拜德上将叙述了在既难过又可怕的黑暗里所过的那5

个月的生活。他一定得不停地忙着才不致发疯。

"在夜晚，"他说，"当我把灯吹熄之前，我养成了分配第二天工作的习惯。就是说，为我自己安排下一步该做什么。比方说，一个钟点去检查逃生用的隧道，半个钟点去挖横坑，一个钟点去弄清楚那些装置燃料的容器，一个钟点在藏飞行物的隧道的墙上挖出放书的地方来，再花两个钟点去修拖人的雪橇……"

"能把时间分开来，"他说，"是一件非常好的事情，使我有一种可以主宰自我的感觉……"他又说："要是没有这些的话，那日子就过得没目的。而没有目的的话，这些日子就会像平常一样，最后弄得崩解分裂。"

要是我们为什么事情担心的话，让我们记住，我们可以把工作当作很好的古老治疗法！已故的哈佛大学医学院教授李察·柯波特博士说："我很高兴看到工作可以治愈很多病人。他们所感染的，是由于过分迟疑、踌躇和恐惧等等所带来的病症。工作所带给我们的勇气，就像爱默生永垂不朽的自信一样。"

要是你和我不能一直忙着——如果我们闲坐在那里发愁——我们会产生一大堆达尔文称之为"胡思乱想"的东西，而这些"胡思乱想"就像传说中的妖精，会掏空我们的思想，摧毁我们的行动力和意志力。

我认得纽约的一个生意人，他用忙碌来赶走那些"胡思乱想"，使他没有时间去烦恼和发愁。他的名字叫屈伯尔·郎曼，也是我成人教育班的学生。他征服忧虑的经过非常有意思，也非常特殊，所以下课之后我请他和我一起去吃夜宵。我们在一间餐馆里面一直坐到半夜，谈到了那些经验。下面就是他告诉我的故事：

18年前，我因为忧虑过度而得了失眠症。当时我非常紧张，脾气暴躁，而且非常不安。我想我就要精神崩溃了。

我这样发愁是有原因的。我当时是纽约市西面百老汇大街皇冠水果制品公司的财务经理。我们投资了50万美金，把草莓包装在一加仑装的罐子里。20年来，我们一直把这种一加仑装的草莓卖给制造冰淇淋的厂商。突然我们的销售量大跌，因为那些大的冰淇淋制造厂商，像国家奶品公司等等，产量急遽地增加，而为了节省开支和时间，他们都买 36 加仑一桶的桶装草莓。

我们不仅没办法卖出价值 50 万美金的草莓，而且根据合约规定，在接下去的一年之内，我们还要再买价值 100 万美金的草莓。我们已经向银行借了 30 万美金，既还不上钱，也无法再续借这笔借款，难怪我要担忧了。

我赶到加州华生维里我们的工厂里，想要让我们的总经理相信生产经营形势所发生的逆转，我们可能面临毁灭的命运。他不肯相信，把这些问题的全部责任都归罪于纽约的公司身上——那些可怜的业务人员。

在经过几天的要求之后，我终于说服他不再这样包装草莓，而把新的供应品放在旧金山新鲜草莓市场上卖。这样做差不多可以解决我们大部分的困难，照理说我应该不再忧虑了，可是我还是做不到这一点。忧虑是一种习惯，而我已经染上这种习惯了。

我回到纽约之后，开始为每一件事情担忧，在意大利买的樱桃，在夏威夷买的凤梨等等，我非常紧张不安，睡不着觉，就像我刚刚说过的，简直快要精神崩溃了。

在绝望中，我换了一种新的生活方式，结果治好了我的失眠症，也使我不再忧虑。我让自己忙碌着，忙到我必须付出所有的精力和时间，以至没有时间去忧虑。以前我一天工作 7 个小时，现在我开始一天工作 15 到 16 个小时。我每天清晨 8 点钟就到办公室，一直干到半夜，我接下新的工作，负起新的责任，等我半夜回到家的时候，总是精疲力竭地倒在床上，不要几秒钟就不省人事了。

这样过了差不多有 3 个月，等我改掉忧虑的习惯，又回到每天工作 7 到 8 小时的正常情形。这事情发生在 18 年前，从那以后我就没有再失眠和忧虑过。

萧伯纳说得很对，他把这些总结起来说："让人愁苦的秘密就是，有空闲来想想自己到底快不快乐。"所以不必去想它，在手掌心里吐口唾沫，让自己忙起来，你的血液就会开始循环，你的思想就会开始变得敏锐——让自己一直忙着，这是世界上最便宜的一种药，也是最好的一种。

因此，如果你想改掉你忧虑的习惯，第六项原则是：

**让自己一直不停地忙着。**

### 克服忧虑的真实故事

# 我几乎没有明天

J·C·潘尼　美国著名连锁经营商

1902 年 4 月 14 日，一位年轻人以 500 美元在怀俄明州的一个千人小镇上开了一家干货铺。这对年轻夫妇就住在店铺的阁楼上，用一个大木箱当桌子，小的空木箱就当作椅子。太太用毛毯包住婴儿放在柜台下层，她就站在旁边，帮助她丈夫招呼顾客。后来成为全世界最大的连锁商店——J·C·潘尼，1600 家店铺遍布全美各州。我最近在与他共餐的一次机会中，他告诉我他一生中最戏剧化的一刻。

几年前，我经历了一次最难忘的体验。我当时忧心忡忡，我的烦恼跟生意无关，生意十分顺利，但在 1929 年经济大萧条前，我作了一个错误的决定，为这件无法负责的事，我成为众矢之的。我非常困扰，开始失眠，并罹患了一种非常痛苦的皮肤病症——带状疱疹。我去看医生，埃格尔斯顿医生是我小学到高中的同学。他命令我上床休息，警告我病情不轻，并开始治疗。可是却无任何起色，我一天比一天衰弱。我身心俱疲，陷入绝望，看不到一丝光明。我已失去生存的斗志，我觉得自己没有任何朋友，连家人都弃我而去。有一晚医生开了镇静剂给我，但药效不久就过去了，我醒来后，强烈地感受到我已走到生命的尽头。我下床给我妻子、儿子写了遗书，告诉他们，我已不可能再看到黎明。

第二天早上，我醒过来时，不敢相信自己居然还活着。走下楼去，听到小教堂传来早晨做弥撒的圣歌之声。步入教堂，我心怀忧戚地听着圣歌，念着祈祷文。静思使我慢慢体会到，要战胜这些烦恼是唯一的出路，没有人能够拯救我，只有自己救自己。从那一天起，我就不再烦恼。现在我已 71 岁，这一生中最戏剧化，最光辉的 20 分钟，就是在那座小教堂里。

J·C·潘尼发现了克服忧虑的最佳疗法，因此他也立即脱离了烦恼的深渊。

# 68

## 生活在今天的密封舱里

1871 年春天，一位年轻人手拿一本书，他看到了一句话，也正是这句话对他的前途产生了莫大的影响。他是蒙特瑞尔综合医院的一位医科学生，他的生活中总是充满了忧虑：担心怎样通过期末考试，担心该做些什么事情，担心到哪里去，担心怎样才能开业，担心怎样才能生活。

就是他看到的那句话，使他成为同代人中最有名的医学家。他创建了世界知名的约翰斯霍金斯医学院，成为牛津大学医学院的客座教授——这是英国医学界的最高荣誉——他还被英国国王册封为爵士。在他去世以后，人们用两大卷书——厚达1466页的篇幅——才能完整讲述他的一生。

他的名字叫做威廉·奥斯勒爵士。他在1871年春天所看到的那句由托马斯·卡莱里所写的话，帮助他度过了无忧无虑的一生，这句话就是："我们首要去做的事情不是去观望遥远的将来，而是去做手边的清晰之事。"

42年之后，在一个春暖花开之夜，郁金香开满了校园，威廉·奥斯勒爵士正在对耶鲁大学的学生发表演讲。他对那些耶鲁大学的学生们说，像他这样一位曾经在四所大学当过教授，写过一本很受欢迎的书的人，似乎应该有一个"特殊的头脑"，但其实不然。他说，他的一些好朋友都知道，他的脑筋其实"最普通不过了"。

那么他成功的秘诀到底是什么呢？他认为，这完全是因为他生活在一个"只有今天的密封舱"里。他这句话是什么意思？让我们先看看下面这则故事吧！

在奥斯勒爵士到耶鲁演讲的几个月前，他乘坐一艘巨轮横渡大西洋，他看见船长站在舵室里，揿下一个按钮，轮船立即发出一阵机械运转的声音，船的几个部分立刻彼此隔绝开来——分成了几个完全封闭防水的隔水舱。在对耶鲁大学学生演讲时，奥斯勒说：

你们每个人的身体组织都要比那艘海轮精美得多，你们要走的航程也遥远得多，我要劝诫各位的是，你们也要学会怎样控制一切，生活在一个"只有今天的密封舱"里，这才是确保航行安全的最好方法。只要你到舵室去，就会发现那些大的隔离舱都可以使用，按下按钮，注意倾听你生活的每一个层面，用铁门把过去隔断——隔断已经逝去的昨天；按下另一个按钮，用铁门把未来也隔断——隔断那些尚未来临的明天。这样你就保险了——你有的只是今天……切断过去，将已逝的过去埋葬；切断那些把傻子引上死亡之路的昨天……明日的重担，加上昨日的重担，就会成为今日的最大障碍，要把未来像过去一样紧紧地关在门外……未来就在于今天……没有明天这个东西，人类得到救赎的日子就是现在。精力的浪费、精神的苦闷，都会紧随着一个为未来担忧的人……那么把船前船后的大隔舱都关断吧，准备养成一个好习惯，生活在"只有今天的密封舱"里。

这么说来，我们是不是不要憧憬明天，不应该为明天而努力呢？不！绝不是这样！在那次演讲中，奥斯勒继续说到，为明日做好准备的最好方法就是集中你所有的智慧、所有的热诚，把今天的工作做得尽善尽美，这就是你迎接未来的唯一办法。

但也许你会说，昨天已经过去，人们不可能不去回忆；明天即将来临，人们怎会不去憧憬？

是的，一定要为明天着想。不错，要小心地考虑、计划和准备，可是不要为明天而担忧。

## 每天像沙漏一样工作

在第二次世界大战期间，军事领袖必须为将来计划，可是他们绝不能有任何焦虑。"我把我们最好的装备，供应给最好的士兵，"指挥美国海军的海军上将欧内斯特·金说，"然后尽可能向他们作出最明智的命令，我所能做的就是这些。"

"若是一条船沉了，"金继续说道，"我不能把它捞起来。要是船在往下沉，我也挡不住。我把时间花在解决明天的问题上，要比为昨天的问题而后悔好得多了，何况我如果总是为这些事情烦心的话，我也不能支持很久。"

不论是在战时还是在和平时代，一个好想法和坏想法的区别是：好的想法考虑到原因和结果，从而产生一个很合乎逻辑、很有建设性的计划；而坏想法通常会导致一个人的紧张和精神崩溃。

我最近很荣幸能访问阿瑟·苏兹柏格，他是世界上最有名的《纽约时报》的发行人。苏兹柏格先生告诉我，当第二次世界大战的战火烧过欧洲的时候，他感到非常吃惊，对未来非常担忧，以致几乎无法入睡。他常常在半夜爬下床来，拿着画布和颜料，望着镜子，想画一张自画像。他对绘画一无所知，可他还是画着，好让自己不再担心。苏兹柏格先生告诉我，最后，他用一首赞美诗中的一句话作为他的座右铭，终于消除了他的忧虑，得到了内心的平安。这一句话是："只要一步就好了。"

大概就在这个时候，有个当兵的年轻人也同样学到了这一课，他的名字叫做泰德·本杰米诺，住在马里兰州的巴尔的摩城——他曾经忧虑得几乎完全丧失了斗志。他写道：

1945 年 4 月，我忧愁得患了一种病，医生称之为结肠痉挛症，这种病使人极为痛苦，如果战争那时还不结束，我想我整个人都会垮了。

我当时整个人精疲力竭。我在第 94 步兵师，担任士官，负责建立和保持一份在战中死伤和失踪者的记录，还要帮忙发掘那些在战争激烈的时候被打死的、被草掩埋在坟墓里的士兵。我要收集那些人的遗物，要准确地把那些东西送回到他们的家人或近亲手里。我一直在担心，怕我们会造成那些让人很窘的或者是很严重的错误，我担心我是不是能撑得过去，我担心是不是还能活着回去把我的独生子抱在怀里——一个我从来没有见过的 16 个月的儿子。我既担心又疲劳，整个人瘦了 34 磅，而且担忧得几乎发疯。我眼看着秘书的两只手只剩下皮包骨。我一想到自己瘦弱不堪地回家就害怕，我整个人都崩溃了，哭得像个孩子，浑身发抖……有一段时间，也就是德军最后开始大反攻不久，我常常哭泣，我几乎放弃还能成为一个正常人的希望了。

最后我住进了医院。一位军医给了我一些忠告，就是这些忠告改变了我的整个生活。在为我做完一次彻底的全身检查之后，他告诉我，我的问题纯粹是精神上的。"泰德，"他说，"我希望你把你的生活想像成一个沙漏，你知道在沙漏的上一半，有成千成万粒的沙子，它们都慢慢地很平均地流过中间的那条细缝。除了弄坏沙漏，你跟我都没有办法让很多沙粒同时通过那条窄缝。你、我和每一个人，都像这个沙漏。每天早上开始的时候，有一大堆的工作等着去做，让我们觉得自己一定得在当天完成。可如果我们不是一次做一件，让它们慢慢地平均通过这一天，像沙粒通过沙漏的窄缝一样，那我们就一定会损害到我们自己的身体或精神了。

从值得纪念的那一天起，当军医把这段话告诉我之后，我就一直奉行着这种哲学。"一次只流过一粒沙……一次只做一件事。"就是这个忠告在战时挽救了我的身心，目前对我在印刷公司的公共关系及广告部中的工作也有莫大的帮助。我发现，生意场上也会遇到战场上的同样问题，一次要做好几件事情——但我们却没有多少时间可以利用。我们的材料不够了，我们的新表格要处理，还要安排新的资料，地址的变动，分公司的增开和关闭等等。我不会再紧张不安，因为我记得那个军医告诉我的话："一次只流过一粒沙子。一次只做一件工作。"我一再对自己重复地念着这两句话。我的工作比以前更有效率，做起事来也不会再有那种在战场上几乎使我崩溃的、迷惑和混乱的感觉。

现实生活方式中最可怕的一件事就是，我们的医院里大概有一半以上的床位都是留给神经或者精神有问题的人。他们都是被累积起来的昨天和令人担心的明天联合起来的重担所压垮的。而那些病人中，大多数只要能奉行耶稣的这句话，"不要为明天忧虑。"或者是威廉·奥斯勒爵士的那句话："生活在一个只有今天的密封舱里。"他们也能走在街上，过着快乐而有益的生活了。

# 每一天都是一个新的生命

你和我，在现在这一刹那，都站在两个永恒的交汇之点——已经永远永远地过去，以及延伸到无穷无尽的未来——我们都不可能活在这两个永恒之中，甚至连一秒钟也不行。若想那样做的话，我们就会毁了自己的身体和精神。所以，我们应该以能活在所能活的现在这一时刻而感到满足吧，从现在一直到我们上床。罗勃特·史蒂文森写道：

不论担子有多重，每个人都能支持到夜晚的来临，不论工作多么辛苦，每个人都能做他那一天的工作，每个人都能很甜美、很有耐心、很可爱、很纯洁地活到太阳下山，这就是生命的真谛。

不错，生命对我们所要求的也就是这些。可是住在密歇根州沙吉那城的谢尔德太太在学会"只要生活到上床为止"这一点之前，却感到极度颓丧，甚至几乎想要自杀。她向我诉说了她的过去。

1937年，我丈夫死了，我觉得非常颓丧——当时几乎一文不名。我写信给我以前的老板利奥·罗奇先生，请他允许我回去从事我以前的工作。我从前靠给学校推销世界百科全书过活。两年前我丈夫生病的时候，我把汽车卖了，可是我勉强凑足钱，分期付款买了一部旧车，再开始出去卖书。

我原想，再回去做事或许可以帮我解脱颓丧。可是要一个人驾车，一个人吃饭，几乎令我无法忍受。有些区域简直就做不出什么业绩来，虽然分期付款买车的数目不大，而对我来讲，也很难付清。

1938年春天，我在密苏里州的维赛里市推销，那里的学校很穷，路也不好走，我一个人又孤独、又沮丧，所以有一次我甚至想要自杀。我觉得成功是遥遥无期了，活着也没有什么希望。每天早上我都害怕起床面对生活。我什么都怕：怕我付不出分期付款的车钱，怕我付不起房租，怕没有足够的东西吃，怕我的健康情形变坏而没有钱看医生。让我没有自杀的唯一理由是，我担心我的妹妹会因此而很难过，而且她又没有足够的钱来付我的丧葬费用。

有一天，我读到了一篇文章，使我从消沉中振作起来，让我有勇气继续活下去。我永远感激那篇文章里那一句很令人振奋的话：

对一个聪明人来说，每一天都是一个新的生命。

我用打字机把这句话打下来，贴在我车子前面的挡风玻璃上，使我开车的时候每一分钟都能看见。我发现一个人每次只活一天并不困难，我学会忘记过去，不想未来，每天早上我都对自己说："今天又是一个新的生命。"

我成功地克服了我对孤寂和需求的恐惧。我现在很快活，也算很成功，并对生命抱着无限的热诚和真爱。我现在知道，不论在生活上碰到什么事情，我都不会再害怕了；我现在知道，我不必怕未来；我现在知道，我每次只要活一天——"对一个聪明人来说，每一天都是一个新的生命"。

## 你的窗前今天就绽放着玫瑰

你猜下面这几行诗是谁写的：

这个人很快乐，也只有他能快乐，

因为他把今天称之为自己的一天；

他在今天能感到安全，能够说：

"不管明天怎么糟，我已经过了今天。"

这几句话听起来很现代，却是由古罗马诗人霍勒斯所写。

我知道人性中最可怜的一件事就是，我们所有的人都喜欢拖延着不去生活，我们都喜欢梦想天边的一座奇妙的玫瑰园，而不去欣赏今天就开放在我们窗口的玫瑰。

我们为什么会变成这种傻子———一种可怜的傻子呢？

史蒂芬·李柯克写道：

我们生命的小小历程是多么奇怪啊。小孩子说："等我是个大孩子的时候。"可是又怎么样呢？大孩子说："等我长大成人之后。"然后等他长大成人了，他又说："等我结婚之后。"可是结了婚，又能怎么样呢？他们的想法变成了"等到我退休之后。"然后，等到退休之后，他回头看看自己所经历过的一切，似乎有一阵冷风吹过来。不知怎么的，他把所有的都错过了，而一切又一去不再回头。我们总是无法及早学会：生命就在生活里，就在我们度过的每一天和每一个时刻。

底特律城已故的爱德华·艾文斯，在领悟到"生命就在生活里，就在每一天和每一个时刻里"之前，几乎因为忧虑而自杀。

爱德华·艾文斯生长在一个贫苦的家庭，起先靠卖报来赚钱，然后在一家杂货店当店员。后来家里有7口人要靠他吃饭，他找到了一个助理图书管理员的职位，薪水很少，他却不敢辞职。8年之后，他才鼓起勇气开始自己的事业。可事业一开始，他就用借来的55元钱获得了成功，一年赚了20000美元。然后，厄运降临了——一个很可怕的厄运：他替一个朋友兑付了一张面额很大的支票，而那位朋友后来破产了。在这件灾祸之后又很快出现了另一场大祸，那家存着他全部财产的大银行垮了，他不但损失了所有的钱，还负债16000美元。他精神受不住这样的打击，他还给我讲述了当时的故事。

我吃不下，睡不着，并开始生起一种奇怪的病。没有别的原因，只是因为担忧。有一天，我走在路上的时候，昏倒在路边，以后就再也不能走路了。他们让我躺在床上，我的全身都烂了，伤口往里面溃烂之后，连躺在床上都受不了。我的身体越来越弱，最后医生告诉我，我只有两个星期可活了。我大吃一惊，写好遗嘱，然后躺在床上等死。挣扎或是担忧都没有用了，我放弃了，也放松下来，闭目休息。连续好几个礼拜，我几乎没有办法连续睡两个小时以上。可是这时候，因为一切的困难就快要结束，我反而睡得像个孩子似的安稳。那些令人疲倦的忧虑渐渐消失了，我的胃口恢复了，体重也开始增加。

几个礼拜之后，我就能撑着拐杖走路。6个礼拜以后，我又能回去工作了。我以前一年曾赚过20000美元，可现在能找到一个每周30美元的工作，就已经很高兴了。我的工作是推销用船运送汽车时，放在轮子后面的挡板。这时我已学会不再忧虑——不再为过去发生的事情后悔——也不再害怕将来。我把所有的时间、精力和热诚都放在推销挡板上。

爱德华·艾文斯的事业进展非常之快，不到几年，他已是艾文斯工业公司的董事长。多年来，这个公司一直是纽约股票交易所的一家上市公司。如果你乘飞机到格陵兰去，很可能降落在艾文斯机场——这是为了纪念他而命名的。可是，如果他没有学会"生活在只有今天的密封舱里"的话，爱德华·艾文斯绝不可能获得这样的胜利。

你大概还记得白雪皇后所说的："这里的规矩是，明天可以吃果酱，昨天可以吃果酱，但今天不准吃果酱。"我们大多数人也是这样——为昨天的果酱发愁，为明天的果酱发愁——却不会在我们今天吃的面包上涂上厚厚的果酱。

就连那位伟大的法国哲学家蒙坦格尼也犯过同样的错误，他说："我的生活中，曾充满可怕的不幸，而那些不幸大部分都是从来没有发生过的。"我的生活，和你的生活，也都一样。

伟大的诗人但丁也说过："想一想，这一天永远不会再来了。"生命正在以令人难以置信的速度飞快地溜过，我们的空间以每秒19哩的速度飞驰，但只有今天才是我们最值得珍惜的一段时间，也是我们唯一能够把握的时间。

这也就是拉维尔·托马斯的想法。我最近在他的农场里度过了一次周末。我注意到他把《圣经·诗篇》第118篇的句子，装上镜框，挂在墙上，让他可以时常看见。

这是耶和华所订的日子，

我们要在其中高兴欢喜。

约翰·鲁斯金在他的桌上放了一块石头，石头上只刻了两个字："今天"。我的书桌上没有放石头，不过我的镜子上倒贴着一首诗。我每天早上刮胡子的时候都能够看见——这也是威廉·奥斯勒爵士常常放在他桌子上的那首诗——这首诗的作者是一个很有名的印度戏剧家卡里达莎。

## 向黎明致敬

看着这天！

因为它就是生命，生命中的生命。

在它短短的时间里，

储存着你所有的变化与现实：

生长的福祐，

行动的荣耀，

成就的辉煌。

因为昨天不过是一场梦，

而明天只是一个幻影，

但是活在很好的今天，

却能使每一个昨天都是一个快乐的梦，

每一个明天都是希望的幻影。

所以，好好把握这一天吧，

这就是你对黎明的敬礼。

所以，你对忧虑所应知道的第一件事是，如果你不希望忧虑侵入你的生活，就要像威廉·奥斯勒爵士那样去做：

用铁门把过去和未来隔断，生活在只有今天的密封舱里。

现在请你问问自己下面这几个问题，然后写下答案来：

1. 我是否没有生活在现实之中，总是担心未来？或是追求"一座遥远奇妙的玫瑰园"？

2. 我是否常为过去发生的事后悔，因为那些已经过去、已经做过的事而使现在更难受？

3. 我清早起来的时候，是否决定要"抓住这一天"——尽量利用这 24 小时？

4. 如果"活在只有今天的密封舱里"，是否能使我从生命中得到更多？

5. 我什么时候该开始这么做？下星期……明天……还是今天？

消除忧虑的第七项原则是：

让你的生活只有今天。

克服忧虑的真实故事

# 运动可以解忧

科洛莱尔·艾迪·伊根上校

每当我发现自己忧心忡忡，或为一件事反复无谓地思虑，像只茫无目的兜圈子的骆驼时，只有运动可以帮助我驱散这些忧虑。我可能去跑步，乡间散步，击沙袋半小时，或打回力球。不管干什么，运动可以清理我心灵的渣滓。每到周末，我都做很多运动，例如绕高尔夫球场跑步、打板球或滑雪。当我生理上觉得够累时，心理上就不再烦恼法律问题，而有一种新的活力滋生出来。

在我工作的纽约市，我常有机会到健身房去。没有人能一面玩回力球或滑雪，还能一面想心事。他已经忙得没空去烦恼了。原来满天阴霾的烦恼，只剩下几朵乌云，新的想法与行动很快就让它烟消云散，万里晴空。

我发现运动是克服忧虑的最佳良方。当你烦恼时，多用肌肉，少伤脑筋，结果会出人意料的好。对我来说——当我开始运动时，也正是烦恼开始离去之时。

# 69

## 不要因小事而垂头丧气

─── **卡耐基金言** ───

◆ 我们通常都能很勇敢地面对生活里那些大的危机，却
  被那些小事情搞得垂头丧气。

◆ 大多数时间里，要想克服因为一些小事情引起的困
  扰，只要把自己的看法和重点转移一下就可以了。你
  就会找到一个新的、使你开心一点的想法。

　　下面这则戏剧性的故事也许会让你终身难忘。这个故事的主人
叫罗伯勃·摩尔，住在新泽西州的梅普尔伍德。

　　1945 年 3 月，我学到了一生最重要的一课。我是在中印海岸
附近 276 英尺深的海底下学到的。当时我和另外 87 人一起在贝雅
S．S．318 号潜水艇上。我们通过雷达发现，一小支日本舰队正朝
我们这边开过来。天快亮的时候，我们浮出水面发动攻击。我由潜
望镜里发现一艘日本驱逐舰、一艘油轮和一艘布雷舰。我们朝那艘
驱逐舰发射了 3 枚鱼雷，但都没有击中。那艘驱逐舰并不知道它正
在遭受攻击，仍继续前行，我们准备攻击最后的一条船——那条布
雷舰。突然之间，它转过身子，直朝我们开来（一架日本飞机看见

我们在60英尺深的水下，把我们的位置用无线电通知了那艘布雷舰）。我们潜到150英尺深的地方，以避免被它侦测到，同时准备好应付深水炸弹。我们在所有的舱盖上都多加了几层栓子，同时为了使我们的沉降保持绝对静默，我们关了所有的电扇、整个冷却系统和所有的发电机。

3分钟之后，突然天崩地裂，6枚深水炸弹在我们四周爆炸开来，我一直不停地对我自己说着："……这下死定了……这下死定了。"电扇和冷却系统都关闭之后，潜水艇的温度一下子升得很高，可是我怕得全身发冷，穿上了一件毛衣，以及一件带皮领的夹克，可还是冷得发抖。我的牙齿不停地打颤，全身冒着一阵阵冷汗。攻击持续了15个小时之久，然后突然停止了。显然那艘日本布雷舰把它所有的深水炸弹都用光后，就驶开了。这15个小时的攻击，感觉上就像有1500万年。

过去的生活——在我眼前映现，我记起了以前做过的所有坏事，我曾经担心过的一些很无稽的小事。在我加入海军之前，我是一个银行职员，曾经为工作时间太长、薪水太少、没有升迁机会而发愁。我曾经忧虑过，因为我没有办法买房子，没钱买部新车，没钱给我太太买漂亮的衣服。我非常讨厌以前的老板，因为他老是找我的麻烦。我还记得，每晚回到家的时候，我总是又累又难过，常常跟我的太太为一点芝麻大的小事吵架；我也为我额头上的一个小疤——一次车祸留下的伤痕——发愁过。

多年前，那些令人发愁的事在我看起来都是大事，可是在深水炸弹威胁着要把我送上西天的时候，这些事情又是多么的荒谬、微小。就在那时候，我答应自己，如果我还有机会再见到太阳跟星星的话，我永远永远不会再忧虑了。永远不会！永远不会！永远也不会！在潜艇里面那15个可怕的小时里，我对于生活所学到的，比我在大学念了4年的书所学到的东西要多得多。

我们通常都能很勇敢地面对生活里那些大的危机——可是，却会被那些小事情搞得垂头丧气。比方说，塞缪尔·佩皮斯在他的

《日记》里谈到他看见哈利·维恩爵士在伦敦被砍头的事：在维恩爵士走上断头台的时候，他没有要求别人饶命，却要求刽子手不要一刀砍中他脖子上那块痛伤的地方。

这也是伯德上将在又冷又黑的极地之夜所发现的另外一点——他手下的人常常为一些小事情而难过，却不在乎大事。他们能够毫不埋怨地面对危险而艰苦的工作，在零下几十度的寒冷中工作，"可是，"伯德上将说，"我却知道有好几个同房的人彼此不讲话，因为怀疑对方把东西乱放，占了他们自己的地方。我还知道，队上有一个讲究所谓空腹进食、细嚼健康法的家伙，每口食物一定要嚼过28次才吞下去；而另外有一个人，一定要在大厅里找到一个看不见这家伙的位子坐着，才能吃得下饭。"

"在南极的营地里，"伯德上将说，"像这类的小事情，都可能把最有训练的人逼疯。"

而伯德上将，你还可以加上一句话："小事"如果发生在夫妻间的生活里，也会把人逼疯，还会造成"世界上半数的伤心事"。

这话也是权威人士说的，如芝加哥的约瑟夫·萨伯斯法官在仲裁过四万多件不愉快的婚姻案件之后说道：

婚姻生活之所以不美满，最基本的原因通常都是一些小事情。

而纽约郡的地方检察官弗兰克·霍根也说："我们处理的刑事案件里，有一半以上都起因于一些很小的事情：在酒吧里逞英雄，为一些小事情争争吵吵，讲话侮辱别人，措辞不当，行为粗鲁——就是这些小事情，结果引起伤害和谋杀。很少有人真正天性残忍，一些犯了大错的人，都是因自尊心受到小小的损害，一些小小的屈辱，虚荣心不能满足，结果造成世界上半数的伤心事。"

罗斯福夫人刚结婚的时候，她忧虑了好多天，因为她的新厨子做饭做得很差。"可如果事情发生在现在，"罗斯福夫人说，"我就会耸耸肩膀把这事给忘了。"好极了，这才是一个成年人的做法。就连凯瑟琳女皇——这个最专制的女皇，在厨子把饭做得不好的时候，通常也只是付之一笑。

有一次，我们到芝加哥一个朋友家里吃饭。分菜的时候，他有些小事情没有做对。我当时并没有注意到，即使我注意到，我也不会在乎的。可是他太太看见了，马上当着我们的面跳起来指责他。"约翰，"她大声叫道，"看看你在搞什么！难道你就永远也学不会怎么样分菜吗？"

然后她对我们说："他老是犯错，简直就不肯用心。"也许他确实没有好好地做，可是我实在佩服他能够跟他太太相处 20 年之久。坦白地说，我情愿只吃一两个抹上芥末的热狗——只要能吃得很舒服——而不愿一面听她唠叨，一面吃北京烤鸭和鱼翅。

在碰到那件事情之后不久，我妻子和我请了几位朋友到家里来吃晚饭。就在他们快来的时候，我妻子发现有三条餐巾和桌布的颜色不大相配。

"我冲到厨房里，"她后来告诉我说，"结果发现另外三条餐巾送去洗了。客人已经到了门口，没有时间再换，我急得差点哭了出来。我只想到：'为什么会有这么愚蠢的错误，来影响我的整个晚上？'然后我想到——为什么要让它使我不高兴呢？我走进餐厅去吃晚饭，决心好好地享受一下。我果然做到了。我情愿让朋友们认为我是一个比较懒散的家庭主妇，"她告诉我说："也不要让他们认为我是一个神经兮兮、脾气不好的女人。而且，据我所知，根本没有一个人注意到那些餐巾的问题。"

有一条大家都知道的名言："法律不会去管那些小事情。"一个人也不该为这些小事忧虑，如果他希望求得心理上的平静的话。

大多数时间里，要想克服因为一些小事情所引起的困扰，只要把自己的看法和重点转移一下就可以了——让你有一个新的、能使你开心一点的看法。

我的朋友荷马·克罗伊是个作家，写过几本书。他为我们举了一个怎么样能够做到这一点的好例子。

以前我写作的时候，常常被纽约公寓热水器的响声吵得快发疯。蒸气会砰然作响，然后又是一阵刺耳的声音——而我会坐在书桌前气得直叫。

有一次我和几个朋友一起去露营，当我听到木柴烧得很响时，我突然想到：这些声音多么像热水器的响声，为什么我会喜欢这个声音，而讨厌那个声音呢？我回到家以后，跟我自己说："火堆里木头的爆裂声，是一种很好听的声音，热水器的声音也差不多，我该埋头大睡，不去理会这些噪音。"我果然做到了：头几天我还会注意热水器的声音，可是不久我就把它们整个的忘了。

很多其他的小忧虑也是一样，我们不喜欢一些事情，结果弄得整个人很颓丧，只不过因为我们都夸张了那些小事的重要性……

狄士雷里说过："生命太短促了，不能再只顾小事。"

"这些话"，安德烈·摩瑞斯在《本周》杂志里说，"曾经帮我挨过很多很痛苦的经验。我们常常让自己因为一些小事情、一些应该不屑一顾和很快该忘的小事情弄得非常心烦……我们活在这个世上只有短短的几十年，而我们浪费了很多不能再补回来的时间，去为一些一年之内就会被所有人忘记的小事发愁。不要这样，让我们把自己的时间、生活只用于值得做的行动和感觉上，去想一些伟大的思想，去经历真正的感情，去做必须做的事情。因为生命太短促了，不该再顾及那些小事。"

就像拉迪亚德·基普林这样有名的人，有时候也会忘了"生命是如此短促，不能再顾及小事。"其结果呢？他和他的内弟打了一场佛蒙特有史以来最有名的一场官司——这场官司打得有声有色，后来被写成一本书记载下来。故事的经过是这样的：

基普林娶了一个佛蒙特本地的女孩凯珞琳·巴莱斯蒂尔，他们在佛蒙特的布拉特伯勒造了一间很漂亮的房子，在那里定居下来，准备度他的余生。他的内弟贝蒂·巴莱斯蒂尔成了基普林最好的朋友，他们两个一起工作，一起娱乐。

然后，基普林从莱斯蒂尔手里买了一些地，事先协议好莱斯蒂尔可以每一季在那块地上割草。有一天，莱斯蒂尔发现基普林在那片草地上建了一个花园，他生起气来，暴跳如雷，基普林也反唇相讯，弄得佛蒙特绿山上的天都变黑了。

几天之后，基普林骑着他的脚踏车出去玩的时候，他的内弟突然驾着一部马车从路的那边转了过来，逼得基普林从车上跌了下来。而基普林——这位曾经写过"众人皆醉，你应独醒"的人却也昏了头，告到官府，把莱斯蒂尔抓了起来。接下来是一场很热闹的官司，大城市里的记者都挤到这个小镇上来，新闻传遍了全世界。事情没办法解决，这次争吵使得基普林和他的妻子永远离开了他们在美国的家，这一切的忧虑和争吵，只不过为了一件很小的小事。

佩里克莱斯在 2400 年前说过："来吧，各位！我们在小事情上耽搁得太久了。"不错，我们的确如此！

下面是哈里·爱默生·福斯狄克博士所说过的一个很有意思的故事。

在科罗拉多州朗峰山坡上，躺着一棵大树的残躯。自然学家告诉我们，它曾经有 400 多年的历史。初发芽的时候，哥伦布才刚在美洲登陆。第一批移民到美国来的时候，它才长了一半大。在它漫长的生命里，曾经被闪电击中过 14 次；400 年来，无数狂风暴雨侵袭过它，它都能战胜它们。但最后，一小队甲虫攻击这棵树，使它倒在了地上。那些甲虫从根部往里面咬，就只靠它们很小、但持续不断的攻击，渐渐伤了树的元气。这样一个森林里的巨人，岁月不曾使它枯萎，闪电不曾将它击倒，狂风暴雨没有伤着它，却因一小队可以用大拇指跟食指就捏死的小甲虫而终于倒了下来。

我们岂不都像森林中的那棵身经百战的大树吗？我们也经历过生命中无数狂风暴雨和闪电的打击，但都撑过来了。可是我们有些人却让自己的心被忧虑的小甲虫咬噬——那些用大拇指和食指就可以捏死的小甲虫。

几年以前，我去了怀俄明州的蒂顿国家公园。同去的还有怀俄明州公路局局长查尔斯·西费德及他的几个朋友。我们本来要一起去参观约翰·洛克菲勒先生在公园的一栋房子的，可是我坐的那辆车转错了弯，迷了路。等到达那座房子时，已经比其他车晚了一个小时。西费德先生没有开那扇大门的钥匙，所以他在那个又热、又有好多蚊子叮咬的森林里等了一个小时，等我们到达。那里的蚊子多得可以让一个正常人都发疯，可是它们没有办法赢过查尔斯·西费德，在等待我们的时候，他折下一段白杨树枝，做成一根小笛子。当我们到达的时候，他是不是正忙着赶蚊子呢？不，他正在吹笛子，当作一个纪念品，纪念一个知道如何不理会那些小事的人。

　　在忧虑摧毁你以前，先改掉忧虑的习惯，下面是第八项原则：

　　**不要让自己因为一些应该抛开和忘记的小事烦心，要记住："生命太短促了，不要再为小事烦恼。"**

## 克服忧虑的真实故事

# 我曾是忧虑的受害者

吉姆·伯索尔

　　17年前，我还是弗吉尼亚军校的学生时，就以多愁善感闻名。我常因忧虑过度而病倒。因为我常生病，医护室里有一张病床是专为我保留的。护士一看到我，会立刻跑来为我注射，没有一件事不叫我担心，有时我连自己在烦恼什么也想不起来了。我担心分数不好，被学校退学。我的物理不及格，还有其他科成绩也不好。我知道起码得维持75至84分的水平才行。我更担心自己的健康，我常患消化不良及失眠。我的财务状况也令我心烦，因为我总不能如我所愿地带女朋友去跳舞，或买糖送她，因此我担心她会嫁给其他追求者。不分日夜，我总是在烦恼着这些问题。

痛苦实在难挨，我只有把烦恼倾诉给企管教授贝尔德教授。

我跟贝尔德教授谈话的这 15 分钟，对我身心健康的助益，比 4 年大学生活还多。

他说："吉姆，你应该定下心来正视问题，如果你用忧虑的一半时间，去想办法解决困难，你就不会有任何烦恼了。忧虑其实只是你的一个坏习惯罢了。"

他教给我三个改正忧虑习惯的方法：

第一条：找出你烦恼的真正问题是什么。

第二条：找出问题的原因。

第三条：立即采取建设性的行动，解决问题。

谈话过后，我作了一个建设性的计划。不再只是担心物理不及格，我现在自问为什么会考不及格。我知道不是因为我不聪明，因为我曾担任工程师刊物的主编。

我发现物理考不好的原因，是因为我对它不感兴趣，我看不出物理对工业工程有何帮助。不过，现在我调整自己的态度。我告诉自己："如果学校当局规定，我通不过物理考试，就不能获得学位，我凭什么怀疑他们的明智决定？"

于是我重修物理，而且通过了。因为我不再浪费时间去担心它，反而非常用功的研读它。

为了解除经济上的困境，我接一些工作来做，例如在舞会中卖鸡尾酒，有时向我父亲借钱，不过毕业不久，我就还清了。

为了解决爱情烦恼，我向我唯恐失去的女友提出求婚，她现在已是我的妻子。

现在回顾过去，我可以清楚看出我的问题完全是因为混淆不明，无法找出烦恼的源头，再实际地面对它。

吉姆·伯塞尔学会了克服忧虑，因为他开始学会分析问题。事实上，他用的方法正是本书前面讨论过的——"如何分析解决问题。"

# 70

## 计算事情发生的概率

　　我的儿童时代是在密苏里州的农场里长大的。有一天，我在帮母亲摘樱桃的时候，我哭了起来。妈妈说："戴尔，你到底在哭什么？"我哽咽地回答道："我怕我会被活埋。"

　　那时候我心里总是充满了忧虑。暴风雨来的时候，我担心被闪电打死；日子不好过的时候，我担心东西不够吃；另外，我还怕死了之后会进地狱。我怕一个比我大的名叫山姆·怀特的男孩会像他威胁我的那样，割下我的两只大耳朵。我怕女孩子在我脱帽向她们鞠躬的时候取笑我；我怕将来没一个女孩子肯嫁给我；我还为结婚之后我该对我太太说的第一句话是什么而操心。我想像我们会在一间乡下的教堂里结婚，会坐着一辆上面垂着流苏的马车回到农庄……可是在回农庄的路上，我怎么能够一直不停地跟她谈话呢？我该怎么办呢？我在犁田的时候，常常花几个小时想这些惊天动地的大问题。

日子一年年过去了，我渐渐发现，我所担心的事情中，有99％根本就不会发生。比方说，像我刚刚说过的，我以前很怕闪电。可是现在我知道，我被闪电击中的概率大约只有三十五万分之一。

我怕被活埋的恐惧更是荒谬。我没有想到——即使是在发明木乃伊以前的那些古老时代——在1000万个人里可能只有一个人被活埋，可是我以前却曾经因为害怕此事而哭过。

每8个人里就有一个人可能死于癌症，如果我一定要发愁的话，我就应该去为得癌症的事发愁——而不应该去担心被闪电打死，或者遭到活埋。

事实上，我刚刚谈的都是我在童年和少年时所忧虑的事。可是我们很多成年人的忧虑，也几乎一样的荒谬。如果我们根据平均法则考虑一下我们的忧虑究竟值不值得，并真正做到好长时间内不再忧虑，我想你和我的忧虑中有90％可以消除。

全世界最有名的保险公司——伦敦罗艾得保险公司——就是靠人们对一些根本很难得发生的事情担忧而赚进了大量的收入。罗艾得保险公司是在跟一般人打赌，说他们所担心的灾祸几乎永远不可能发生。不过，他们不叫这是赌博，他们称之为保险，实际上这是以平均法则为根据的一种赌博。这家大保险公司已经有200年的优良历史了，除非人的本性会改变，否则它至少还可以继续维持5000年。而它只是替你保鞋子的险，保船的险，利用估算概率的法则向你保证那些灾祸发生的情况，并不像一般人想像的那么常见。

如果我们检查一下所谓的概率法则，就常常会因我们所发现的事实而惊讶。比方说，如果我知道在5年内就得打一场盖茨堡战役那样惨烈的仗，我一定会吓坏了。我一定会想尽办法去加保我的人寿保险；我会写下遗嘱，把我所有的财物变卖一空。我会说："我大概没办法活着撑过这场战役，所以我最好痛痛快快地过剩下的这些年。"但事实上，根据概率计算，50岁到55岁之间，每1000个人里死去的人数，和盖茨堡战役里16.3万名士兵中每1000人中阵亡的人数相同。

本书有几章是我在加拿大洛矶山区鲍湖写的，夏日的一天，我在岸边碰见了赫伯特·塞林杰夫妇。塞林杰太太是一位平静、沉着的女人，她好像从来没有忧虑过。有一天夜晚，我们坐在熊熊的炉火前，我问她是不是曾经因忧虑而烦恼过。她就给我讲述了下面的故事。

我的生活差点被忧虑毁掉了。在我学会征服忧虑之前，我在自作自受的苦难中生活了11个年头。那时候我脾气很坏，很急躁，总是生活在非常紧张的情绪之下。每个礼拜，我要从在圣马特奥的家乘公共汽车到旧金山去买东西。可是就算在买东西的时候，我也愁得要命——也许他又把电熨斗放在熨衣板上了；也许房子烧起来了；也许我的女佣人跑了，丢下了孩子们；也许孩子们骑着他们的自行车出去，被汽车撞了。我买东西的时候，常常会因发愁而弄得冷汗直冒，然后冲出店去，搭上公共汽车回家，看看是不是一切都很好。难怪我的第一次婚姻没好结果。

我的第二任丈夫是个律师——一个很平静、事事都能够加以分析的人，从来没有为任何事情忧虑过。每次我神情紧张或焦虑的时候，他就会对我说："不要慌，让我们好好地想一想……你真正担心的到底是什么呢？让我们看一看事情发生的概率，看看这种事情是不是有可能发生。"

举个例子来说，我还记得有一次，在新墨西哥州。我们从阿尔伯库基开车到卡尔斯巴德洞窟去，途中经过一条土路，半路上碰到了一场很可怕的暴风雨。

汽车一直下滑着，没办法控制，我想我们一定会滑到路边的沟里去，可是我的先生一直不停地对我说："我现在开得很慢，不会出什么事的。即使汽车滑进了沟里，根据平均率，我们也不会受伤。"他的镇定和信心使我平静下来。

　　有一年夏天，我们到加拿大的洛矶山区的图坎山谷去露营。有天晚上，我们的营帐扎在海拔 7000 英尺高的地方，突然遇到暴风雨，好像要把我们的帐篷撕成碎片。帐篷是用绳子绑在一个木制的平台上的，外面的帐篷在风里抖着，摇着，发出尖厉的声音。我每一分钟都在想：我们的帐篷会被吹垮了，吹到天上去。我当时真吓坏了，可是我先生不停地说着："我说，亲爱的，我们有好几个印第安向导，这些人对一切都知道得很清楚。他们在这些山地里扎营都有 60 年了，这个营帐在这里也过了很多年，到现在还没有被吹掉。根据发生的概率看来，今天晚上也不会被吹掉。而即使被吹掉的话，我们也可以躲到另外一个营帐里去，所以不要紧张。"……我放松了心情，而且后半夜睡得非常熟。

　　几年以前，小儿麻痹症横扫加利福尼亚州我们所住的那一带。要是在以前，我一定会惊惶失措，可是我先生叫我保持镇定，我们尽可能采取了所有的预防方法：不让小孩子出入公共场所，暂时不去上学，不去看电影。在和卫生署联络之后，我们发现，到目前为止，即使是在加州所发生过的最严重的一次小儿麻痹症流行时，整个加利福尼亚州只有 1835 个孩子染上了这种病。而平常，一般的数目只在 200 到 300 之间。虽然这些数字听起来还是很惨，可是到底让我们感觉到：根据发生的概率看起来，某一个孩子感染的机会实在是很小。

　　"根据平均概率，这种事情不会发生，"这句话就摧毁了我 90％ 的忧虑，使我过去 20 年来的生活都过得令人有点意想不到地美好而平静。

　　当我回顾过去的几十年时，我发现，大部分的忧虑也都是因此而来的。吉姆·格兰特是纽约富兰克林市格兰特批发公司的老板。每次要从佛罗里达州买 10 到 15 车的橘子等水果。他告诉我，他的经验也是如此。

　　以前我常常想到很多无聊的问题，比方说，万一火车失事怎么办？万一我的水果滚得满地都是怎么办？万一我的车子正好经过一条桥，而桥突然垮了怎么办？当然，这些水果都是经过保险的，可是我还是怕万一没有按时把水果送到就可能失掉市场。我甚至担心自己因忧虑过度而得上胃溃疡，因此去找医生检查。医生告诉我说，我没有别的毛病，只是过于紧张了。

这时候我才明白，我开始问自己一些问题。我对自己说，"注意，吉姆·格兰特，这么多年来你送过多少车的水果？"答案是："大概有25000多车。"然后我问自己，"这么多车次中有过几次车祸？"答案是："噢——大概有5次吧。"然后我对自己说，"一共25000辆汽车，只有5次出事，你知道这是意味着什么？出车祸的概率是五千分之一。换句话说，根据平均概率来看，以你过去的经验为基础，你的汽车出事的可能率是5000:1，那你还有什么好担心的呢？"

然后我对自己说："嗯，说不定桥会塌下来呢。"然后我问自己，"在过去，你究竟有多少次是因为桥塌而损失了呢？"答案是："一次也没有。"然后我对我自己说，"那你为了一座根本从来也没有塌过的桥，为了五千分之一的汽车失事的概率居然让你愁得患上胃溃疡，不是太傻了吗？"

当我这样来看这件事的时候，我觉得以前自己实在很傻。于是我就在那一刹那决定，以后让发生概率来替我担忧——从那以后，我就没有再为我的"胃溃疡"烦恼过。

当艾尔·史密斯在纽约当州长的时候，我常听到他对攻击他的政敌说："让我们看看纪录……让我们看看纪录。"然后他就接着把很多事实讲出来。下一次你若再为可能会发生什么事情而忧虑，让我们学一学这位聪明的老艾尔·史密斯，让我们查一查以前的纪录，看看我们这样忧虑到底有没有什么道理。这也正是当年佛莱德里克·马尔施泰特害怕他自己躺在坟里的时候所做的事情。下面就是他在纽约成人教育班上所说的故事：

1944年6月初，我躺在奥玛哈海滩附近的一个战壕里。当时我正在 999 信号服务公司服役，而我们刚刚抵达诺曼底。我看了一眼地上那个长方形的战壕，就对我自己说："这看起来就像一座坟墓。"当我躺下来准备睡在里面的时候，觉得那更像是一座坟墓，便忍不住对自己说："也许这是我的坟墓呢。"到了晚上 11 点钟的时候，德军的轰炸机飞了过来，炸弹纷纷往下落，我吓得人都僵住了。前三天我简直没有办法睡得着。到了第四还是第五天夜里，我几乎精神崩溃。我知道如果我不赶紧想办法的话，我整个人就会发疯。所以我提醒自己说：已经过了五个夜晚了，而我还活得好好的，而且我们这一组的人也都活得很好，只有两个受了点轻伤。而他们之所以受伤，并不是被德军的炸弹炸到了，而是被我们自己的高射炮的碎片打中的。我决定做一些有意义的事情来停止我的忧虑，所以我在战壕中造了一个厚厚的木头屋顶以保护我不至于被碎弹片击中。我算了一下炸弹扩展开来所能到达的最远地方，并告诉自己："只有炸弹直接命中，我才可能被炸死在这个又深、又窄的战壕里。"于是我算出直接命中的比率，恐怕还不到万分之一。这样想了两三夜之后，我平静了下来，后来就连敌机袭击的时候，我也睡得非常安稳。

美国海军也常用概率统计数字鼓励士兵的士气。一个以前当海军的人告诉我，当他和船上的伙伴被派到一艘油船的时候，他们都吓坏了。这艘油轮运的都是高辛烷汽油，因此他们都相信，要是这条油轮被鱼雷击中就会爆炸，并把每个人送上西天。

可是美国海军有他们的办法。海军总部发布了一些十分精确的统计数字，指出被鱼雷击中的 100 艘油轮里，有 60 艘并没有沉到海里去，而真正沉下去的 40 艘里，只有 5 艘是在不到 5 分钟的时间沉没。那就是说，有足够的时间让你跳下船——也就是说，死在船上的概率非常之小。这样对士气有没有帮助呢？"知道了这些概率数字之后，就使我的忧虑一扫而光。"住在明尼苏达州圣保罗市的克莱德·马斯——也就是讲这个故事的人说："船上的人都觉得好多了，我们知道我们有的是机会，根据概率数字来看，我们可能不会死在这里。"

　　在忧虑摧毁你以前，先改掉忧虑的习惯，下面是第九项原则：

　　**让我们看看以前的纪录，并算出一个平均概率，然后问问自己，我现在担心事情，发生的概率有多大？**

### 克服忧虑的真实故事

# 我克服了最恶劣的挑战

泰德·埃里克森

　　我曾是个忧虑虫，但如今我已不再忧虑。1942 年夏季的一次经历，使我可能一生都能免于忧虑，起码我希望能如此。那次的经历，使其他烦恼都显得微不足道。

　　我一直有个愿望，就是想到阿拉斯加的渔船上过一个夏天。于是我在 1942 年从阿拉斯加驾着 32 英尺长的捕鱼船出航。船上仅有 3 名成员：船长负责督导，副手协助船长，另一位打杂的通常是北欧人，我就是那个北欧人。

　　由于捕鱼船必须利用潮汐，因此我一天得工作 20 个小时。有一次，我连续一周都是每天工作 20 小时，我还干所有别人不想干的事。我刷洗船身，我在狭小的舱房内用烧木材的火炉烧饭，热气熏得我几乎生病。我洗碗盘、修理船只、把鲑鱼铲到另一艘船里以便运往罐头工厂。在橡胶靴里的双脚永远都是湿的，因为靴里都是水，而我又忙得没空倒出来。可是所有这些工作比起我的主要工作来说，只不过是一些游戏。我的主要工作是站在船尾把网拖上来，理论上如此，实际上呢？渔网重得一点也拖不动。我只有使尽力气，每天如此搞得我几乎送了命，我浑身酸痛，而且酸痛了好几个月。

当我终于有机会休息时，我躺在一个潮湿、凸凹不平的垫子上，立即昏睡得像死了一样，实在是因为精疲力竭。

我现在很高兴我曾忍受那样的酸痛与疲倦，因为对克服忧虑很有帮助。现在我遇到问题，不再先去烦恼它，反而先跟自己说："埃里克森，这会像拖渔网那么糟糕吗？"埃里克森不得不承认："不！没有什么比那更糟糕的！"于是我只有打起精神，鼓足勇气。我相信偶尔受点苦是很有帮助的，知道自己能够度过最艰辛的状况是很好的事，因为它使日常烦恼不足挂齿。

# 71

## 适应不可避免的事实

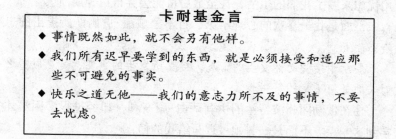

当我还是一个小孩的时候，有一天，我和几个朋友一起在密苏
里州西北部的一间荒废的老木屋的阁楼上玩。当我从阁楼爬下来的
时候，先在窗栏上站了一会儿，然后往下跳。我左手的食指上带着
一个戒指。当我跳下去的时候，那个戒指钩住了一根钉子，把我整
根手指拉脱了下来。

我尖声地叫着，吓坏了，还以为自己死定了，可是在我的手好
了之后，我就再也没有为这个烦恼过。再烦恼又有什么用呢？我接
受了这个不可避免的事实。

现在，我几乎根本就不会去想，我的左手只有四个手指头。

几年之前，我碰到一个在纽约市中心一家办公大楼里开货梯的人。我注意到他的左手齐腕砍断了。我问他少了那只手会不会觉得难过，他说："噢，不会，我根本就不会想到它。只有在要穿针的时候，才会想起这件事情来。"

令人惊讶的是，在不得不如此的情况下，我们差不多能很快接受任何一种情形，或使自己适应，或者整个忘了它。

我常常想起在荷兰首都阿姆斯特丹有一家15世纪的老教堂，它的废墟上留有一行字：

事情既然如此，就不会另有他样。

在漫长的岁月中，你我一定会碰到一些令人不快的情况，它们既是这样，就不可能是他样。我们也可以有所选择。我们可以把它们当作一种不可避免的情况加以接受，并且适应它，或者我们可以用忧虑来毁了我们的生活，甚至最后可能会弄得精神崩溃。

下面是我最喜欢的心理学家、哲学家威廉·詹姆斯所提出的忠告：

要乐于接受必然发生的情况，接受所发生的事实，是克服随之而来的任何不幸的第一步。

住在俄勒冈州波特兰的伊莉萨白·康奈利，却经过很多困难才学到这一点。下面是一封她最近写给我的信：

在美国庆祝陆军在北非获胜的那一天，我接到国防部送来的一封电报，我的侄儿——我最爱的一个人——在战场上失踪了。过了不久，又来了一封电报，说他已经死了。

我悲伤得无以复加。在那件事发生以前，我一直觉得生命对我多么美好，我有一份自己喜欢的工作，努力带大了这个侄儿。在我看来，他代表了年轻人美好的一切。我觉得我以前的努力，现在都有很好的收获……然后却收到了这些电报，我的整个世界都粉碎了，觉得再也没有什么值得我活下去。我开始忽视自己的工作，忽视朋友，我抛开了一切，既冷淡又怨恨。为什么我最疼爱的侄儿会离我而去？为什么一个这么好的孩子——还没有真正开始他的生活——就死在战场上？我没有办法接受这个事实。我悲痛欲绝，决定放弃工作，离开我的家乡，把自己藏在眼泪和悔恨之中。

就在我清理桌子、准备辞职的时候，突然看到一封我已经忘了的信——一封从我这个已经死了的侄儿那里寄来的信。是几年前我母亲去世的时候，他给我写来的一封信。"当然我们都会想念她的，"那封信上说，"尤其是你。不过我知道你会撑过去的，以你个人对人生的看法，就能让你撑得过去。我永远也不会忘记那些你教我的美丽的真理：不论活在哪里，不论我们分离得有多么远，我永远都会记得你教我要微笑，要像一个男子汉承受所发生的一切。"

我把那封信读了一遍又一遍，觉得他似乎就在我的身边，正在向我说话。他好像在对我说："你为什么不照你教给我的办法去做呢？撑下去，不论发生什么事情，把你个人的悲伤藏在微笑底下，继续过下去。"

于是，我重新回去开始工作。我不再对人冷淡无礼。我一再对我自己说："事情到了这个地步，我没有能力去改变它，不过我能够像他所希望的那样继续活下去。"我把所有的思想和精力都用在工作上，我写信给前方的士兵——给别人的儿子们。晚上，我参加成人教育班——要找出新的兴趣，结交新的朋友。我几乎不敢相信发生在我身上的种种变化。我不再为已经永远过去的那些事悲伤，我现在每天的生活都充满了快乐——就像我的侄儿要我做到的那样。

伊莉萨白·康奈利学到了我们所有人迟早要学到的东西，那就是必须接受和适应那些不可避免的事。这不是很容易学会的一课。就连那些在位的皇帝们也要常常提醒自己这样去做。已故的乔治五世在他白金汉宫的墙壁上挂着下面的这几句话：

教我不要为月亮哭泣，也不要因错事后悔。

同样的这个想法，叔本华是这样说的：

能够顺从，这是你在踏上人生旅途中最重要的一件事。

很显然，环境本身并不能使我们快乐或不快乐，我们对周遭环境的反应才能决定我们的感觉。

必要的时候，我们都能忍受得住灾难和悲剧，甚至战胜它们。我们也许以为自己办不到，但我们内在的力量却坚强得惊人，只要肯于加以利用，就能帮助我们克服一切。

已故的布思·塔金顿总是说：

人生加诸我的任何事情，我都能接受，除了一样——瞎眼。那是我永远也没有办法忍受的。

然而在他60多岁的时候，一天，他低头看着地上的地毯，色彩一片模糊，他无法看清楚地毯的花纹。他去找了一个眼科专家，证实了一个不幸的事实：他的视力在减退，有一只眼睛几乎全瞎了，另一只离瞎也为期不远了。他最怕的事情终于降临到自己的身上。

塔金顿对这种"所有灾难里最可怕的事"有什么反应呢？他是不是觉得"这下完了，我这一辈子就此完了"呢？没有，他自己也没有想到他还能活得非常开心，甚至还能善用他的幽默感。以前，浮动的"黑斑"令他很难过，它们会在他眼前游过，遮断了他的视线，可是现在，当那些最大的黑斑从他眼前晃过的时候，他却会说："嘿，又是黑斑老爷爷来了，不知道今天这么好的天空，它要到哪里去。"

当塔金顿完全失明之后，他说："我发现我能承受我视力的丧失，就像一个人能承受别的事情一样。要是我五种感官全都丧失了，我知道我还能够继续生存于自己的思想之中，因为我们只有在思想里才能够看，只有在思想里才能够生活，不论我们是否知道这一点。"

塔金顿为了恢复视力，在一年之内接受了12次手术，为他动手术的是当地的眼科医生。他有没有害怕呢？他知道这都是自己必须去做的事情，他知道自己没有办法逃避，所以唯一能减轻他痛苦的办法就是爽爽快快地去接受它。他拒绝在医院里用私人病房，而和其他病人一起住进大病房。在他必须接受好几次手术时，他还试着使大家开心——而且他很清楚在他眼睛里动了些什么手术——他只是尽力让自己去想他是多么幸运。"多么好啊，"他说，"多么妙啊，现代科学发展得如此之快，能够在人的眼睛这么纤细的部位动手术。"

一般人如果要忍受 12 次以上的手术，过着那种不见天日的生活，恐怕都会变成神经病了。可是塔金顿说："我可不愿意把这次经验拿去换一些更开心的事情。"这件事教会他如何接受不可改变的事实，这件事使他了解到，生命所能带给他的没有一样是他力所不及、不能忍受的。这件事也使他领悟了约翰·弥尔顿所说的："瞎眼并不令人难过，难过的是你不能忍受瞎眼。"

要是我们遇到一些不可改变的事实时就因此而退缩，或是加以反抗，为它难过，我们也不可能改变这些事实，可是我们可以改变自己。

有一次我拒绝接受我所碰到的一个不可避免的情况，我做了一件傻事，想去反抗它，结果使我失眠好几夜，并且痛苦不堪。我让自己想起所有不愿意想的事情，经过了一年的自我虐待，我终于接受了我早就知道的不可能改变的事实。

我应该在好几年前，就会吟诵沃尔特·惠特曼的诗句：
噢，要像树木和动物一样，去面对黑暗、
暴风雨、饥饿、愚弄、意外和挫折。

我与牛打了 12 年的交道，但是从来没有看到哪一条母牛因为草地缺水干枯，天气太冷，或是哪条公牛追上了别的母牛而大为恼火。动物都能很平静地面对夜晚、暴风雨和饥饿。所以它们从来不会精神崩溃或者是得胃溃疡，它们也从来不会发疯。

我是不是说，在碰到任何挫折的时候，都应该低声下气呢？不是，那样就成为宿命论者了。不论在哪一种情况下，只要还有一点挽救的机会，我们就要奋斗。可是当普通常识告诉我们，事情是不可避免的——也不可能再有任何转机时——为了保持我们的理智，让我们不要"左顾右盼，无事自忧"。

哥伦比亚大学已故的迪安·霍克斯告诉我，他曾经作过一首打油诗当作他的座右铭：

　　天下疾病多，数也数不了，

　　有的可以医，有的治不好。

　　如果还有医，就该把药找，

　　要是没法治，干脆就忘了。

　　在写这本书的时候，我曾经访问过好几位在美国很有名的生意人。令我印象最深刻的是，他们大多数都能接受那些不可避免的事实，过着一种无忧无虑的生活。如果他们不这样的话，就会被过大的压力而压垮。下面是几个很好的例子：

　　创设了遍及全国的彭尼连锁店的彭尼告诉我：

　　哪怕我所有的钱都赔光了，我也不会忧虑，因为我看不出忧虑可以让我得到什么。我尽己所能地把工作做好，至于结果就要听天由命了。

　　亨利·福特也告诉我一句类似的话。

　　碰到我没办法处理的事情，我就让他们自己去解决。

　　当我问克莱斯勒公司的总裁 K. T. 凯勒先生，他如何避免忧虑的时候，他回答说：

　　要是碰到很棘手的情况，我只要想得出办法解决，我就会去做。要是做不成，我就干脆把它忘了。我从来不为未来担心，因为没有人能够预测未来会发生什么事，影响未来的因素太多了，也没有人能说出这些影响从何而来，所以何必为它们担心呢？

　　如果你说凯勒是个哲学家，他一定会觉得非常困窘，他只是一位很好的生意人。可是他的意思，正和 19 世纪以前罗马的大哲学家爱比克泰德的理论差不多。爱比克泰德告诉罗马人：

　　快乐之道无他。就是我们的意志力所不能及的事情，不要去忧虑。

　　莎拉·伯恩哈特可说是最懂得如何去适应那些不可避免的事实的女人了。50 年来，她一直是四大州剧院里独一无二的皇后——全世界观众最喜爱的一位女演员。后来，她在 71 岁那年破产了

——所有的钱都损失了——而她的医生、巴黎的波兹教授告知她必须把腿锯掉。事情是这样的：

她在横渡大西洋的时候碰到了暴风雨，摔倒在甲板上，她的腿伤得很重，她还染上了静脉炎，腿痉挛，剧烈的痛苦使医生诊断她的腿一定要锯掉。这位医生有点怕把这个消息告诉那个脾气很坏的莎拉。他相信，这个可怕的消息一定会使莎拉大为恼火。可是他错了，莎拉看了他一阵子，然后很平静地说："如果非这样不可的话，那就只好这样了。"这就是命运！

当她被推进手术室的时候，她的儿子站在一边伤心地哭。她朝他挥了挥手，高高兴兴地说："不要走开，我马上就回来。"

在去手术室的路上，她一直背诵着她演过的一出戏里的几句台词。有人问她这么做是不是为了提起自己的精神，她说："不，是要让医生和护士们高兴，他们受的压力可大得很呢。"

当手术完成、恢复健康之后，莎拉·伯恩哈特依然继续环游世界，使她的观众又为她疯迷了7年。

"当我们不再反抗那些不可避免的事实之后，"爱尔西·麦可密克在《读者文摘》的一篇文章中写道："我们就能节省下精力、创造出一个更加丰富的生活。"

没有人能有足够的情感和精力，既抗拒不可避免的事实，又能利用这些情感和精力去创造新的生活。你只能在这两者中间选择其一，你可以面对生活中那些不可避免的暴风雨之下而弯下自己的身子，你也可以抗拒它们而被摧折。

我在密苏里州的农场上就见过这样的事情。我在农场上种了几十棵树，它们长得非常快，后来下了一阵冰雹，每根细小的树枝上都堆满了一层厚厚的冰。这些树枝在重压之下并没有顺从地弯下来，而是骄傲地反抗着，终于因承受不了而折断。这些树可不像北方的树木那样聪明，我曾经在加拿大看过长达好几百里的常青树林，从来没有看见一棵柏树或是松树被冰雪或冰雹压垮，因为这些常青树知道怎么去顺从重压，知道怎样弯垂枝条，怎么适应不可避免的情况。

　　日本的柔道大师教他们的学生"要像杨柳一样柔顺，不要像橡树一样挺拔。"

　　你知道汽车轮胎为什么能在路上跑那么久，能忍受那么多的颠簸吗？起初，制造轮胎的人想要制造一种轮胎，能够抗拒路上的颠簸，结果轮胎不久就被切成了碎条。然后他们又做出一种轮胎来，吸收路上所碰到的各种压力，这样的轮胎可以"接受一切"。在曲折的人生旅途上，如果我们也能够承受所有的挫折和颠簸，我们就能够活得更加长久，我们的人生之旅就会更加顺畅！

　　如果我们不吸收这些曲折，而是去反抗生命中所遇到的挫折的话，我们会碰到什么样的事实呢？答案非常简单，这样就会产生一连串内在的矛盾，我们就会忧虑、紧张、急躁而神经质。

　　如果我们再进一步，抛弃现实世界的不快，退缩到一个我们自己所造成的梦幻世界里，那么我们就会精神错乱了。

　　在战时，成千上万的心怀恐惧的士兵只有两种选择：他们要么接受那些不可避免的事实，要么在压力之下崩溃。让我们举个例子，下面这个故事是威廉·卡塞纽斯在纽约成人教育班上所说的一个得奖的故事：

　　我在加入海岸防卫队后不久，就被派到大西洋边的一个单位。他们安排我监管炸药。想想看，我——一个卖小饼干的店员，居然成了管炸药的人！光是想到站在几千几万吨 TNT 顶上，就足以把一个卖饼干的店员连骨髓都吓得冻住了。我只接受了两天的训练，而我所学到的东西让我的内心更加充满了恐惧。我永远也忘不了我第一次执行任务时的情形。那天又黑又冷，还下着雾，我奉命到新泽西州贝永的卡文角执行任务。

　　我奉命负责船上的第五号舱，并且和 5 个码头工人一起工作。他们身强力壮，可是对炸药却一无所知。他们正将重 2000 到 4000磅的炸弹往船上装，每一个炸弹都包含一吨的 TNT，足够把那条老船炸得粉碎。我们用两条铁索把炸弹吊到船上，我不停地对自己说，万一有一条铁索滑溜了，或是断了，噢，我的妈呀！我可真害怕极了。我浑身颤抖，嘴里发干，两个膝盖发软，心跳得很厉害。可是我不能跑开，因为那样就是逃亡，不但我会丢脸，我的父母也会丢脸，而且我可能因为逃亡而被枪毙。我不能跑，只能留下来。我一直看着那些码头工人毫不在乎地把炸弹搬来搬去，心想船随时都会被炸掉。在我担惊受怕、紧张了一个多小时之后，我终于开始运用我的普通常识。我跟自己好好地谈了谈，并说："你听着，就算你被炸了，又怎么样？你反正也没有什么感觉了。这种死法倒痛快得很，总比死于癌症要好得多。不要做傻瓜，你不可能永远活着，这件工作不能不做，否则要被枪毙，所以你还不如做得开朗点。"

我这样跟自己讲了几个小时，然后开始觉得轻松了些。最后，我克服了我的忧虑和恐惧，让我自己接受了那不可避免的情况。

我永远也忘不了这段经历，现在每逢我要为一些不可能改变的事实忧虑的时候，我就耸下肩膀说："忘了吧。"好极了，让我们欢呼三声，再为这位卖饼干的店员多欢呼一声。

"对必然之事，且轻快地加以承受。"这几句话是在耶稣基督出生前 399 年说的。但是在这个充满忧虑的世界，今天的人比以往更需要这几句话："对必然之事，且轻快地加以承受。"

在忧虑摧毁你以前，先改掉忧虑的习惯，第十项原则是：

**接受不可避免的事实。**

# 世上第一愚人

柏西·怀丁

　　我死过的次数比任何人都多，因为罹患各种疾病，我曾经死过或半死不活过。

　　我并不是忧郁症患者。我父亲开了一家药店，我实际上是在药房里长大的。我每天都跟医生护士聊天，所以我对疾病的名称、症状比一般人了解得多。我前面说过，我并非忧郁症的患者，可是我有同样的症状！我会为一种毛病担忧一二个小时，接着我就有了那种病的所有症状。我还记得有一次我们镇上流行白喉，我在药店里帮忙，每天卖药给那些有家人感染的顾客。接着，我所恐惧的恶魔降临到我身上了，我也得了白喉。我很有把握我是患了白喉。我躺在床上，医生检查过后说："不错，柏西，你得了白喉！"我放心了。我从不挂心我已得的病症，于是我翻个身睡着了，第二天我就完全没事了。

　　有好长一段时间，我专患一些极不寻常的疾病，以换取大量的注意及同情。我也因牙关紧闭症及狂犬症死过几次。后来我专注于癌症及恶性肿瘤。

　　现在我觉得很可笑，可是当时实在很悲惨。有好几年，我真心相信我是在生死边缘蹒跚而行。春天买新衣时，我总会自问："反正我也没机会穿它，何必浪费这笔钱呢？"

　　不过，我很高兴报告我的进步：过去10年来，我一次也没死过。

　　我是怎么做到的？我开始取笑自己荒唐的幻想。每次我觉得有症状时，我就取笑自己说："看看你自己，20年来，你已经为各种致命的疾病死过好几次了，而这并无损于你的健康状况，一家保险公司最近还接受你加保，你还不该把自己好好嘲笑一番吗？"

不久我就发现一面担心，一面嘲笑是不可能办到的。所以，从那以后，我开始常常嘲笑自己。

克服忧虑的重点在于，别把自己看得太重要，对一些荒唐的烦恼，你可以一笑置之。

# 72

## 让忧虑 "到此为止"

你是否想知道如何在华尔街上赚钱？恐怕至少有 100 万以上的人想知道这一点。如果我知道这个问题的答案，这本书恐怕就要卖 1 万美元一本了。不过，这里却有一个很好的想法，而且很多成功的人都加以应用。讲这个故事的人叫查尔斯·罗伯茨，一位投资顾问。

我刚从得克萨斯州来到纽约的时候，身上只有 2 万美元，是我朋友托付我到股票市场上来投资用的。我原以为，我对股票市场懂得很多，可是后来我赔得一分钱不剩。不错！在某些生意上我赚了几笔，可结果全部都赔光了。

要是我自己的钱都赔光了，我倒不会那么在乎！可是我觉得把我朋友们的钱赔光了，是一件很糟糕的事情，虽然他们都很有钱。在我们的投资得到这样一种不幸的结果之后，我实在很怕再见到他们，可是没有想到的是，他们不仅对这件事情看得很开，而且还乐观到不知所以的地步。

我开始仔细研究自己犯过的错误，并下定决心在我再进股票市场以前，一定要先了解整个股票市场到底是怎么一回事。于是我找到一位最成功的预测专家波顿·卡瑟斯，跟他交上了朋友。我相信我能从他那里学到很多东西，因为他多年来一直是个非常成功的人，而我知道能有这样一番事业的人，不可能全靠机遇和运气。

他先问了我几个问题，问我以前是怎么做的。然后告诉我一个股票交易中最重要的原则。他说："我在市场上所买的每一只股票，都有一个到此为止、不能再赔的最低标准。比方说，我买的是每股50元的股票，我马上规定不能再赔的最低标准是45元钱。"这也就是说，万一股票跌价，跌到比买进价低5元的时候，就立刻卖出去，这样就可以把损失只限定在5元钱。

"如果你当初买得很聪明的话，"这位大师继续说道，"你的赚头可能平均在10元、25元，甚至于50元。因此，在把你的损失限定在5元以后，即使你半数以上的判断错误，也能让你赚很多的钱。"

我马上学会了这一办法，从此便一直使用，这个办法替我的顾客和我挽回了不知几千几万块钱。

过了一段时间之后，我发现，这个所谓"到此为止"的原则也可以用在股票市场以外的地方，我开始在财务以外的忧虑问题上订下"到此为止"的限制，我在每一种让我烦恼和不快的事情上，加一个"到此为止"的限制，结果简直是太不可思议了。

举例来说，我常常和一个很不守时的朋友一起午餐。他以前总是在我的午餐时间过去大半之后才来，最后我告诉他我现在碰到问题之后，就用"到此为止"的原则。我告诉他说："以后等你'到此为止'的限制是 10 分钟，要是你在 10 分钟以后才到的话，我们的午餐约会就算告吹了——你来也找不到我。"

各位，我真希望在很多很多年以前就学会了把这种"到此为止"的限制，把它用在我的缺乏耐心、我的脾气、我的自我适应的欲望、我的悔恨和所有精神与情感的压力上。为什么我以前没有想到要抓住每一个可能会摧毁我思想平静的情况呢？为什么不会对自己说："这件事情只值得担这么一点点心——没必要去操更多的心……"

不过，我至少觉得自己在一件事上做得还不差，而且那是一次很严重的情况——是我生命中的一次危机——当时我几乎眼看着我的梦想、我对未来的计划，以及多年来的工作付诸流水。事情经过是这样的：

在我 30 岁刚出头的时候，我决定终生以写小说为职业，想做个弗兰克·瑞斯洛、杰克·伦敦或哈代第二。当时我充满了信心，在欧洲住了两年，在第一次世界大战结束后的那段日子里，用美元在欧洲生活，开销算是很小的。我在那儿过了两年，从事我的创作。我把那本书题名为《大风雪》，这个题目取得真好，因为所有出版家对它的态度都冷得像呼啸而刮的大风雪一样。当我的经纪人告诉我这部作品不值一文，说我没有写小说的天分和才能的时候，我的心跳几乎停止了。我茫然地离开他的办公室，哪怕他用棒子当头敲我，也不会让我更感到吃惊，我简直是呆住了。我发现自己站在生命的十字路口，必须作出一个非常重大的决定。我该怎么办呢？我该往哪一个方向转呢？几个礼拜之后，我才从这种茫然中醒来。在当时，我从来没有听过"给你的忧虑订下'到此为止'的限制"的说法，可是现在回想起来，我当时所做的正是这件事。我把费尽心血写那本小说的那两年时间看作是一次可贵的经验，然后从那里继续前进。我回到组织和教授成人教育班的老本行，有空的时候写一些传记和非小说类的书籍。

　　我是不是很高兴自己作出了这样的决定呢？现在每逢想起那件事情，我就得意地想在街上跳舞，可以很诚实地说，从那以后，我再也没有哪一天或哪一个钟点后悔我没有成为哈代第二。

　　100年前的一个夜晚，当一只鸟沿着沃登湖畔的树林里叫的时候，梭罗用鹅毛笔蘸着自己做的墨水，在他的日记里写道："一件事物的代价，也就是我称之为生活的总值，需要当场或长时期内进行交换。"

　　换个方式来说，如果我们以生活的一部分来付出代价，而付出得太多了的话，我们就是傻子。这也正是吉尔伯特和苏利文的悲哀：他们知道如何创作出快乐的歌词和乐谱，可是完全不知道如何在生活中寻找快乐。他们写过很多令世人非常喜欢的轻歌剧，可是他们却没有办法控制他们的脾气。他们只不过为了一张地毯的价钱而争吵多年。苏利文为他们的剧院买了一张新的地毯，当吉尔伯特看到账单的时候，大为恼火。这件事甚至闹至公堂，从此两个人至死都没有再交谈过。苏利文替新歌剧写完曲子之后，就把它寄给吉尔伯特，而吉尔伯特填上歌词之后，再把它们寄回给苏利文。有一次，他们一定要一起到台上谢幕，于是他们站在台的两边，分别向不同的方向鞠躬，这样才可以不必看见对方。他们就不懂得应该在彼此的不快里订下一个"到此为止"的最低限度，而林肯却做到了这一点。

　　在美国南北战争中，林肯的几位朋友攻击他的一些敌人，林肯说："你们对私人恩怨的感觉比我要多，也许我这种感觉太少了吧；可是我向来以为这样很不值得。一个人实在没有时间把他的半辈子都花在争吵上，要是那个人不再攻击我，我就再也不会记他的仇。"

　　我真希望我的老姑妈——爱迪丝姑妈——也有林肯这样的宽恕精神。她和弗兰克姑父住在一栋抵押出去的农庄上。那里土质很差，灌溉不良，收成又不好。他们的日子很难过，每时每刻都得省吃俭用。可是爱迪丝姑妈却喜欢买一些窗帘和其他的小东西来装饰家里。她向密苏里州马利维里的一家小杂货铺赊账买这些东西。弗兰克姑父很担心他们的债务，他很注重个人的信誉，不愿意欠债。所以他偷偷地告诉杂货店老板，不再赊账给姑妈。当她听说这件事之后，大发脾气——那时到现在差不多有 50 年了，她还在大发脾气。我曾经听她说这件事情——不止一次，而是好多好多次。我最后一次见到她的时候，她已经快 80 岁了。我对她说："爱迪丝姑妈，弗兰克姑父这样羞辱你是不对的，可是难道你真的不觉得，从那件事发生之后，你差不多埋怨了半个世纪，比他所做的事情还要坏得多吗？"

爱迪丝姑妈对她这些不快的记忆所付出的代价实在是太贵了，她付出的是她自己半生的心里平静。

富兰克林小的时候，犯了一次 70 年来一直没有忘记的错误。当他 7 岁的时候，他喜欢上了一支哨子，于是他兴奋地跑进玩具店，把他所有的零钱放在柜台上，也不问问价钱就把那支哨子买了下来。"然后我回到家里，" 70 年后他写信告诉他朋友说："吹着哨子在整个屋子里转着，对我买的这支哨子非常得意。"可是等到他的哥哥姐姐发现他买哨子多付了钱之后，大家都来取笑他。而他正像他后来所说的："我懊恼地痛哭了一场。"

很多年之后，富兰克林成为世界知名的人物，做了美国驻法国的大使。他还记得因为他买哨子多付了钱，使他得到的痛苦多过了哨子所给他的快乐。

富兰克林在这个教训里所学到的道理非常简单："当我长大以后，"他说，"我见识到许多人类的行为，我认为我碰到很多人买哨子都付了太多的钱。简而言之，我相信，人类的苦难部分产生于他们对事物的价值做了错误的估计，也就是他们买哨子多付了钱。"

吉尔伯特和苏利文对他们的哨子多付了钱，我的爱迪丝姑妈也一样，我个人也一样——在很多情况下。还有不朽的托尔斯泰，也就是两部世界最伟大的小说——《战争与和平》和《安娜卡列尼娜》的作者，根据大英百科全书的记载，托尔斯泰在他生命的最后 20 年里，"可能是全世界最受尊敬的人物"。在他逝世前的那 20

年，崇拜他的人不断到他家里去，希望能见他一面，听到他的声音，甚至于只摸一摸他衣服的一角。他所说的每一句话都有人在笔记本上记下来，就像那是一句"圣谕"一样。可是在生活上，托尔斯泰在70岁的时候，还不及富兰克林在7岁的时候聪明，他简直一点脑筋也没有。我为什么要如此说呢？

托尔斯泰娶了一个他非常爱的女孩子。事实上，他们在一起非常快乐，他们常常跪下来，向上帝祈祷，让他们继续过这种神仙眷属的生活。可是托尔斯泰所娶的那个女孩子天性非常善妒，她常扮成乡下姑娘，去打探他的行动，甚至于溜到森林里去看他。他们发生了很多很可怕的争吵，她甚至嫉妒她亲生的儿女，曾经抓起一把枪来，把她女儿的照片打了一个洞。她会在地板上打滚，拿着一瓶鸦片对着嘴巴，威胁着说要自杀，害得她的孩子们缩在屋子的角落里，吓得尖声大叫。

结果托尔斯泰怎么做呢？如果他跳起来，把家具打得稀烂，我倒不怪他——因为他有理由这样生气。可是他做的事比这个要坏多了，他记了一本私人日记！在那里面，他把一切都怪在太太身上，这个就是他的"哨子"。他下定决心要下一代能够原谅他，而把所有的错都怪在他太太身上。而他太太用什么办法来对付他这种作法呢？这还用问，她当然是把他的日记撕下来烧掉了。她自己也写了一本日记，在日记里把错都推在托尔斯泰身上。她甚至还写了一本小说，题目叫做《谁的错》。在那本小说里，她把她的丈夫描写成一个破坏家庭的人，而她自己是一个烈士。

所有的事情结果如何呢？为什么这两个人会把他们唯一的家变成托尔斯泰称谓的"一座疯人院"呢？很显然，有几个理由。其中之一就是他们极想引起别人的注意。不错，他们所最担心的就是别人的意见。我们会不会在乎应该怪谁呢？不会的，我们只会注意我们自己的问题，而不会浪费一分钟去想托尔斯泰家里的事。这两个无聊的人为他们的"哨子"付出了多么大的代价。50年的光阴都住在一个可怕的地狱里，只因为他们两个人都没有一个有脑筋会说

"不要再吵了"，因为两个人都没有足够的价值判断力，并能够说："让我们在这件事情上马上告一段落，我们是在浪费生命，让我们现在就说'够了'吧。"

不错，我非常相信，这是获得心理平静的最大秘密之———要有正确的价值观念。而我也相信，只要我们能够定出一种个人的标准来——就是和我们的生活比起来，什么样的事情才值得的标准，我们的忧虑有 50％可以立刻消除。

所以，要在忧虑摧毁你以前，先改掉忧虑的习惯，下面是原则的第十一项：

**任何时候，我们想拿出钱来买的东西和生活比较起来不算好的话，让我们先停下来，问问自己下面的三个问题：**

1. 我现在正在担心的问题，到底和我自己有什么样的关系？
2. 在这件令我忧虑的事情上，我应该在什么地方设定一个"到此为止"的最低限度——然后把它整个忘掉。
3. 我到底应该付这支"哨子"多少钱？我是否已经付出了超过它价值的钱呢？

**克服忧虑的真实故事**

# 永远给自己留条退路

吉尼·奥特里　美国知名牛仔歌星

我认为大多数人的烦恼离不开家庭与钱财。我幸运地娶了一位与我有相同背景、相同嗜好的妻子。我们一直用心经营我们的婚姻，所以很少有家庭烦恼。

我以两种方法来减低财务烦恼：

第一，我遵循一条放之四海而皆准的原则，那就是我借的钱，一定全数奉还。不诚实所引起的烦恼比什么都大。

第二，在尝试任何新事物前，我一定先留一手。军事专家建议，作战时一定要保持补给线通畅。我认为在个人事业的战场上，也一样正确。举例来说，在德州及奥克拉何马州长大的人，常见到干旱所带来的灾害。我们曾有过艰苦的岁月，穷困的父亲有时必须横越田野，用马匹去交换必需品。我要的是更多的安全感。于是我在铁路站找到一份工作，并利用工作余暇学会发电报。后来我在铁路公司担任电报代班员。我被送往任何车站，代替请病假或休假的人。待遇是月薪150美元。后来不论我从事什么工作，我总觉得铁路公司的工作是非常安定的，我也总是保留一条后路，以便有机会再回铁路公司。它是我的补给线，除非我已在更好的新职务上稳定下来，否则我决不切断这条退路。

举例来说，1928年时，我在俄克拉何马州的铁路公司担任电报员，一个傍晚有人来发电报，听到我一面弹吉他一面唱歌，他说我唱得很好，建议我到纽约去发展，找机会登台或上广播节目。我当然是受宠若惊，而当我看到他在电报上的签名，更是惊喜得几乎停止呼吸，他正是西部歌曲明星威尔·罗杰斯。

我并没有立即整装前往纽约，反倒是前后谨慎地考虑了9个月。我终于得到一个结论，那就是我到纽约发展，实在没有任何损失，只会更有收获。铁路公司发了证件给我，我可以免费乘坐火车旅行。我在车上睡觉，随身带着三明治、水果作为餐点。

我到达纽约后，住在一周5美元的小房间里，吃点速食，在街上闲逛了10个星期，完全一事无成。如果不是想到回去还有工作的话，我一定会忧虑死了。我已为铁路公司工作了5年，我可以享受一些资深员工的福利，但为了保障这些权益，我不能离职超过

90 天。而我当时已在纽约市混了 70 天。我只有用铁路证件尽快赶回俄克拉何马，重操旧业，以保持我那条补给线。我后来又干了几个月，存了一点钱，再回纽约市放手一搏。这一次有突破了。一天，我正在录音公司等候面谈，对着接待小姐，我取出吉他，唱了一首：《珍妮，我梦中的紫丁香》。正当我唱得起劲时，这首歌的作曲者刚好走进来。听到有人唱他的歌，自然令他十分愉快，于是他写了张便条，介绍我去维克多录音公司。我录了音，但不理想——我太僵硬了，而且不自然。于是我接受了维克多公司人员的建议，又回到铁路公司工作。白天上班，晚上到电台演唱西部乡村歌曲。这个安排很适合我，因为我没有后顾之忧，因此，我也没有烦恼。

我为一家地方电台演唱了 9 个月，在那段日子里，我与吉米龙合写了一首曲子《我的银发老爹》，这首曲子抓住了听众。美国录音公司总裁亚瑟·赛德利请我录唱片。风评不错，于是我又录了好多首歌，终于得到在芝加哥一家电台唱乡村歌曲的工作机会。周薪 40 美元。唱了 4 年之后，我的周薪调升到 90 美元，又因为有机会在戏院登台，而有 300 美元的外快。

1934 年，我得到许多选择机会，电影自清委员会组成了。好莱坞制片家于是决定开拍西部牛仔的影片，不过他们不要一般的牛仔演员，而要个会唱歌的牛仔。美国录音公司老板也是共和制片厂的股东，他跟其他的股东建议说："如果要找会唱歌的牛仔，我正好有一位为我们录音的歌手。"于是我进入了电影界，周薪 100 美元，我开始扮演歌唱牛仔。我实在非常怀疑我拍电影能成得了大器，不过我不用担心，反正我随时可以回铁路公司工作。

万万没想到，我的电影非常成功，我现在的年薪是 10 万美元，另加影片票房的一半红利。不过我很清楚，这绝非长久之计。我还是不必发愁。不管发生什么事——即使我完全破产，一文不名，我还可以随时回到铁路公司工作，我一直没有切断这条后路。

减少财务烦恼的两种方法：第一，所借的钱，一定要如数奉还；第二，尝试任何新事物前，要先留一手。

# 73

## 不要试着去锯木屑

> ### 卡耐基金言
>
> ◆ 唯一可以使过去的错误具有价值的方法，就是冷静地分析我们过去的错误，并从错误中得到教训，然后再把错误忘掉。
>
> ◆ 当你开始为那些已经做完或过去的事忧虑的时候，你不过是在锯一些木屑。
>
> ◆ 聪明的人永远不会坐在那里为他们的损失而悲伤，却会很高兴地想办法来弥补他们的创伤。

　　就在我写这句话的时候，我可以望望窗外，看见我院子里一些恐龙的足迹——一些留在大石板和石头上的恐龙的足迹。这些恐龙的足迹，是我从耶鲁大学的皮博迪博物馆买来的。我还有一封由皮博迪博物馆馆长写来的信，说这些足迹是一亿八千万年前留下来的。就连白痴也不会想追溯到一亿八千万年前去改变这些足迹。而一个人的忧虑就正如这种想法一样愚蠢：因为就算是180秒钟以前所发生的事情，我们也不可能再回头去纠正它——可是我们有很多的人却正在做这样的事情。说得更确实一点，我们可以想办法来改变 180 秒钟以前发生的事情所产生的影响，但是我们不可能去改变当时所发生的事情。

唯一可以使过去的错误有价值的方法，就是平静地分析我们过去的错误，并从错误中得到教训——然后再把错误忘掉。

我知道这句话是有道理的，可是我是不是一直有勇气、有脑筋去这样做呢？要回答这个问题，让我先告诉你几年前我有过的一次奇妙经验吧。我让三十几元钱从大拇指缝里溜过，没有得到一分钱的利润。事情的经过是这样的：

我开办了一个很大的成人教育补习班，在很多城市里都有分部，在组织费和广告费上，我也花了很多的钱。我当时因为忙于教课，所以既没有时间、也没有心情去管理财务问题，而且当时也太天真，不知道我应该有一个很好的业务经理来支配各项支出。

最后，过了差不多一年，我发现了一件清楚明白、而且很惊人的事实：我发现虽然我们的收入非常多，却没有得到一点利润。在发现了这点之后，我应该马上做两件事情：

第一，我应该有那个脑筋，去做黑人科学家乔治·华盛顿·卡佛尔在银行倒了他 5 万元的账——也就是他毕生的积蓄——时所做的那件事。当别人问他是不是知道他已经破产了的时候，他回答说："是的，我听说过了。"然后继续教书。他把这笔损失从他的脑子里抹去，以后再也没有提起过。

我应该做的第二件事是，应该分析自己的错误，然后从中学到教训。

可是坦白地说，这两件事我一样也没有做。相反的，我却沉浸在深深的忧虑与痛苦之中。一连好几个月我都恍恍惚惚的，睡不好，体重减轻了很多，不但没有从这次大错误里学到教训，反而接着犯了一个只是规模小了一点的同样错误。

对我来说，要承认以前这种愚蠢的行为，实在是一件很窘迫的事。可是我很早就发现："去教 20 个人怎么做，比自己一个人去做，要容易得多了。"

我真希望我也能够到纽约的乔治·华盛顿高中去做保罗·布兰德威尔的学生。这位老师曾经教过住在纽约市布朗士区的艾伦·桑德斯。

桑德斯先生告诉我，他生理卫生课的老师保罗·布兰德威尔博士教给他最有价值的一课。

当时我只有十几岁，可是那时候我已经常为很多事情发愁。我常常为我自己犯过的错误自怨自艾；交完考试卷以后，我常常会半夜里睡不着；咬着我的指甲，怕我没办法考及格；我老是在想我做过的那些事情，希望当初没有这样做；我老是在想我说过的那些话，希望我当时把那些话说得更好。

有一天早上，我们全班到了科学实验室。老师保罗·布兰德威尔博士把一瓶牛奶放在桌子边上。我们都坐了下来，望着那瓶牛奶，不知道那跟他所教的生理卫生课有什么关系。然后，保罗·布兰德威尔博士突然站了起来，一掌把那瓶牛奶打碎在水槽里——一面大声叫道："不要为打翻的牛奶而哭泣。"

然后他叫我们所有的人都到水槽边去，好好地看看那瓶打碎的牛奶。"好好地看一看，"他告诉我们，"因为我要你们这一辈子都记住这一课，这瓶牛奶已经没有了——你们可以看到它都漏光了，无论你怎么着急，怎么抱怨，都没有办法再救回一滴。只要先用一点思想，先加以预防，那瓶牛奶就可以保住。可是现在已经太迟了——我们现在所能做到的，只是把它忘掉，丢开这件事情，只注意下一件事。"

这次小小的表演，在我忘了我所学到的几何和拉丁文以后很久都还让我记得。事实上，这件事在实际生活中所教给我的，比我在高中读了那么多年书所学到的任何东西都好。它教我只要可能的话，就不要打翻牛奶，万一牛奶打翻、整个漏光的时候，就要彻底把这件事情给忘掉。

有些读者大概会觉得，花这么大力气来讲那么一句老话："不要为打翻了的牛奶而哭泣"，未免有点无聊。我知道这句话很普通，也可以算是很陈旧的老生常谈。可是像这样的老生常谈，却包含了多少年来所积聚的智慧，这是人类经验的结晶，是世世代代传下来的。如果你能读尽各个时代很多伟大学者所写的有关忧虑的书本，你也不会看到比"船到桥头自然直"和"不要为打翻的牛奶而哭泣"更基本、更有用的老生常谈了。只要我们能应用这两句老话，不轻视它们，我们就根本用不到这本书了。然而，如果不加以应用，知识就不是力量。

**本书的目的并不在告诉你什么新的东西，而是要提醒你那些你已经知道的事，鼓励你把已经学到的东西加以应用。**

我一直很佩服已故的佛雷德·福勒·夏德，他有一种能把老的真理用又新又吸引人的方法说出来的天分。他是一家报社的编辑。有一次在大学毕业班讲演的时候，他问道："有多少人曾经锯过木头？请举手。"大部分的学生都曾经锯过。然后他又问道："有多少人曾经锯过木屑？"没有一个人举手。

"当然，你们不可能锯木屑，"夏德先生说道，"因为那些都是已经锯下来的。过去的事也是一样，当你开始为那些已经做完的和过去的事忧虑的时候，你不过是在锯一些木屑。"

棒球老将康尼·麦克81岁的时候，我问他有没有为输了的比赛忧虑过。

"噢，有的。我以前常这样，"康尼·麦克告诉我说，"可是多年以前我就不干这种傻事了。我发现这样做对我完全没有好处，磨完的粉子不能再磨，"他说，"水已经把它们冲到底下去了。"

不错，磨完的粉子不能再磨；锯木头剩下来的木屑，也不能再锯。可是你还能消除你脸上的皱纹和胃里的溃疡。在去年感恩节的时候，我和杰克·登普西一起吃晚饭。当我们吃火鸡和橘酱的时候，他告诉我他把重量级拳王的头衔输给滕尼的那一仗。当然，这对他的自尊是一项很大的打击。

在拳赛的当中，我突然发现我变成了一个老人……到第十回合终了，我还没有倒下去，可是也只是没有倒下去而已。我的脸肿了起来，而且有很多处伤痕，两只眼睛几乎无法睁开……我看见裁判员举起吉恩·滕尼的手，宣布他获胜……我不再是世界拳王，我在雨中往回走，穿过人群回到自己的房间。在我走过的时候，有些人想来抓我的手，另外一些人眼睛里含着泪水。

一年之后，我再跟滕尼比赛了一场，可是一点用也没有，我就这样永远完了。要完全不去愁这件事情实在很困难，可是我对自己说："我不打算生活在过去里，或是为打翻了的牛奶而哭泣，我要能承受这一次打击，不能让它把我打倒。"

而这一点正是杰克·登普西所做到的事。怎么做呢？只是一再地向自己说："我不为过去而忧虑"吗？不是的！这样做只会再强迫他想到他过去的那些忧虑。他的做法是承受一切，忘掉他的失败，然后集中精力来为未来计划。他的做法是经营百老汇的登普西餐厅和大北方旅馆。他的做法是安排和宣传拳击赛，举行有关拳赛的各种展览会。他的做法是让自己忙着做一些富于建设性的事情，使他既没有时间也没有心思去为过去担忧。"在过去 10 年里，我的生活，"杰克·登普西说，"比我在做世界拳王的时候要好得多了。"

登普西先生告诉我，他没有读过太多书，可是，他却是不自觉地照着莎士比亚的话在做：

聪明的人永远不会坐在那里为他们的损失而悲伤，却会很高兴地想办法来弥补他们的创伤。

当我读历史和传记并观察一般人如何应付艰苦的环境时，我一直既觉得吃惊，又羡慕那些能够把他们的忧虑和不幸忘掉并继续过快乐日子的人。

我曾经到新新监狱去看过，那里最令我吃惊的是，囚犯们看起来都和外面的人一样快乐。我当即把我的看法告诉了刘易士·路易斯——当时新新监狱的狱长——他告诉我，这些罪犯刚到新新监狱的时候，都心怀怨恨且脾气很坏。可是经过几个月之后，大部分比较聪明一点的人都能忘掉他们的不幸，安定下来承受他们的监狱生活，尽量地把它过好。路易斯狱长告诉我，有一个新新监狱的犯人

——一个在园子里工作的人——在监狱围墙里种菜种花的时候，还能一面唱歌。

因此，为什么要浪费眼泪呢？当然，犯了错误和发生疏忽都是我们的不对，可是又怎么样呢？谁没犯过错？就连拿破仑，在他所有重要的战役中也输过1/3。也许我们的平均纪录并不会坏过拿破仑，谁知道呢？

何况，即使动用国王所有的人马，也不能再把已经过去的挽回。所以让我们记住原则的第十二项：

**不要试着去锯木屑，不要为打翻了的牛奶而哭泣。**

**克服忧虑的真实故事**

# 我听到了一个声音

史坦利·琼斯

　　我在印度传教 40 年。刚开始时，我很难忍受当地的酷热以及工作的重大责任所带来的压力。前 8 年将尽，我因为心力交瘁，昏倒了不止一次，而是好几次。我听从指示前往美国休养一个月。回美国的船上，我又昏倒了，于是后来的整个旅程，我都只有遵从船医的指示，卧床静养。

　　在美国休养了一整年，我准备返回印度，途中在马尼拉停留，为大学生主持几次布道大会。在一连串布道会的压力下，我又昏倒了好几次。医生警告我，如果这样回印度，只有死路一条。可是我不听他们的警告，还是坚持回印度，当然心中是怀着隐忧回去的。当我抵达孟买时，已精疲力竭，只好直接上山休养了几个月，才又回到我的工作岗位，可是没有办法工作，因为我又病倒了，只有再回到山上静养了一段很长的时间。当我再回去时，只是彻底发觉自己没有办法工作。不论身心两方面，我都完全枯竭，再没有能源可资利用，我担心后半辈子会成为废物。

　　如果得不到帮助，我只有放弃传教事业，回美国，在农庄里工作恢复健康。当时实在是我生命中的黑暗时期。有一晚祈祷时，我似乎听到一个声音说："你自己准备好应付你的工作了吗？"

　　我回答说："不！我完全没有力量。"

　　那个声音又说："如果你把它交给我，不再去为它操心，我会安排的。"

　　我立即回答："就这么办吧！"

　　我心中立刻涌起平安的感觉，我解脱了，那晚我轻飘飘的回了家，心中充满宁静。过后几天，我几乎忘了我还有肉身。我从早工作到晚，上床时还在奇怪自己何必要睡觉，因为我丝毫没有倦意。

　　我一直犹豫应不应该把这件事说出来，不过我还是说了。从那件事以后，我辛苦工作了许多年，老毛病从没复发过。事实上，我感觉到身体是前所未有的健康。但这绝不是生理上的治疗。我的身、心与灵似乎都被注入了一个新的生命。那次经验之后，生命对我而言，提升到了一个更高的层次，那不是因为我做了什么，我只是接受了它。

　　从当时到现在的许多年中，我旅行于世界各地，通常一天有3场演讲，在那样的忙碌中，我从来没有误过一次事，也没有迟到过。当年击垮我的忧虑已全然消失，今年63岁的我，不但有着丰沛的生命力，并以服务他人为乐。

　　改变我一生的那个经历，绝经不起理性或心理学上的解释。但是那一点关系都没有，生命本来就比所有的过程伟大得多。

　　我确知一件事：31年前，在我最脆弱的时候，当我听到："把它交给我，不要再担心，我会处理的！"而我回答："就这么办吧！"时，我的人生就完全蜕变提升了。

　　当你碰到忧虑之事时，想像你听到了一个声音："把它交给我吧，不要再担心，我会处理的！"

第九篇

# Don't Worry About Your Work and Money

## 不要为工作和金钱而烦恼

第九篇

Don't Worry
About
Your Work
and
Money

不要为工作和金钱而烦恼

# 74

## 一生最重要的决定

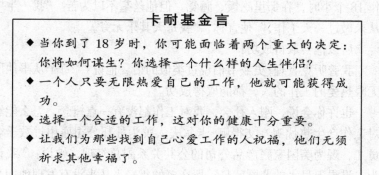

**卡耐基金言**

◆ 当你到了 18 岁时，你可能面临着两个重大的决定：
  你将如何谋生？你选择一个什么样的人生伴侣？

◆ 一个人只要无限热爱自己的工作，他就可能获得成
  功。

◆ 选择一个合适的工作，这对你的健康十分重要。

◆ 让我们为那些找到自己心爱工作的人祝福，他们无须
  祈求其他幸福了。

　　如果你已经到了 18 岁，那么你可能要作出你一生中最重要的
两个决定——这两个决定将深深改变你的一生，影响你的幸福、收
入和健康，这两个决定可能造就你，也可能毁灭你。那么这两个重
大决定是什么？

　　第一，你将如何谋生？也就是说，你准备干什么？是做一名农
夫、邮差、化学家、森林管理员、速记员、兽医、大学教授，还是
去摆一个摊子？

　　第二，你将选择一个什么样的人生伴侣？

对有些人来说，这两个重大决定通常像在赌博一样。哈里·艾默生·佛斯迪克在他的一本书里写道："每位小男孩在选择如何度过一个假期时，都是赌徒。他必须以他的日子做赌注。"

那么你怎样才能减低选择假期中的赌博性呢？

首先，如果可能的话，应尽量找到一个自己喜欢的工作。有一次，我请教轮胎制造商古里奇公司的董事长大卫·古里奇，我问他成功的第一要件是什么，他回答说："喜欢你的工作。"他说："如果你喜欢你所从事的工作，你工作的时间也许很长，但丝毫不觉得是在工作，反倒像是游戏。"

爱迪生就是一个好例子。这个未曾进过学校的报童，后来却使美国的工业革命完全改观。爱迪生几乎每天在他的实验室里辛苦工作 18 个小时，在那里吃饭、睡觉。但他丝毫不以为苦。"我一生中从未做过一天工作，"他宣称，"我每天其乐无穷。"

所以他会取得成功！

我曾听见查理·史兹韦伯说过类似的话。他说："每个从事他所无限热爱的工作的人，都能取得成功。"

也许你会说，刚入社会，我对工作都没有一点概念，怎么能够对工作产生热忱呢？艾得娜·卡尔夫人曾为杜邦公司雇用过数千名员工，现为美国家庭产品公司的公共关系副总经理，她说："我认为，世界上最大的悲剧就是，那么多的年轻人从来没有发现他们真正想做些什么。我想，一个人如果只从他的工作中获得薪水，而别无其他，那真是最可怜的了。"卡尔夫人说，有一些大学毕业生跑到她那儿说："我获得了达茅斯大学的文学士学位或是康莱尔大学的硕士学位，你公司里有没有适合我的职位？"他们甚至不晓得自己能够做些什么，也不知道希望做些什么。因此，难怪有那么多人在开始时野心勃勃，充满玫瑰般的美梦，但到了 40 多岁以后，却一事无成，痛苦沮丧，甚至精神崩溃。事实上，选择正确的工作，对你的健康也十分重要。琼斯霍金斯医院的雷蒙大夫与几家保险公司联合作了一项调查，研究使人长寿的因素，他把"合适的工作"

排在第一位。这正好符合了苏格兰哲学家卡莱尔的名言："祝福那些找到他们心爱的工作之人，他们已无须企求其他的幸福了。"

　　我最近曾和索可尼石油公司的人事经理保罗·波恩顿畅谈了一晚上。他在过去的 20 年中，至少接见了 75000 名求职者，并出版过一本名为《求职的六大方法》的书。我问他："今日的年轻人求职时，所犯的最大错误是什么？""他们不知道他们想干些什么，"他说，"这真叫人万分惊骇，一个人花在选购一件穿几年就会破损的衣服上的心思，竟比选择一件关系将来命运的工作要多得多——而他将来的全部幸福和安宁全都建立在这件工作上了。"

　　面对竞争日益激烈的社会，你该怎么办呢？你应如何解决这一难题？你可以利用一项叫做"职业指导"的新行业。也许他们可以帮助你，也许将会损害你——这全靠你所找的那位指导者的能力和个性了。这个新行业距离完美的境界还十分遥远，甚至连起步也谈不上，但其前程甚为美好。你如何利用这项新科学呢？你可以在住处附近找出这类机构，然后接受职业测验，并获得职业指导。

　　当然他们只能提供建议，最后作出决定的还是你。记住，这些辅导员并非绝对可靠。他们之间经常无法彼此同意。他们有时也犯下荒谬的错误。例如，一个职业辅导员曾经建议我的一位学生作一位作家，只不过因为她的词汇很广。多荒谬可笑！事情并不那样简单，好作品是将你的思想和感情传达给你的读者——要想达到这个目的，不仅需要丰富的词汇，更需要思想、经验、说服力和热情。建议这位有丰富词汇的女孩子当作家的这位职业辅导员，实际上只完成了一件事：他把一位极佳的速记员改变成一位沮丧的准作家。

　　我想说明的一点是，职业指导专家——即使是你和我，也并非绝对可靠。你也许该多找几个辅导员，然后凭普通常识判断他们的意见。

　　你也许会觉得奇怪，为什么我尽在本章中提一些令人担心的话。但如果你了解，多数人的忧虑、悔恨和沮丧，都是因为不重视工作而引起的，你就不会觉得奇怪了。关于这种情形，你可以问问你的父亲、邻居，或是你的老板。智慧家约翰·史都家·米勒宣称，工人无法适应工作，是"社会最大的损失之一"。是的，世界上最不快乐的人，也就是憎恨他们日常工作的"产业工人"。

　　你可知道在陆军"崩溃"的是那种人？他们就是被分派到错误单位的人！我所指的并不是在战斗中受伤的人，而是那些在普通任务中精神崩溃的人。威康·孟宁吉博士，是我们当代最伟大的精神病专家之一，他在第二次世界大战期间主持陆军精神病治疗部门，他说："我们在军中发现挑选和安置的重要性，就是说要使适当的人去从事一项适当的工作……最重要的是，要使人相信他手头工作的重要性。当一个人没有兴趣时，他会觉得他是被安排在一个错误的职位上，他会觉得他不受欣赏和重视，他会相信他的才能被埋没了，在这种情况下，我们发现，他若没有患上精神病，也会埋下精神病的种子。"

　　是的。为了同一个原因，一个人也会在工商企业中"精神崩溃"，如果他轻视他的工作和事业，他也可以把它搞砸了。

　　菲尔·强森的情况，就是一个好例子。菲尔·强森的父亲开了一家洗衣店，他把儿子叫到店中工作，希望他将来能接管这家洗衣店。但菲尔痛恨洗衣店的工作，所以懒懒散散的，提不起精神，只做些不得不做的工作，其他工作则一概不管。有时候，他干脆"缺席"了。他父亲十分伤心，认为养了一个没有野心而不求上进的儿子，使他在他的员工面前深觉丢脸。

　　有一天，菲尔告诉他父亲，他希望做个机械工人——到一家机械厂工作。什么？一切又从头开始？这位老人十分惊讶。不过，菲尔还是坚持自己的意见。他穿上油腻的粗布工作服工作，他从事比洗衣店更为辛苦的工作，工作的时间更长。但他竟然快乐得在工作中吹起口哨来。他选修工程学，研究引擎，装置机械。而当他在1944年去世时，已是波音飞机公司的总裁，并且制造出"空中飞行堡垒"轰炸机，帮助盟国军队赢得了世界大战。如果他当年留在洗衣店不走，他和洗衣店——尤其是在他父亲死后——究竟会变成什么样子呢？我想，他会把整个洗衣店毁了——破产，一无所得。

即使会引起家庭纠纷，但我仍然要奉劝年轻朋友们：不要只因为你家人希望你那么做，就勉强从事某一行业。不要贸然从事某一行业，除非你喜欢。不过，你仍然要仔细考虑父母所给你的劝告。他们的年纪可能比你大一倍。他们已获得那种唯有从众多经验及过去岁月中才能得到的智慧。但是，到了最后分析时，你自己必须作最后决定。将来工作时，会快乐或悲哀的是你自己。

上面已说了那么多，现在让我替你提供下述建议——其中有一些是警告——以便你选择工作时作参考：

1. 阅读并研究下列有关选择职业的建议。这些建议是由最权威人士提供的。由美国最成功的一位职业指导专家基森教授所拟定。

● 如果有人告诉你，他有一套神奇的制度，可指示出你的"职业倾向"，千万不要找他。这些人包括摸骨家、星相家、"个性分析家"、笔迹分析家。他们的法子不灵。

● 不要听信那些说他们可以给你作一番测验，然后指出你该选择哪一种职业的人。这种人根本就已违背了职业辅导员的基本原则，职业辅导员必须考虑被辅导人的健康、社会、经济等各种情况；同时他还应该提供就业机会的具体资料。

● 找一位拥有丰富的职业资料藏书的职业辅导员，并在辅导期间妥为利用这些资料和书籍。

● 完全的就业辅导服务通常要面谈两次以上。

● 绝对不要接受函授就业辅导。

2. 避免选择那些原已拥挤的职业和事业。在美国，谋生的方法共有两万多种以上。想想看，两万多！但年轻人可知道这一点？除非他们雇一位占卜师的透视水晶球，否则他们是不知道的。结果呢？在一所学校内，2/3 的男孩子选择了五种职业——两万种职业中的五项——而 4/5 的女孩子也是一样。难怪少数的事业和职业会人满为患，难怪白领阶级之间会产生不安全感、忧虑，和"焦急性的精神病"。特别注意，如果你要进入法律、新闻、广播、电影以及"光荣职业"等这些已经过分人满为患的圈子内，你必须要费一番大功夫。

3. 避免选择那些维生机会只有 1/10 的行业。例如，兜售人寿保险。每年有数以千计的人——经常是失业者——事先未打听清楚，就开始贸然兜售人寿。根据费城房地产信托大楼的富兰克林·比特格先生的叙述，以下就是此一行业之真实情形。在过去 20 年来，比特格先生一直是美国最杰出而成功的人寿保险推销员之一。他指出，90％首次兜售人寿保险的人弄得又伤心又沮丧，结果在一年内纷纷放弃。至于留下来的，10 人当中的一人可以卖出 10 人销售总数的 90％，另外 9 个人只能卖出 10％的保险。换个方式来说：如果你兜售人寿保险，那你在一年内放弃而退出的机会比例为九比一；留下来的机会只有 10％。即使你留下来了，成功的机会也只有 1％而已，否则你仅能勉强糊口。

4. 在你决定投入某一项职业之前，先花几个礼拜的时间，对该项工作做个全盘性的认识。如何才能达到这个目的？你可以和那些已在这一行业中干过 10 年、20 年或 30 年的人士面谈。

这些会谈对你的将来可能有极深的影响。我从自己的经验中了解这一点。我在二十几岁时，向两位老人家请教职业上的指导。现在回想起来，可以清楚地发现那两次会谈是我生命中的转折点。事实上，如果没有那两次会谈，我的一生将会变成什么样子，实在是难以想像。

你如何获得这些职业指导会谈呢？为了便于说明，姑且假设你正打算做一名建筑师。在你作最后决定之前，你应该花几个礼拜的时间，去拜访你城里和附近城市的建筑师。你可以从电话簿的分类栏里，找出他们的姓名和住址。不管有没有预先约定，你都可以打电话到他们的办公室。如果你希望订个见面时间，你可以写信给他们，内容大致如下：

能否麻烦您帮个小忙？我希望能接受您的指导，我现年 80 岁，正考虑学习做一名建筑师。在我作最后决定之前，很希望向您讨教。

如果您太忙，无法在办公室接见我，而愿意赐我半小时的时间在您家中接见我，那我将感激不尽。

以下就是我想向您请教的问题：

● 如果您的生命再从头开始，您可愿意再做一名建筑师？

● 在您仔细打量我之后，我想请问您，您是否认为我具有成为一名成功建筑师的要件？

● 建筑师这一行业是否已人满为患？

● 如果我学习 4 年的建筑学课程，要找工作是否困难？我应该首先接受哪一类的工作？

● 如果我的能力属于中等，在头 5 年当中，我可以希望赚多少钱？

● 当一名建筑师，有什么好处和坏处？

● 如果我是您儿子，您愿意鼓励我当一名建筑师吗？

如果你很害羞，不敢单独会见"大人物"，我这儿有两项建议，可以帮助你。

第一，找一个和你同年龄的小伙子一起去。你们彼此可以增加对方的信心。如果你找不到跟你同年龄的人，你可以请求你父亲和你一同前往。

第二，记住，你向某人请教，等于是给他荣誉。对于你的请求，他会有一种被奉承的感觉。记住，成年人一向是很喜欢向年轻的男女提出忠告的。你所求教的建筑师将会很高兴接受这次访问。

如果你不愿写信要求约会，那么不需约定，就可直接到那人的办公室去，对他说，如果他能向你提供一些指导，你将万分感激。

假设你拜访了五位建筑师，而他们都太忙了，无暇接见你（这种情形不多），那么你再去拜访另外五个。他们之中总会有人接见你，向你提供宝贵的意见。这些意见也许可以使你免去多年的迷失和伤心。

记住，你是在从事你生命中最重要且影响最深远的两项决定中的一项。因此，在你采取行动之前，多花点时间探求事实真相。如果你不这样做，在下半辈子中，你可能后悔不已。

如果能力许可，你可以付钱给对方，补偿他半小时的时间和忠告。

5. 克服"你只适合一项职业"的错误观念！每个正常的人，都可在多项职业上成功，相对地，每个正常的人，也可能在多项职业上失败。以我自己为例，如果我自己研习并准备从事下述各项职业，我相信，成功的机会一定很多，对于所从事的工作，也一定能深感愉快。这一类的工作包括：农艺、果树栽培、农业科学、医药、销售、广告、报纸编辑、教书、林业。另一方面，我相信下述的工作，我一定不喜欢，而且也会失败：簿记、会计、工程、经营旅馆和工厂、建筑、机械事物，以及其他数百项活动。

消除金钱和工作烦恼的第一大原则是：

**慎重作出重大的决定。**

### 克服忧虑的真实故事

# 警长找上我家门

霍墨·克罗伊

我一生中最悲惨的一天发生在1933年，当时警长从前门进来，我从后门溜走。我失去了长岛的家园，那是我儿女出生，我们一起生活了18年的家。我不能相信这种事会降临到我头上。12年前，我还志得意满，我把我的小说《水塔西侧》的电影版权卖给电影公司，价钱堪称好莱坞之冠。我们一家住在国外已有两年了。夏天我们到瑞士避暑，冬天在法国逍遥——像个富翁一样。

在巴黎，我用6个月的时间完成了一本小说。由威尔·罗杰斯主演，那是他的第一部有声电影。电影公司邀请我留在好莱坞为罗杰斯的电影再写几部剧本，可是我拒绝了，回到纽约，我的麻烦也开始了。

我渐渐觉得自己有一种沉睡已久的潜能未加发展，我把自己想像成成功的生意人。

有人告诉我约翰·雅各布·亚士特投资纽约空地赚了几百万。亚士特何许人？不过是带着外国口音的一介移民。他都能做到，我为什么不能？我要发财！我开始阅读游艇杂志。

我有一片愚勇，我对房地产买卖的了解不会比一个爱斯基摩人多。我到哪里去筹钱来开始这个事业呢？答案很简单：把我家房子押掉，买下一批地，等到好价钱时售出，我就可以过奢侈的日子了。对那些在办公室任劳任怨干领薪水的人，我充满了同情。显然上天只赐给我这种理财的天分。

突然间，大萧条就像飓风一样席卷了我。

一个月我得为那片土地缴220美元。而每个月过得可真够快的，当然我还得支付抵押贷款，并维持全家温饱。我开始担心，我想为杂志写些幽默小品，可是下笔沉重，一点都不好笑。我什么也卖不出去。我的小说也卖得很差。钱用完了，除了打字机及牙齿的镶金以外，再没有可以变钱的东西。牛奶公司不再送牛奶，煤气公司也断了气，我们只有改用露营用的小瓦斯罐，它喷出火焰时带着嘶嘶的声音，好像一只愤怒的鹅。

我们没有煤可以用，唯一取暖的工具是壁炉。晚上我会到有钱人盖房子的工地去捡拾木板木条，而我曾经是那些人中的一分子。

我担心得睡不着觉。常常半夜起来踱方步，把自己搞得很累再回去睡。

　　我不但损失了我买的土地，还赔上我所有的心血。

　　银行扣押了我的房子，我和家人只有流落街头。

　　最后我们总算弄到了一点钱租了一个小公寓。1933 年除夕我们搬进去。我坐在行李箱上看着四周。我妈常说的一句老话在耳边响起："别为泼翻的牛奶哭泣。"

　　可是，这不只是牛奶，这是我一生的心血啊！

　　呆坐了一会儿，我告诉自己："我已经衰到底了，情况不可能再坏，只有逐渐转好。"

　　我开始想还有什么我尚未失去的东西。我还拥有健康与朋友。我可以东山再起，我不再为过去难过，我要每天提醒自己我妈妈常说的那句话。

　　我把忧虑的时间及精力投注在工作上，状况慢慢一点点的改善了。我现在要感谢我有机会经历那样的劣境，因为我从中得到力量与自信。我现在知道什么是跌到谷底，我也知道那并不能打垮人。我更清楚我们比自己想像的要坚强得多。现在，再有什么小困难、小麻烦，我就会提醒自己坐在行李箱上对自己说过的话："我已跌至谷底，情况不能再坏，只有转好。"这点小事再也不会令我烦恼。

　　不要为过去的事烦恼！接受不可避免的事实！当你不能再下坠时，就只有上升一途！

# 75

## 70％的烦恼与金钱有关

---

**卡耐基金言**

◆ 人类70％的烦恼都跟金钱有关，而人们在处理金钱时，却往往意外地盲目。

◆ 令多数人感到烦恼的，并不是他们没有足够的钱，而是不知道如何支配手中已有的钱。

◆ 即使我们拥有整个世界，我们一天也只能吃三餐，一次也只能睡一张床——即使一个挖水沟的人也能做到这一点，也许他们比洛克菲勒吃得更津津有味，睡得更安稳。

---

如果我懂得如何解决每个人的财务烦恼，我就不会写这本书，而将安坐在白宫内——坐在总统身旁。但我可以在此提供一些小贡献：我可以引述各方面专家权威的看法，并提出一些十分可行的建议，指出你可以从何处获得书籍和小册子，使你得到额外的指导。

根据《妇女家庭月刊》所作的一项调查，我们70％的烦恼都跟金钱有关。盖洛普民意测验协会主席盖洛普·乔治说，从他所作的研究中显示，大部分人都相信只要他们的收入增加10％，就不

会再有任何财政的困难。在很多例子中确实如此，但是令人惊讶的
是，有更多例子则并不尽然。我在撰写本章时，曾向预算专家爱尔
茜·史塔普里顿夫人请教。她曾担任纽约及全培尔两地华纲梅克百
货公司的财政顾问多年，他曾以个人指导员身份，帮助那些被金钱
烦恼拖累的人。她帮助过各种收入的人，从一年赚不到一千美元的
行李员，至年薪 10 万美元的公司经理。她如此对我说："对大多数
人来说，多赚一点钱并不能解决他们的财政烦恼。"事实上，我经
常看到，收入增加之后，并没有什么帮助，只是徒然增加开支——
增加头痛。"使多数人感觉烦恼的，"她说，"并不是他们没有足够
的钱，而是不知道如何支配手中已有的钱！"——你对最后那句话
表示不屑一听，是吗？好吧，在你再度表示轻蔑之前，请记住，史
塔普里顿并没有说"所有的人"。她说："大多数人。"她并不是指
你而言。她指的是你姊妹和表兄弟，他们的人数可多了。

　　有许多读者可能会说："我希望作者这小子来试试看：拿我的
周薪，付我的账款，维持我应有的开支。只要他来试一试，我保险
他会知道我的困难：不再说大话。"说得不错，我也有过我的财政
困难：我曾在密苏里的玉米田和谷仓做过每天 10 小时的体力工作。
我辛勤地工作，直至腰酸背痛。我当时所做的那些苦工，并不是一
小时一块美金的工资，也不是 5 毛钱，也不是 10 分钱。我那时所
拿的是每小时 5 分钱，每天工作 10 小时。

　　我知道一连 20 年住在一间没有浴室、没有自来水的房子里是
什么滋味。我知道睡在一间零下 15 度的卧室中，是什么滋味。我
知道徒步数里远，以节省一毛钱，以及鞋底穿洞、裤子打补丁的滋
味。我也尝过在餐厅里尽点最便宜的菜，以及把裤子压在床垫下的
滋味——因为我没钱将它们交给洗衣店。

　　然而，在那段时间里，我仍设法从收入中省下几个铜板，因为
如果我不那么做，心里就不安。由于这段经验，我终于明白，如果
你我渴望避免负债以及避免金钱烦恼，我们就必须和一些公司一
样：我们必须拟定一个花钱的计划，然后根据那项计划来花钱。可

惜，我们大多数人都不这样做。例如我的好朋友黎翁·西蒙金，他指出人们在处理金钱事务时，会表现得意外盲目。他告诉我，有位他所认识的会计师，在公司工作时，对数字精明得很，但等到他处理个人财务时……就让我们打个比喻吧，如果这个人在星期五中午拿到薪水，他会走到街上去，看到商店橱窗有件叫他着迷的大衣，就毫不犹豫地将它买下来——从不考虑房租、电费，以及所有各项"杂"费，迟早都要由这个薪水袋里抽出来付掉。然而这个人却又知道，如果他所服务的那家公司以他这种贪图目前享受的方式来经营，则公司势必破产。

有件事你需要考虑：当牵涉到你的金钱时，你就等于是在为自己经营事业。而你如何处理你的金钱，实际上也确实是你"自家"的事，别人无法帮忙。

不过，什么是管理我们金钱的原则呢？我们如何展开预算和计划？以下有 11 条规则。

### 1. 把事实记在纸上

亚诺·班尼特 50 年前到伦敦，立志做一名小说家，当时他很穷，生活压力大。所以他把每一便士的费用记录下来。他难道想知道他的钱怎么花掉了？不是的。他心里有数。他十分欣赏这个方法，不停地保持这一类记录，甚至在他成为世界闻名的作家、富翁，拥有一艘私人游艇之后，也还保持这个习惯。

约翰·洛克菲勒也保有这种总账。他每天晚上祷告之前，总要把每便士的钱花到哪儿去了弄个一清二楚，然后才上床睡觉。

你我也一样，必须去弄个本子来，开始记录，记录一辈子？不，不需要。预算专家建议我们，至少在最初一个月要把我们所花的每一分钱作准确的记录——如果可能的话，可作三个月的记录。这只是提供我们一个正确的记录，使我们知道钱花到哪儿去了，然后我们就可依此作一预算。

哦，你知道你的钱花到哪儿去了？嗯，也许如此；但就算你真知道，1000 人当中，只能找到一个像你这样的人。史塔普里顿夫人告诉我，通常，当人们花费几小时的时间把事实和数字忠实地记录在纸上后，他们会大叫："我的钱就是这样花掉的？"他们真是不敢相信。你是否也这样？可能。

**2. 拟出一个真正适合你的预算**

史塔普里顿夫人告诉我，假设有两个家庭比邻而居，住同样的房子，同样的郊区，家里的人数一样，收入也一样——然而，他们的预算需要却会截然不同。为什么？因为人性是各不相同的。她说，预算必须按照各人需要来拟定。

预算的意义，并不是要把所有的乐趣从生活中抹杀。真正的意义在于给我们物质安全感——从很多情况下来说，物质安全感就等于精神安全和免于忧虑。"依据预算来生活的人，"史塔普里顿夫人告诉我，"比较快乐。"

但你怎么进行呢？首先，如同我所说的，你必须把所有的开支列出一张表来，然后要求指导。你可以写信到华盛顿的美国农业部，索取这一类的小册子。在某些大城市——密尔瓦基、克利夫兰、明尼亚波利斯，以及其他大城市——主要的银行都有专家顾问，他们将乐于和你讨论你的财务问题，并帮你拟定一项预算。

讨论此一题目的小册子中，我见过的最好的一本名叫《家庭金钱管理》，由"家庭财务公司"发行。顺便提一下，这家公司出版了一整套的小册子，讨论到许多预算上的基本问题，例如房租、食物、衣服、健康、家庭装饰，和其他各项问题。

**3. 学习如何聪明地花钱**

我的意思是，学习如何使你的金钱得到最高价值。所有大公司都设有专门的采购人员，他们啥事也不做，只是设法替公司买到最合理的东西。身为你个人产业的男、女主人，你何不也这样做？

**4. 不要因你的收入而增加头痛**

史塔普里顿夫人告诉我，她最怕的就是被请去为年薪 5000 美元的家庭拟定预算。我问她为什么。"因为，"她说，"每年收入5000 美元，似乎是大多数美国家庭的目标。他们可能经过多年的艰苦奋斗才达到这一标准——然后，当他们的收入达到每年五千美元时，他们认为已经'成功'了。他们开始大事扩张。在郊区买栋房子——'只不过和租房子花一样多的钱而已。'买部车子，许多新家具，以及许多新衣服——等你发觉时，他们已进入赤字阶段了。他们实际上比以前更不快乐——因为他们把增加的收入花得太凶了。"

这是很自然的。我们都希望获得更高的生活享受。但从长远方面来看，到底哪一种方式会带给我们更多的幸福——强迫自己在预算之内生活。或是让催账单塞满你的信箱，以及债主猛敲你的大门？

**5. 如果你必须借贷，设法争取银行贷款**

**6. 投保医药、火灾，以及紧急开销的保险**

对于各种意外、不幸，及可意料的紧急事件，都有小额的保险可供投保。我并不是建议你从在澡盆里滑倒至染上德国麻疹的每件事皆投上保险，但我郑重建议，你不妨为自己投保一些主要的意外险，否则，万一出事，不但花钱，也很令人烦恼。而这些保险的费用都很便宜。

举个例子，我知道有位妇人去年在医院里待了 10 天，出院之后，收到账单——只有 8 元美金。怎么回事？她有医药保险。

**7. 不要让保险公司以现金将你的人寿保险付给你的受益人**

如果你投人寿保险是为了在你死后能照顾家人，那么我请求你，绝不可让保险公司一次将大批现钞付给你的受益人。

"有许多新钞票的新寡妇"将会如何？我让马利翁·艾伯利夫人来解答此一问题。她是纽约市人寿保险研究所妇女组主任。她在全美国各地的妇女俱乐部演讲，指出不让寡妇领取人寿保险金，而改为领取终生收入的好处。她提及一位收到二万美元人寿保险现金的寡妇，她将钱借给儿子开创汽车零件事业。事业失败了，她现在穷困潦倒，三餐不继。她提到另外一位寡妇，被一位油腔滑调的房地产经纪人所诱，把她的大部分人寿保险金拿来购买一些"保证在一年之内增值一倍"的空地。3年之后，她把土地卖掉，却只拿回当初投资的1/10。她又提到另外一位寡妇，在领取了15000美元的人寿保险金的12个月以后，就必须向儿童福利协会申请补助款抚养她的子女。像这样的悲剧，数以千计，不胜枚举。

"25000美元在妇女手中，平均不到7年就全部花光。"这是《纽约时报》经济编辑施维亚·波特在《妇女家庭月刊》上所发表的文章中提出的。

多年以前，《星期六晚邮》在其社论中说："众人皆知，由于妇女多半未受商业训练，又无银行替她拿主意，因此她很可能在第一个狡猾的捐客向她进行游说之后，就贸然把她丈夫的人寿保险金拿去购买不稳定的股票。任何一位律师或银行家都可举出许多这类例子：节俭的丈夫多年省吃俭用存的终生存款，只因为他的寡妇或孤儿相信某位靠骗取女人为生的骗子，而将之全部花光。"

如果你想在死后保障妻子儿女的生活，何不向 J·P·摩根学习？他是当代最伟大的金融专家之一。他把遗产分赠给16位受益人，其中12位都是妇人。他赠给这些妇女的是现金吗？不。他留给她们的是有价证券，使这些妇女每月都可得到固定收入。

## 8. 教导子女养成对金钱负责的态度

我永远不会忘记我在《你的生活》杂志上所读到的一篇文章。作者史蒂拉·威斯顿·吐特叙述她如何教导她的小女儿养成对金钱的责任感。她从银行里取得一本特别储金簿，交给她9岁的女儿。每当小女儿得到每周的零用钱时，就将零用钱"存进"那本储金簿中，母亲则自任银行。然后，在那个礼拜之后，每当她须使用一毛钱或一分钱时，就从账簿中"提出"，把余款结存详细记录下来。这位小女孩不仅从其中得到很多的乐趣，而且也增强了如何处理金钱的责任感。

## 9. 如果你是家庭主妇，也许可在家中赚一点外快

如果你在聪明地拟好开支预算之后，仍然发现无法弥补开支，那么你可以选择下述两事之一：你可以咒骂、发愁、担心、抱怨，

或者你可想办法赚一点额外的钱。怎么做呢？想赚钱，只需找人们最需要而目前供应不足的东西。家住纽约杰克森山庄的娜莉·史皮尔夫人，就是这么做。在1932年，她自己一个人住在一套有3个房间的公寓里，她的丈夫已去世，两个儿子都已结婚。有一天，她到一家餐馆的苏打水柜台买冰淇淋，发现柜台也兼卖水果饼，但那些水果饼看起来实在令人不敢恭维。她问掌柜的愿不愿向她买一些真正的家制水果饼。结果他订了两块水果饼。"虽然我自己也是个好厨师，"史皮尔夫人对我讲述她的故事说，"但以前我们住在佐治亚州时，一直请有女佣，我亲手烘制饼干的次数大概只有十多次而已。在那位掌柜的向我预订两个水果饼之后，我向一位邻居请教了制苹果饼的方法。结果，那家餐厅的顾客对我最初的两块水果饼——一块苹果，一块柠檬——赞不绝口。餐厅第二天就预订了5块，接着，其他餐馆也陆续来向我订货。在两年之内，我已经成为每年必须烘制5000块饼的家庭主妇。我是单独一人在我自己的小厨房内完成全部工作的，我一年收入已高达一万美元，除了一些制饼的材料之外，我一毛钱也没多花。"

对史皮尔夫人家制烤饼的需求量愈来愈大，她不得不搬出厨房租下一间店铺，雇了两个女孩子帮忙。水果饼、蛋糕、卷饼。在第二次世界大战期间，人们排队一个多小时等着买她的烘制食品。

"我一生中从未如此快乐过，"史皮尔夫人说，"我一天在店里工作12至14小时，但我从不觉得厌倦，因为对我来说，那根本不算是工作。那是生活中的奇异经验。我只是尽我的能力来使人们更加快乐，我太过忙碌，无暇忧愁或寂寞。我的工作为我弥补了自我母亲及丈夫逝世后所留下来的空闲与空虚。"

我请教史皮尔夫人，其他烹调技术高明的家庭主妇，是否也可以在余暇时以同样的方式，在一个一万人以上的小城市里赚钱，她回答说："可以——她们当然可以这样做。"

娥拉·史令达夫人也有相同的看法。她住在一个3万人口的小镇——伊利诺州梅梧市。她就在厨房里以一毛钱价值的原料开创了事业。她的丈夫生病了，她必须赚点钱补贴家用。但怎么办呢？没有经验，没有技术，没有资金，只不过是一名家庭主妇。她从一颗蛋中取出蛋清加上一些糖，在厨房里做了一些饼干；然后她捧了一盘饼干站在学校附近，将饼干售给正放学回家的学童，一块饼干一分钱。"明天多带点钱来，"她说，"我每天都会带着饼干在这儿。"第一周，她不只赚了4.15元，同时也为生活带来情趣。她为自己及儿童们带来了快乐，现在没有时间去忧愁了。

这位来自伊州梅梧市的沉静的家庭主妇相当有野心，她决定向外扩展——找个代理人在嘈杂的芝加哥出售她的家制饼干。她羞怯而害怕地和一位在街头卖花生的意大利人接洽。他耸耸肩膀，说他的顾客要的是花生，不是饼干。她给他一块样品。他蛮喜欢的，于是开始出售她的饼干，第一天就为她赚了2.15元。4年后，她在芝加哥开了第一家商店，店面只8英尺宽。她晚上做饼，白天出售。这位以前相当羞怯的家庭主妇，从她厨房的炉子上开创饼干工厂，现在已拥有19家店铺——其中18家都设在芝加哥最热闹的鲁普区。

我在此想说明一点，娜莉·史皮尔和娥拉·史令达不为金钱而烦恼，反而采取积极的作法。她们以最小的方式从厨房出发——没有租金，没有广告费，没有薪水。在这种情况下，一名妇人要被财务烦恼拖垮，几乎是不可能的。

看看你的四周，你将会发现许多尚未达到饱和的行业。例如，如果你自己是一名很优秀的厨师，你也许可开设烹饪班，就在你自己的厨房内教导一些年轻人，这也是赚钱之道。说不定上门求教的学生不绝于途。

有许多书籍教导你如何利用余暇时间赚钱，你可到公立图书馆借阅。不管男人、女人，皆有许多工作机会。但我必须提出一句警告：除非你天生有推销的才能，否则不要尝试去挨户推销。大部分人都痛恨这份工作，终告失败。

**10. 不要赌博——永远不要**

对于那些想从赌赛马及玩吃角子机器上赢钱的人，我总是觉得很惊异。我认识一个拥有多架这种"单手土匪"机器并依靠他们为生的人，他对于那些天真得妄想打败这些早已设计来骗他们钱的机器的傻瓜，除了轻视之外，别无同情。

我也认识美国最佳的一名赌赛马的老千。他是我成人教育班上的一名学生。他告诉我，根据他对赛马所具备的所有认识，他无法从赌赛马中赚到钱。然而，事实上，每年却有众多的傻子，在赛马中赌下 60 亿美金的钱——刚好是美国在 1910 年全国总债务的 6 倍。这位赛马老千同时对我说，如果他想毁灭他的敌人，再也没有比说服这位敌人去赌赛马更好的方法了。我问他，如果某人根据赛马的内幕情报来下注，其结果会如何，他回答说："照这种方式来赌赛马，可以把美国造币厂整个输掉。"

如果我们决定赌博，至少也要学聪明一点。先让我们找出我们的胜算如何。如何来找呢？你可以阅读一本名为《如何计出胜算》的书，作者为奥斯华·贾柯比——桥牌及扑克的权威、最高级的数学家、统计专家，也是保险公司的统计顾问。该书共 215 页，告诉你在赌赛马、轮盘、骰子、吃角子老虎、扑克、桥牌、梭哈以及股票市场时，胜算有多少。这本书同时也告诉你，在其他各种活动中，你得胜机会有多少，全有数学根据，十分有用。它并不是存心教你如何赌博。作者别无企图，他只是想把普通方式的赌博中你失败的比例坦白地告诉你；当你获知这些失败的比例之后，你将会怜悯那些易于受骗的人，他们把辛苦赚来的钱丢在赛马、纸牌、骰子、吃角子老虎机之上。

**11. 如果我们无法改善我们的经济情况，不妨宽恕自己**

如果我们不可能改善我们的经济情况，也许我们可改进心理态度。记住，其他人也有他们的财务烦恼。我们可能因为经济情况比琼斯家差而烦恼；但琼斯家可能因为比不上李兹家而烦恼；而李兹家又因为跟不上范德比家而懊恼。

美国历史上最著名的人物也有他们的财务烦恼。林肯和华盛顿都必须向人借贷，才能启程前往首都就任总统。

要是我们得不到我们所希望的东西，最好不要让忧虑和悔恨来苦恼我们的生活。且让我们原谅自己，学得豁达一点。根据古希腊哲学家艾皮科蒂塔的说法，哲学的精华就是："一个人生活上的快乐，应该来自尽可能减少对外来事物的依赖。"罗马政治家及哲学家塞尼加也说："如果你一直觉得不满，那么即使你拥有了整个世界，也会觉得伤心。"

要想减少烦恼，第二大原则是：

**不要总是为工作和金钱发愁。**

克服忧虑的真实故事

# 请保祐我不进孤儿院

凯瑟林·霍尔特

我的幼年一直笼罩在恐惧中。我母亲心脏不好，我常常看到她昏倒在地板上。我们都怕她会离我们而去，我一直以为没有母亲的小女孩，都会被送到我们镇上的孤儿院。想到可能会住进孤儿院，就把我吓坏了。6岁的我最常祈祷的就是："亲爱的天主！请保祐我妈妈活到我大得不用进孤儿院的时候。"

20年后，我弟弟梅纳受了重伤，死前两年一直饱受痛苦折磨。他自己无法进食，也不能翻身。为了减轻痛楚，不分日夜，每隔3小时，我得为他注射吗啡。我为他注射了两年。我在一所学院教音乐。邻居们一听到我弟弟痛苦的叫声，他们会打电话到学校来，我就冲出教室，回家为他再做一次注射。每晚上床前，我把闹钟定在3小时以后，以便起床为他注射。冬天的晚上，我把一瓶牛奶放在窗外，它会冻得像冰淇淋，我很爱吃。闹钟响时，窗外的冰淇淋也会是一种促使我起床的力量。

在这两个经历中，我做了两件事使自己免于自怜、忧虑或怨天尤人。第一件是，我一天教音乐12到14小时以保持忙碌，这样我就没有什么时间忧虑了。只要我觉得自己快开始忧虑时，我就一遍又一遍地告诉自己："听着！只要你还能动、能吃、没有痛苦，你就应该是世界上最开心的人了。不论发生什么事，重要的是你还活着！千万不能忘了这一点。"

我决心尽我所能来培养感恩的态度，不论是有意识的，还是潜意识的。每天早上醒来，我先感谢天主，我能够下床走路，做早餐给自己吃。我不管有什么烦恼，都决心做全镇最快乐的人。我可能没有达到这个目标，但我确实做到全镇最能感恩的人——而我同事的烦恼应该不会比我多吧！

这位音乐老师运用了两项原则，她让自己忙得没时间烦恼，她盘算自己所得到的恩惠，这种方法对你也可能有帮助。

# 76

## 夫妻间的职业冲突

---

**卡耐基金言**

◆ 最适合某个人的工作，或能够使他感到快乐的工作，并不一定就会使他富有或过上好日子。

◆ 疑虑是我们心中的叛逆者，由于害怕去追求，将会使我们失去我们通常能够赢得的东西。

◆ 上帝的确偏爱勇敢和坚强的心灵。

---

19世纪80年代，我的祖父查理士·劳勃特森在堪萨斯州的农庄长大。他想要移居到印第安·奈里特利去，看看自己能够在这个边界殖民区里做出什么事业。于是他和他的妻子哈丽特就将他们的行装整理好，放进一辆敞篷马车里，带着孩子们往未知的前途出发。他们在锡马龙的河岸定居。这个地方，就是现在的俄克拉何马州东北。我的祖父建造了一座木屋，用篱笆围起一片自己的土地。不久，他借了一些钱在这个小乡村开了一家小店，那就是现在俄克拉何马州的杜尔沙市。

我的祖母哈丽特日子过得很艰苦，她要照顾9个小孩，身体不太好，而且生活很不方便。那里没有医生，只有一家一间教室的教会学校供小孩子念书。艰苦的生活、债务、寒冷的冬天和炎热的夏天，这就是他们全部的写照了——但是以边疆的生活标准来说，查理士·劳勃特森成功了。哈丽特活着看到她的丈夫变成一个成功的、受人敬重的居民，她的儿女们也都幸福地结婚了，而印第安·泰里特利也变成联邦政府的一州。

联邦政府这些州的发展，不仅由于有像查理士·劳勃特森这种男人的眼光——他们开拓了新的天地并且扩展疆界——而且也因为有了这些勇敢的妻子，就像哈丽特，她们勇敢地去尝试新机会。这些女人信仰上帝，信仰她们的丈夫，而且信仰她们自己。她们勇敢地面对着危险、困苦、疾病和死亡。当她们朝西部前进的时候，有没有怀念过她们离开的舒适的家？有没有后悔过离开了朋友、双亲、财富以及现在所面对的物质缺乏、害怕和劳苦的生活？如果她们没有后悔过，她们就是没有人性了。

但是就是这样，拓荒的人们跟随着自己的丈夫来到这些荒凉地区，写下了美国历史上光辉的一页。他们留给自己的儿女一笔巨大的遗产，包括一片土地、城市，以及一种不屈不挠的勇气和无法动摇的信心的光荣传统。

盼望丈夫成功的妻子，必须发扬我们的拓荒前辈的刻苦精神。妻子必须心甘情愿地让自己的丈夫去做他最喜爱的任何事情，纵然他的作法是很冒险的。不管遭到了什么挫折，她必须有深信丈夫的勇气，而且毫不畏惧地支持他。能够不顾一切地努力实现进取心和创造心的人，更不会为了其他的原因而退缩了。

例如，我认识的一个男人，在他所不喜欢的职位上工做了一辈子，只因为他的太太宁愿牺牲任何代价，来保住安定的生活。

开始的时候他是个记账员，后来他赚够了钱，可以开自己的汽车修理厂了，这时候他结了婚。而他的太太认为在他们还没有买下房子以前，他最好不要辞去工作。等到他们有了房子以后，他们正要生下第一个孩子，这位男士的妻子使他觉得，开创自己的事业将是一件多么辛苦的傻事——于是日子就这样过去了。他的薪水已经足够家庭开销，还有保险金可以供应孩子的教育费用。有必要开创自己的事业吗？太可笑了！如果失败了怎么办？他可能会失去在公司里的年资、公司的退休金、疾病津贴，以及一份中等而固定的薪水。于是这位男士就失去了创业的机会，因为他的妻子不愿意给他尝试的机会。

现在，他是个对生活感到厌倦的、庸庸碌碌的中年人，他把空闲的时间用来修补自己的汽车。他有张失意的脸孔，患有胃溃疡，此外再也没有什么东西可回想了。生命就这样过去了。他生命绝大部分的时间都用来压抑他对于工作的不满，他对自己的工作没有真正的兴趣，没有热心，没有完成的野心——这都是因为他的太太不愿意给他尝试的机会。

如果他放弃了不喜欢的工作，尝试努力去做自己选择的工作而失败了，事情又会怎样？至少他将会因为已经做过自己想要尝试的工作而感到满足，而且如果他尝够了失败的滋味，他就真的会成功了。

然而，使人感到兴奋的是，这种类型的妻子似乎只是少数而已。在雪佛酿酒公司最近的一项调查里，有6000名各种年龄的家庭主妇接受了访问。其中有一个问题问到，如果她丈夫想要从一个他不太喜欢的安定工作，转到另外一个较不安定而且薪水较低，但是却能够使丈夫感到高兴的工作上去，太太们是不是会赞成。接受访问的太太们只有25％说，她们不愿意让自己的丈夫改行。

我曾经替一位叫做查尔斯·雷诺兹的人做过事，他是奥克拉荷马州杜尔沙市一家大石油公司的财务助理。他是个活泼、能干又讨人喜欢的年轻人，看来一定可以一帆风顺地往上爬。他有太太、3个小孩以及光辉的远景。

空闲的时候，查尔斯·雷诺兹喜爱绘画。他的许多风景油画，都悬挂在公司办公室的墙上。有时候他也把画卖给公司外面的人。

虽然雷诺兹先生喜欢自己的工作，但是他更渴望有更多的时间来绘画。他一向很喜爱新墨西哥州的陶欧斯城，那儿是艺术家的乐园，他想要放弃自己的工作，永久移居到那边去。当他和他的太太露丝谈到去开一家绘画用品店时，他太太鼓励他说："我们也可以卖画框，我照顾店面，你就可以画画了。我相信我们一定可以成功的。"

由于太太热心的鼓励，查尔斯·雷诺兹就下定决心辞掉工作，专心作画了。他们全家人都有了开创新事业的精神，年轻的小查尔斯放学以后也会帮忙店务。他画得非常好，终于成为西南部最成功的画家之一。他的作品曾经在整个美国展览过；他也曾经在许多画廊举办过个人画展。现在，他是欧斯城画家协会的会长；在新墨西哥州陶欧斯城闻名的济特·卡森街上，他还建造了自己的画廊和画室。这都是因为他和他的妻子有勇气去尝试一个机会。

这种冒险的成功并不值得惊讶——胜算的可能性是很高的。如同范狄格里夫特将军经常在战前对他的军队所说的："上帝偏爱那些勇敢和坚强的人。"

最适合于某个人的工作，或能够使他感到快乐的工作，并不一定就会使他富有或是过上好日子。然而除非一个人的工作能够带给他内心的满足，否则就不算是真正的成功了。当妻子的需要有精神上的耐力，才能够让她的丈夫自由自在地做他所喜爱的工作，而放弃他所不满意的、不高兴的、薪水较好的职位。

许多伟大的成就，可能都是因为不自私的妻子愿意尝试一个机会——而且愿意放弃物质享受，因此她们的丈夫才能够从事适合于他们个性的工作。

救世军不只是它伟大的创始者威廉·布斯的活纪念碑，而且也是威廉最具爱心的妻子凯瑟琳·布斯的活纪念碑，因为她曾奉献那么多的精力来推广这个运动。

威廉·布斯把传道当成自己的天职，他在伦敦的贫民窟对穷人、残废人和流浪汉讲道。他、他的妻子和孩子们都忍受着寒冷、饥饿和嘲笑。他努力于帮助穷人，以至于损害了自己的健康。他的妻子也从小就很瘦弱。凯瑟琳·布斯患有脊柱弯曲症，必须使用脊柱支柱。她还受着肺痨的威胁，晚年又受到了癌症的折磨。她临死前说，"我从来就不知道有哪一天不是生活于痛苦之中的。"

然而这位孱弱、瘦小而多病的妇人，不只要做饭、洗衣和照顾他们的8个子女，还要帮助她的丈夫，为那些比他们更加穷困的人奉献出他们慈爱的努力。她也传教讲道。到了晚上，在白天的劳累之后，她还要到贫民窟去帮助那些饥饿、生病或是遭遇困难的人。她为那些怀有私生子而未出嫁的姑娘准备饭菜，找寻安身的处所。她和那些小偷、流浪汉与妓女说话。

你一定会想（难道你不这样想吗？）凯瑟琳·布斯只要有适当的机会，一定会想离开这个悲惨的地方的。这种机会也曾出现过，有一次牧师会议受到布斯的真诚感动，就在一个比较富裕的地区，留给他一个舒服的讲道工作——这样他就可以放下他在贫民窟的工作了。

他们忽略了威廉的妻子。凯瑟琳·布斯马上站起来叫道："不要！不要！"

多亏她不怕艰难和有坚定的信心，现在才有救世军在各处工作。我真希望凯瑟琳能够活得更久一些，亲眼看到她为丈夫所做的贡献所得到的结果。我真希望她现在已经知道，在威廉·布斯的葬礼之中，当他的灵柩经过的时候，伦敦街头拥挤着65000多人向他表示敬意。伦敦市长也在他葬礼的行列中送行。欧洲的宫廷和美国总统也都送来花圈。在他的灵柩后面，有5000名年轻的救世军跟随着，并唱着赞美诗歌颂他们伟大的领袖。我宁愿相信凯瑟琳已经都知道了——这位瘦弱的女人完全不顾自己的安全，加入她丈夫献身的伟大工作。

是的，成功的真正意义，是找出你所热爱的工作并努力去做——在奋斗的途中必须不顾自身的安全与幸福，有时候只有这样做，才是获得我们真正想要的东西的唯一方法。

"上帝啊，请赐给我一个年轻人，他必须有足够的胆识去做别人心目中的傻事。"罗勃特·路易斯·史蒂文生说。

莎士比亚则是这样说："疑虑是我们心中的叛逆者，由于害怕去追求，将会使我们失去我们通常能够赢得的东西。"

上帝的确是偏爱勇敢和坚强的心灵。如果我们希望我们的丈夫，在他们觉得最有成就的工作之中成功，我们就该鼓励他们去尝试每一个机会——而且要有足够的勇气来共同克服危机。

消除工作和金钱烦恼的第三大原则是：

**处理好夫妻间的职业冲突。**

## 克服忧虑的真实故事

# 折磨人的胃痛

克麦隆·西普

几年来，我在加利福尼亚州华纳片场的公关部门工作得很愉快。我写特别报道，并在杂志报纸上为华纳公司写文章。

突如其来的，我获得晋升，成为公关部副主任。事实上，由于行政体系的改变，我有个新头衔：特别助理。

我可以享用一间非常宽敞的大办公室，附有私人冰箱、两位秘书，管辖 75 位编剧者及撰稿员。我极为兴奋，自己出去买了一套新西装。我开始言语高雅，建立档案系统，可作出权威的决定，午餐以速食解决。

我自以为整个华纳公司的公关政策都落在我的双肩上。我相信自己掌握华纳旗下明星的公私生活，这些明星包括蓓蒂·戴维斯、奥丽薇·哈惠兰、詹姆士·贾奈、爱德华·罗宝孙、埃洛·弗林、亨福瑞·鲍加等等。

不到一个月，我发现自己得了胃溃疡，说不定是胃癌。

我当时的主要职务是战时电影界的战事委员会主席，我乐于担任这份工作，因为开会时可以碰到很多朋友。可是这些聚会却变得很累人，每次开完全，我就觉得不舒服，我得在回家的半路上先停一会儿车，让自己清醒了再开车。我有这么多事要做，可是时间却这么少，每件事都不能不办，我只觉得自己力不从心。

我现在可以坦白承认，那是我一生中最最痛苦的一段日子。成天排得紧紧的，我的体重下降，开始失眠，常常胃痛。

我去看一位同事介绍的内科权威，同事说很多从事广告工作的人都是他的病人。

这位医生不多话，只要我告诉他哪里痛，及我的工作。他对我工作的兴趣似乎比我的病痛还大，接着他说要用两周的时间，每天接受各种检查。最后，终于到了我去聆听宣判的时间了。

"西普先生！"他说道，"我们总算做完了这些累人的检查，虽然我第一次看你，就知道你得的不是胃癌，但这些检查还是必需的。

"我很清楚像我这样的人，以及从事这类工作的人，除非我手上握有证据，否则你也不会相信，现在就让我给你看证据吧！"

于是他拿出图表及 X 光片跟我解释，表示我并未罹患癌症。

这位医生又说："虽然你花了不少钱，但是很值得，我开给你的处方是：不要烦恼。

"我知道你一时三刻不可能做得到，所以我先给你开些药吃。这些药片是无害的，你要吃多少都没问题，吃完再来找我，它对你没有害处，不过可以令你放松自己。

"请你记住：其实你不需服药，你只要不再自寻烦恼就可以了。

"如果你又开始烦恼，就回来找我，我再收你一大笔费用，如何？"

我希望我能告诉你，我立即就停止忧虑了，但实际并非如此。

有好几个礼拜，我觉得心烦时，我就吃药，好像立刻就觉得好些了。

可是吃药是件很难堪的事。我的体型庞大，大概像林肯一样高，起码有二百磅体重，却需服用这些小药片来放松自己。朋友问我服用什么药时，我实在羞于启齿。我开始嘲笑自己，我告诉自己："西普，你真像个傻瓜，你把自己的事看得太过于严重了。蓓蒂·戴维斯、詹姆士·贾奈在你负责他们的公关以前，早就赫赫有名了，如果你今天去世，华纳公司及它旗下的明星一定还是过得好好的。看看艾森豪威尔、马歇尔将军、麦克阿瑟，他们指挥作战，都不用靠药丸。你只不过是制片厂公关的战时委员会主席，就得靠药物来控制自己的胃病！"

我开始不吃药丸，恢复自尊。不久之后，我丢掉药丸，每天晚上回家后，在晚餐前先小睡片刻，很快我就恢复正常生活，再也不用回去找那位医生了。

不过其实我应该好好感谢那位医生，他教我自我解嘲，还不只此，最重要的是他教会我，世上没有什么值得操心的事。他很认真的处理我的状况，保留我的面子，他为我指引一条出路。他当时已像我现在一样清楚，治愈我的不是药丸，而是我态度的转变。

这个故事是要劝告目前仍依赖药物的朋友们，好好阅读，并学会放松自己。

# 77

## 不要入不敷出

对于金钱，一种易赚易花、毫不看重的乐天派哲学，曾经在书本上和戏院里给了我们许多有趣的笑料。我们都会取笑那位老绅士——在《你无法把钱带在身边》里——他绝不相信所谓所得税，而且拒绝缴付。当大卫·柯博菲尔德要教他的年轻新娘朵拉按照收入预计开销的时候，朵拉就噘起嘴撒娇，她也是个可爱动人的角色。我们也喜爱不朽的《与父亲一起生活》里所描写的母亲节，因为，在母亲每个月把家庭预算弄得一团糟而引起的争战里，父母在母亲节那天表现了最好的风度。狄更斯笔下浪费成性的麦考柏先生，也是文学上最让人喜爱的角色之一。

是的，在小说里，迷人和不负责任常常会同时出现在一个吸引人的角色身上。但是，在现实生活里，没有其他事情会比财力上的失误更使人伤心或是讨厌了。开销超过收入的人无法逗人发笑——他是个糟糕的冒险家。脑筋糊涂、奢侈浪费的妻子，也不会动人、迷人——她是缠绕在丈夫脖子上的一个重担。

现在，我们的钱所能买到的东西，比起 10 年前或者甚至 5 年前都要少得多了。女士们面对着一个不成比例的挑战，必须好好利用那些钱。价格膨胀了——生活水准提高——我们的孩子所需要的教育费用变得更加复杂和昂贵。

大家都认为，只要我们的收入增多一些，我们所有的忧虑就都可以解决了，这是一个普遍存在的错误观点。据专家们说，事情并不是这样。艾尔西·史泰普来顿曾经担任华纳莫克和吉姆贝尔百货公司职员和顾客的财务顾问。他认为，对大部分人来说，增加收入只是造成花费的增加而已。

加拿大的蒙特利尔银行劝告顾客们，要学习精明地花费他们的收入——也许他们会遇到处理一大笔收入的机会。

当我为本书搜集资料的时候，无意中得到一本有关家庭关系的、不寻常的好书。写这本书的人是个全国知名的心理学家。可是，这位作者有个特殊的缺点：他对于家庭预算似乎毫不内行。"处理家庭的收入是个简单问题，"他写道，"有钱的时候就多花，没有钱的时候就少花一些。"

我同意他的理论的确简单，但是这种做法，等于没有好好处理一个人的收入。他的话里有一种动人与毫不在乎的意味，使我们想起小说里那些迷人的放浪人物——等到我们静下心来想想他话里的含义，才发觉有点不对劲。

毫无计划地花费，就等于让每个人——包括肉贩、面包商和烛台制造商——都来分享你的收入——除了你本身以外的每个人。

有计划的，或是有预算的花费，可以保证你和你的家人能够从你的收入里得到公平的分享。

　　预算并不是一件束缚行动的紧身衣，也不是毫无目的地把花用掉的每一分钱都做个记录。预算是一张蓝图、一个经过计划的方法，用以帮助你从你的收入中得到更大的好处。正确的预算方式，将会告诉你如何达成目标——使自己的家——你家小孩子们的大学教育费用——你老年的保险金——你梦想中的假期。

　　预算开销将会告诉你，可以删减那些比较不重要的项目，去填补你想要做的大花费。

　　如果你从没有做过预算，就应该马上开始学习如何处理家庭财务。帮助丈夫成功的一个最重要方法，就是要知道如何使他的收入发挥最大的效用。如果他会赚钱但是不会节省，你就可以帮助他管紧钱包。如果他本来就节省，你可以在用钱方面表现出相同的看法，为他增加信心。

　　如何才能使你自己成为家庭财务的专家？这里有个好消息：你家附近的银行可能有一种预算或咨询服务，他们将会告诉你如何做好预算计划，以适应你特殊的需要和收入。

　　《妇女时代》杂志对于家庭的经济知识，是一个很好的来源。它将会告诉你如何缝补旧衣服，如何烹调有营养而价格低廉的餐点，甚至还告诉你如何制造自己的家具。

　　不可以依赖你无意中发现的、任何一种已经印好的预算计划表。为了要显得更有价值，一个预算计划必须是专门为你订做的，不适合于其他任何人。没有其他的家庭会和你们家庭完全相同，你的经济问题就像你的脸孔和身材那样，是完全不同的，是独具特色的。

　　以下有些想法，可以帮助你完成你自己的家庭预算计划：

　　1. **记录每一件开销，使你对于支出情形有个清楚的了解。**

　　除非我们知道错在哪里，否则我们就无法改进任何情况。如果我们不知道在何处删减，为什么要删减，以及删减什么，节约就是毫无意义的事。所以，我们应该在一段示范期间，记录下所有的家庭开销——例如，记录 3 个月看看。

亚尔诺德·白尼特和约翰·D·洛克菲勒都是无可救药的记账专家。我也是这样。虽然我都以开支票的方式付款，我仍然喜欢按月把我的花费记录成一张整齐的单子。每年一次，我把这些每月花费加起来。结果呢？我能够很精确地告诉你，于某某年我们在食物方面花了多少钱——或燃料费、水电费、娱乐费，等等。我还可以使用这些记录，查出我家的生活费增加的 情况。一旦你知道你的钱花到哪里去以后，就不必再做这种记录了。但是，我很喜欢手边有这种资料。例如，如果我怀疑我花太多钱买衣服了，我只要瞥一眼我的记录就知道真相了。

我认识的一对夫妻，当他们开始记录花费情形以后，很惊讶地发现他们每个月花掉大约 70 美元去买酒！然而，他们并不是酒鬼——只不过是一对热情的夫妇，很欢迎自己的朋友在兴致好的时候就"到家里来喝一杯"——这种事情时常会发生。他们做了一个明智的决定，认为他们不能再开免费酒吧了，于是，那 70 美元就用于更好的项目开支。

**2. 根据家庭的特殊需要，设计出自己的预算。**

首先，把你这一年里固定的开销列出来——房租、食物预算、利息、水电费、保险金。然后计划你其他的必要开销——衣服、医药费、教育费、交通费、交际费，等等。

每个人都知道，这是件不容易的事情。拟定计划需要决心、家庭合作，有时候还需要严谨的自制力。我们不能买下每一件东西——但是我们可以决定什么东西对我们最重要，而牺牲掉最不重要的东西。你愿意拥有一个舒适的家而放弃买昂贵的衣服吗？你宁愿自己做衣服，将节省下来的钱买一台电视机吗？显然，这些决定必须由你和你的家人自己来做——印制好的预算表都列上了固定的百分比，对于你个人的需要是没有帮助的。

**3. 至少要把每年收入的 10%储蓄起来。**

规定你自己——也就是说，你的家庭——一个固定开销。至少要把 1/10 的收入储蓄起来，或拿去投资。也许你还可以想办法建立一笔额外资金，拿来做特殊用途，譬如买房子或汽车。

财务专家说过，如果你能节省你丈夫收入的 1/10，虽然物价高昂，不到几年你也就可以获得经济上的舒适。

我认识一个女人，她嫁给一个顽固、保守的新英格兰人。她的丈夫宁愿在中央车站广场脱光了衣服，也不愿放弃节省 1/10 薪水的计划。这位太太告诉我，在经济不景气的那几年，她们可真吃足了苦头，她先生的薪水被删减得太多了。她买日用品的时候，必须想尽办法节省每一毛钱——她丈夫每天要步行 20 多条街，以省下公共汽车费。但是，节省 1/10 薪水的老习惯，仍然照样进行。

"有时候，"这位女士承认，"当我们非常需要钱用的时候，我十分后悔还要把钱搁在一边。但是，我现在很高兴我们维持了储蓄计划。节约的结果，使我们到中年的时候拥有了自己的家和一些享受。"

**4．准备一笔意外或紧急用途的资金。**

大部分的预算专家都劝告每一个年轻家庭，至少要存下 1 至 3 个月的收入，用于紧急事件。

但是，这些专家警告说，想要存太多钱的人，会发觉很难办到，结果根本就存不了钱。与其要断断续续地隔几周才一次存 5 元，倒不如每周固定地存下 2.5 元，效果会更好。

**5．使预算计划成为全家人的事。**

预算顾问相信，预算计划必须得到全家人的合作。经常举行家庭预算讨论会，往往可以减除情绪上的不和——因为我们大家对于金钱的态度，都会受到自己的经验、气质与教育程度的影响。

**6．要考虑人寿保险的问题。**

玛莉昂·史蒂芬斯·艾巴利，是人寿保险协会妇女部的主任。对全国的女士来说，她所说的话就是人寿保险专家的看法，具有独特的权威性。当我访问艾巴利女士的时候，她建议当妻子的人应该自问以下这些问题：

你可知道，经过人寿保险，你的家庭能够得到什么基本需要？

你可知道，一次付款和分期付款有何不同——而且各有各的好处？你可知道，关于付款的方法有许多不同的选择？你可知道，现代人寿保险具有双重目的？如果一个男人过早去世了，人寿保险就可以保护这个人的家庭；如果他活着要享受余年，人寿保险就可以供给他独立的基金。

这些问题，以及其他许多相似的问题，对于你的家庭非常重要。只让你的丈夫知道所有的答案，这还不够，你也应该知道这些答案。有一天也许你会变成寡妇——有关人寿保险的知识，可以解除你的困难和忧虑。

贾得生和玛丽·南狄斯，在他们合写的《建立成功的婚姻》一书中告诉我们，家庭收入的花费，往往是婚姻生活里必须调节、适应的主要地方。

金钱并非万能，这句话可真不错。但是，如果知道如何聪明地处理我们的金钱，就可以带给我们的丈夫和家庭更多心境的安宁、幸福与利益。

所以，我们不可幻想着自己的丈夫能够像我们本来能嫁、但是后来没嫁的那个男人那样，带回来一大袋薪水，这只会浪费我们的时间，损毁我们的青春。我们的工作就是使自己变成财务能手，好好处置他赚回来的钱——如果我们想要激励他赚更多的话。怎么做呢？只要依照以下的规则去做：

1. 记录每一件开销，使你了解花费的情形。
2. 以一年做单位，设计出一个预算计划。
3. 储蓄家庭收入的 1/10。
4. 准备一笔意外事件资金。
5. 使预算计划成为全家人的事。
6. 要考虑人寿保险的问题。

因此，消除工作和金钱烦恼的第四大原则是：

**合理开支，不要入不敷出。**

# 洗碗的心得

威廉·伍德牧师

　　几年前，我饱受胃痛的折磨，每晚都要醒来二三次，痛得厉害时彻夜不眠。我亲眼目睹父亲因胃癌病逝，我怕自己也会步上后尘，或者起码会得胃溃疡。于是我到医院去做检查。胃病专家帮我照了X光片，给我开了镇静剂，让我晚上能睡觉，并向我保证，我既没有得胃癌，连胃溃疡也没有。他说我的疼痛完全是压力引起的。因为我是牧师，他问的第一个问题是："教会执事中是不是有难缠的家伙？"

　　他告诉我的事，其实我早已知晓了，那就是我想要完成的事太多了。除了每周日早上的礼拜，以及教堂的各式活动之外，我又担任红十字会主席，同济会会长。我每周还得主持二三次丧礼以及许多其他的活动。

　　我一直在压力下工作，从来不得休息。所以我也一直紧紧张张、匆匆忙忙，神经绷得死紧。我已经到了无事不烦的地步。我常常胃痛，以致我很乐意接受医生的建议——每星期一休假，并且开始减轻工作负担。

　　有一天我清理书桌时，忽然有了个好点子。我在清理一堆旧的记录了的讲道重点的小纸片，我揉掉了纸片并把它丢进字纸篓里。突然我停下来跟自己说："比尔，你何不把你担心的事也一起丢到废纸篓里？"光是这个灵感本身，就令我有如释重负的感觉。从那一天到现在，我定下了一条规则，只要是我无能为力的事，我都置之不理。

后来有一天，我太太洗碗，我帮忙擦碗，我又有了另一个灵感。我太太一面洗碗一面唱歌，我对自己说："你看！比尔！你太太多么开心，我们结婚18年，她也就洗了18年的碗。如果我们结婚时，她就想到未来18年她得洗的碗，一定堆得连仓库都放不下，这种想法绝对会吓跑所有的女人。"

我又告诉自己："我太太之所以不在乎洗碗，是因为她一次只洗当天的碗。"我找出了我的毛病所在。我总是想洗了今天的碗，还要洗明天的碗，甚至打算洗那些还没弄脏的碗。

我发现自己真够笨的！每个主日早上，我站在布道台上，教导别人如何生活，我自己却过着紧张忧虑的日子，我真觉得羞愧。

我不再被烦恼所困，也不再胃痛、失眠。昨天的问题我都抛弃不顾，更不再操心明天的脏盘子。

本书中的一句话你还记得吗："明天的烦恼加上昨天的困扰，再背上今天的问题，形成了最大的障碍。"我们何必如此？

# Prevent Fatigue and Worry and Keep Your Energy High

# 防止疲劳，永葆活力

第十篇

Prevent Fatigue and Worry,
and Keep Your
Energy High

防止疲劳，永葆活力

# 78

## 保持每日多清醒一小时

**卡耐基金言**

- ◆ 防止疲劳和忧虑的第一条规则是，经常休息，在你感到疲倦以前就休息。
- ◆ 爱迪生认为他无穷的精力和耐力，都来自他能随时想睡就睡的习惯。
- ◆ 休息并不是绝对什么事都不做，休息就是"修补"。
- ◆ 在你感到疲劳之前先休息，这样你每天清醒的时间，就可以多增加一小时。

疲劳容易使人产生忧虑，或者至少会使你较容易忧虑。任何一个还在学校里学医的学生都会告诉你，疲劳会减低身体对一般感冒和疾病的抵抗力；而任何一位心理治疗家也会告诉你，疲劳同样会降低你对忧虑和恐惧等等感觉的抵抗力，所以防止疲劳也就可以防止忧虑。

我是否说："可以防止不快乐"呢？这话说得太温和了些。艾德蒙·雅各布森医生说得更清楚。雅各布森医生是芝加哥大学实验心理学实验室的主任，他写过两本关于如何放松紧张情绪的书——

《消除紧张》和《你必须放松紧张情绪》。他花过好多年的时间，主持研究放松紧张情绪的方法在医药上的用途。他认为任何一种精神和情绪上的紧张状态，"在完全放松之后就不可能再存在了"。这也就是说，如果你能放松紧张情绪，就不可能再继续忧虑下去。

所以要防止疲劳和忧虑，规则第一条就是：**经常休息，在你感到疲倦以前就休息。**

这一点为什么重要呢？因为疲劳增加的速度快得出奇。美国陆军曾经进行过好几次实验，证明即使是年轻人——经过多年军事训练而很坚强的年轻人——如果不带背包，每一小时休息 10 分钟，他们行军的速度就加快，也更持久，所以陆军强迫他们这样做。你的心脏也正和美国陆军一样的聪明：你的心脏每天压出来流过你全身的血液，足够装满一节火车上装油的车厢；每 24 小时所供应出来的能力，也足够用铲子把 20 吨的煤铲上一个 3 英尺高的平台所需的能量。你的心脏能完成这么多令人难以相信的工作量，而且持续 50、70，甚至可能 90 年之久。你的心脏怎么能够承受得了呢？哈佛医院的沃尔特·加农博士解释说："绝大多数人都认为，人的心脏整天不停地在跳动着。事实上，在每一次收缩之后，它有完全静止的一段时间。当心脏按正常速度每分钟跳动 70 次的时候，一天 24 小时里实际的工作时间只有 9 小时，也就是说，心脏每天休息了整整 15 个小时。"

在第二次世界大战期间，丘吉尔已经近 70 岁了，却能够每天工作 16 小时，一年一年地指挥大英帝国作战，实在是一件很了不起的事情。"他的秘诀在哪里"？他每天早晨在床上工作到 11 点，看报告、口述命令、打电话，甚至在床上举行很重要的会议。吃过午饭以后，再上床去睡一个小时。到了晚上，在 8 点钟吃晚饭以前，他要再上床去睡 2 个小时。他并不是要消除疲劳，因为他根本不必去消除，他事先就防止了。因为他经常休息，所以可以很有精神地一直工作到半夜之后。

约翰·洛克菲勒也创造了两项惊人的纪录：他赚到了当时全世

界为数最多的财富，也活到 98 岁。他如何做到这两点呢？最主要的原因当然是，他家里的人都长寿，另外一个原因是，他每天中午在办公室里睡半个小时午觉。他会躺在办公室的大沙发上——而在睡午觉的时候，哪怕是美国总统打来的电话，他都不接。

在那本名叫《为什么要疲倦》的好书里，丹尼尔说："休息并不是绝对什么事都不做，休息就是修补。"在短短的一点休息时间里，就能有很强的修补能力，即使只打 5 分钟的瞌睡，也有助于防止疲劳。棒球名将康尼·麦克告诉我，每次出赛之前如果他不睡一个午觉的话，到第五局就会觉得精疲力竭了。可是如果他睡午觉的话，哪怕只睡 5 分钟，也能够赛完全场，一点也不感到疲劳。

我曾问过埃莉诺·罗斯福夫人，她在白宫当第一夫人的 12 年里，如何应付那么紧凑的事项。她对我说，每次接见一大群人或者是要发表一次演说之前，她通常都坐在一张椅子或是沙发上，闭起眼睛休息 20 分钟。

我最近到麦迪逊广场花园去拜访吉恩·奥特里，这位参加世界骑术大赛的骑术名将。我注意到他的休息室里放了一张行军床，"每天下午我都要在那里躺一躺，"吉恩·奥特里说，"在两场表演之间睡一个小时。当我在好莱坞拍电影的时候，"他继续说道，"我常常靠坐在一张很大的软椅子里，每天睡两次午觉，每次 10 分钟，这样可以使我精力充沛。"

爱迪生认为他无穷的精力和耐力，都来自他能随时想睡就睡的习惯。

当亨利·福特过 80 岁大寿之前不久，我去访问过他。我实在猜不透他为什么看起来那样有精神，那样健康。我问他秘诀是什么？他说："能坐下的时候我绝不站着，能躺下的时候我绝不坐着。"

被称为"现代教育之父"的霍勒斯·曼在他年事稍长之后也是这样。当他担任安提奥克大学校长的时候，常常躺在一张长沙发上和学生谈话。

我曾建议好莱坞的一位电影导演试试这一类的方法，他后来告诉我说，这种办法可以产生奇迹。我说的是杰克·切尔托克，他是好莱坞最有名的大导演之一。几年前他来看我的时候，他是 M－G－M 公司短片部的经理，他说他常常感到劳累和精疲力竭。他什么办法都试过，喝矿泉水、吃维他命和别的补药，但对他一点帮助也没有。我建议他每天去"度假"。怎么做呢？就是当他在办公室里和手下开会的时候，躺下来放松自己。

两年之后，我再见到他的时候，他说："出现了奇迹，这是我医生说的。以前每次和我手下的人谈短片问题的时候，我总是坐在椅子里，非常紧张。现在每次开会的时候，我躺在办公室的长沙发上。我现在觉得比我 20 年来都好过多了，每天能多工作两个小时，却很少感到疲劳。"

你是如何使用这些方法的呢？如果你是一名打字员，你就不能像爱迪生或是山姆·戈尔德温那样，每天在办公室里睡午觉；而如果你是一个会计师，你也不可能躺在长沙发上跟你的老板讨论账目的问题。可是如果你住在一个小城市里，每天中午回去吃中饭的话，饭后你就可以睡 10 分钟的午觉。这是马歇尔将军常做的事。在第二次世界大战期间，他觉得指挥美军部队非常忙碌，所以中午必须休息。如果你已经过了 50 岁，而觉得你还忙得连这一点都做不到的话，那么赶快趁早买人寿保险吧。最近葬礼的费用涨得相当高——而且这种事都来得非常的突然，而那位小女人也许想拿你的保险金，去嫁一个比你年轻的男人呢。

如果你没有办法在中午睡个午觉，至少要在吃晚饭之前躺下休息一个小时，这比喝一杯饭前酒要便宜得多了。而且算起总账来，比喝一杯酒还要有效 5467 倍。如果你能在下午 5 点、6 点、或者 7 点钟左右睡一个小时，你就可以在你生活中每天增加一小时的清醒时间。为什么呢？因为晚饭前睡的那一个小时，加上夜里所睡的 6 个小时——一共是 7 小时——对你的好处比连续睡 8 个小时更多。

从事体力劳动的人，如果休息时间多的话，每天就可以做更多的工作。弗雷德里克·泰勒，在贝德汉钢铁公司担任科学管理工程师的时候，就曾以事实证明了这件事情。他曾观察过，工人每人每天可以往货车上装大约 12.5 吨的生铁，而通常他们中午时就已经精疲力竭了。他对所有产生疲劳的因素做了一次科学性的研究，认为这些工人不应该每天只送 12.5 吨的生铁，而应该每天装运 47吨。照他的计算，他们应该可以做到目前成绩的 4 倍，而且不会疲劳，只是必须要加以证明。

泰勒选了一位施密特先生，让他按照马表的规定时间来工作。有一个人站在一边拿着一只马表来指挥施密特："现在拿起一块生铁，走……现在坐下来休息……现在走……现在休息。"

结果怎样呢？别的人每天只能装运 12.5 吨的生铁，而施密特每天却能装运到 47.5 吨生铁。而当弗雷德里克·泰勒在贝德汉姆钢铁公司工作的那 3 年里，施密特的工作能力从来没有减低过，他之所以能够做到，是因为他在疲劳之前就有时间休息：每个小时他大约工作 26 分钟，而休息 34 分钟。他休息的时间要比他工作时间多——可是他的工作成绩却差不多是其他人的 4 倍！

让我再重复一遍：照美国陆军的办法去做——常常休息，照你自己心脏做事的办法去做——在你感到疲劳之前先休息，这样你每天清醒的时间，就可以多增加一小时。

## 克服忧虑的真实故事

# 我终于找到了解答

德尔·休斯

1943 年，我摔断了 3 根肋骨，因肺穿刺而住进新墨西哥州的荣民医院。事情发生在海军陆战队登陆夏威夷岛演习时。我正准备由登陆艇跳下沙滩，一个大浪打来，登陆艇倾斜，把我摔落在海滩上，我跌下去时，感到断了的肋骨刺入我的右肺。

住院3个月后，我遭受了一生中最重大的打击。医生宣告我的病情毫无进展。仔细衡量后，我发现我之所以好不起来是因为我太担心了。我的日子一直过得很活跃。躺在医院的这3个月，我一天24小时平躺着，什么都不能干，只有胡思乱想。我想得越多，就越担心；担心我是否能恢复过去的日子。我更担心是否终生瘫痪，我还能结婚，过正常的生活吗？

我请医生把我调到隔壁病房，那个病房号称"乡村俱乐部"，因为病人几乎没有不能做的事。

在"乡村俱乐部"中，我开始对桥牌感兴趣，我花了6个礼拜学会这种游戏，跟同房病人玩桥牌，研读桥牌书籍。6个礼拜后，我几乎每天晚上都打桥牌。我还对油画发生了兴趣。我每天下午3到5点跟一位老师学画。我的画好到你一看就知道我画的是什么。我也练习雕肥皂与木雕。并从研究此类书籍中得到极大的乐趣。我保持忙碌，使自己没有闲暇去烦心我的病情。我甚至还拨出时间阅读红十字会送我的心理学书籍。3个月后，同一组医疗人员再来看我，并且恭喜我已有"惊人的进步"。这绝对是我这一生中所听到最美妙的语言，我开心得想大叫。

我想说的是：当我无所事事的躺在床上，一心只担忧着自己的未来时，我毫无进展。我的忧虑像一支不断注射进身体的毒药，连断了的肋骨也无法愈合。但是，一旦我不再注意自己，而开始打桥牌、画油画、刻木雕时，医生才宣告我有了"惊人的进步"。

我目前生活正常，健康良好，我的肺与常人无异。

请记住萧伯纳说的："人生最大的不幸，是有余暇去顾虑自己过得是否幸福。"保持活跃，保持忙碌！

# 79

## 说出你的心事

### 卡耐基金言

◆ 只要一个病人能够说话——单单说出来，就能够解除他心中的忧虑。

◆ 不要为别人的缺点过于操心。

◆ 今晚上床之前，先安排好明天工作的程序。

一年秋天，我的助手坐飞机到波士顿参加一次世界性的最不寻常的医学课程。是医学吗？不错。这个课程每周举行一次，参加的病人在进场之前都要进行定期和彻底的身体检查。可是实际上这个课程是一种心理学的临床实验，虽然课程正式的名称叫做应用心理学，其真正的目的却是治疗一些因忧虑而得病的人，而大部分病人都是精神上感到困扰的家庭主妇。

这种专门为忧虑的人所准备的课程是怎么开始的呢？1930 年，约瑟夫·普拉特博士——他曾是威廉·奥斯勒爵士的学生——注意到，很多到波士顿医院来求诊的病人，生理上根本没有毛病，可是他们却认为自己有那种病的症状。有一个女人的两只手，因为"关节炎"而完全无法使用，另外一个则因为"胃癌"的症状而痛苦不堪。其他有背痛的、头痛的，常年感到疲倦或疼痛。她们真的能够感觉到这些痛苦，可是经过最彻底的医学检查之后，却发现这些女人没有任何生理上的疾病。很多老医生都会说，这完全是出于心理因素——"病在她的脑子里"。

可是普拉特博士却了解，单单叫那些病人"回家去把这件事忘掉"不会有一点用处。他知道这些女人大多数都不希望生病，要是她们的痛苦那么容易忘记，她们自己早就这样做了。那么该怎么治疗呢？

他开这个班，虽然医学界的很多人都对这件事深表怀疑，但却有意想不到的结果。从开班以来，18年里，成千上万的病人都因为参加这个班而"痊愈"。有些病人到这个班上来上了好几年的课——几乎就像上教堂一样的虔诚。我的那个助手曾和一位前后坚持了9年并且很少缺课的女人谈过话。她说当她第一次到这个诊所来的时候，她深信自己有肾脏病和心脏病。她既忧虑又紧张，有时候会突然看不见东西，担心失明。可是现在她却充满了信心，心情十分愉快，而且健康情形非常良好。她看起来只有40岁左右，可是怀里却抱着一个睡着的孙子。"我以前总为我家里的问题烦恼得要死，"她说，"几乎希望能够一死了之。可是我在这里学到了忧虑对人的害处，学到了怎样停止忧虑。我现在可以说，我的生活真是太幸福了。"

这个班的医学顾问罗斯·希尔费丁医生认为，减轻忧虑最好的药就是"跟你信任的人谈论你的问题，我们称之为净化作用。"她说，"病人到这里来的时候，可以尽量地谈她们的问题，一直到她们把这些问题完全赶出她们的脑子。一个人闷着头忧虑，不把这些事情告诉别人，就会造成精神上的紧张。我们都应该让别人来分担我们的难题，我们也得分担别人的忧虑。我们必须感觉到世界上还有人愿意听我们的话，也能够了解我们。"

我的助手亲眼看到一个女人在说出她心里的忧虑之后，感到一种非常难得的解脱。她有很多家事的烦恼，而在她刚刚开始谈这些问题的时候，她就像一个压紧的弹簧，然后一面讲，一面渐渐地平静下来。等到谈完了之后，她居然能面露微笑。这些困难是否已经得到了解决呢？没有，事情不会这么容易的。她之所以有这样的改变，是因为她能和别人谈一谈，得到了一点点忠告和同情。真正造成变化的，是具有强而有力的治疗功能的语言。

就某方面来说，心理分析就是以语言的治疗功能为基础。从弗洛伊德的时代开始，心理分析家就知道，只要一个病人能够说话——单单只要说出来，就能够解除他心中的忧虑。为什么呢？也许是因为说出来之后，我们就可以更深入地看到我们面临的问题，能够找到更好的解决方法。没有人知道确切的答案，可是我们所有的人都知道"吐露一番"或是"发发心中的闷气"，就能立刻使人觉得畅快得多了。

所以，下一次我们再碰到什么情感上的难题时，何不去找个人来谈一谈呢？当然我并不是说，随便到哪里抓一个人，就把我们心里所有的苦水和牢骚说给他听。我们要找一个能够信任的人，跟他约好一个时间，也许找一位亲戚，一位医生，一位律师，一位教士，或是一个神父，然后对那个人说："我希望得到你的忠告。我有个问题，我希望你能听我谈一谈，你也许可以给我一点忠告。也许旁观者清，你可以看到我自己所看不见的角度。可是即使你不能做到这一点，只要你坐在那里听我谈谈这件事情，也等于帮了我很大的忙了。"

如果你真觉得没有一个人可以谈一谈的话，那我要告诉你所谓的"救生联盟"——这个组织和波士顿那个医学课程完全没有关联。这个"救生联盟"是世界上最不寻常的组织之一。它的组成是为了防止可能发生的自杀事件。可是多年之后，它的范围扩大到给那些不快乐或是在情感和精神方面需要安慰的人。

把心事说出来，这是波士顿医院所安排的课程中最主要的治疗方法。下面是我们在那个课程里所得到的一些概念。其实我们在家里就可以做到这些事。

1. 准备一本"供给灵感"的剪贴簿——你可以贴上自己喜欢的令人鼓舞的诗篇，或是名人格言。往后，如果你感到精神颓丧，也许在本子里就可以找到治疗方法。在波士顿医院的很多病人都把这种剪贴簿保存好多年，她们说这等于是替你在精神上"打了一针"。

2. 不要为别人的缺点太操心——不错，你的丈夫有很多的错误，但如果他是个圣人的话，恐怕他根本就不会娶你了，对不对？在那个班上有一个女人，发现她自己变成一个专门对人苛刻、责备别人、爱挑剔，还常常拉长一张脸的妻子。当人家问她"要是你丈夫死了你怎么办？"的问题时，她才发现自己的短处。她当时着实吃了一惊，连忙坐下来，把她丈夫所有的优点列举出来。她所写的那张单子可真长呢。所以下一次要是你觉得你嫁错了人，何不也试着这样做呢？也许在看过他所有的优点之后，会发现他正是你希望遇到的那个人哩。

3. 要对你的邻居有兴趣——对那些和你在同一条街上共同生活的人，有一种很友善也很健康的兴趣。有一个很孤独的女人，觉得自己非常"孤立"。她一个朋友也没有。有人要她试着把她下一个碰到的人作为主角编一个故事，于是她开始在公共汽车上为她所看到的人编造故事。她假想那个人的背景和生活情形，试着去想像他的生活怎样。后来，她碰到别人就谈天，而今天她非常的快乐，变成一个很讨人喜欢的人，也治好了她的"痛苦"。

4. 今晚上床之前，先安排好明天工作的程序——在班上，他们发现很多家庭主妇，因为做不完的家事而感到很疲劳。她们好像永远也做不完自己的工作，老是被时间赶来赶去。为了要治好这种匆忙的感觉和忧虑，他们建议各位家庭主妇，在头一天就把第二天的工作安排好，结果呢？她们能完成许多的工作，却不会感到那么疲劳。同时还因有成绩而感到非常骄傲，甚至还有时间休息和"打扮"。每一个女人每一天都应该抽出时间来打扮，让自己看来漂亮一点。我认为，当一个女人知道她外观很漂亮的时候，就不会"紧张"了。

5. 避免紧张和疲劳的唯一途径就是放松——再没有比紧张和疲劳更容易使你苍老的事了。也不会再有别的事物对你的外表更有害了。我的助手，在波士顿医院思想控制课程里坐了一个钟点，听负责人保罗·约翰逊教授谈了很多很多我们在前一章已经讨论过的原则——那些能够放松的方法。在10分钟放松自己的练习结束之后，我那位和其他人一起做这些练习的助手几乎坐在椅子上睡着了。为什么生理上的放松能够有这么大的好处呢？因为这家医院——和其他医生一样——知道，如果你要消除忧虑，就必须放松。

是的，身为一个家庭主妇，一定要懂得如何放松自己。你有一点强过别人的地方——只要想躺下随时就可以躺下。而且你还可以就躺在地上。奇怪的是，硬硬的地板比里面装着弹簧的席梦思床更有助于你放松自己。地板给你的抵抗力比较大，对脊椎骨大有好处。

好啦，下面就是一些可以在你自己家里做的运动。先试一个礼拜，看看对你的外表有多大的好处：

1. 只要你觉得疲倦了，就平躺在地板上，尽量把你的身体伸直，如果你想要转身的话就转身，每天做两次。

2. 闭起你的两只眼睛，像约翰逊教授所建议的那样说："太阳在头上照着，天空蓝得发亮，大自然非常的沉静，控制着整个世界——而我，大自然的孩子，也能和整个宇宙调和一致。"

3. 如果你不能躺下来，因为你正在炉子上煮菜，没有这个时间，那么只要你能坐在一张椅子上，得到的效果也完全相同。在一张很硬的直背椅子里，像一个古埃及的坐像那样，然后把你的两只手掌向下平放在大腿上。

4. 现在，慢慢地把你的10个脚趾头蜷曲起来——然后让它们放松；收紧你的腿部肌肉——然后让它们放松；慢慢地朝上，运动各部分的肌肉，最后一直到你的颈部。然后让你的头向四周转动着，好像你的头是一个足球。要不断地对你的肌肉说："放松……

放松……"

5. 用很慢很稳定的深呼吸来平定你的神经，要从丹田吸气，印度的瑜伽术做得不错，规律的呼吸是安抚神经的最好方法。

6. 想想你脸上的皱纹，尽量使它们抹平，松开你皱紧的眉头，不要闭紧嘴巴。如此每天做两次，也许你就不必再到美容院去按摩了，也许这些皱纹就会从此消失了。

**克服忧虑的真实故事**

# 我逃过了鬼门关

约瑟夫·莱安

几年前，我身为一宗法律案件的目击证人，使我心理遭受极大的压力与忧虑。那件案子终结后，我坐火车返家途中，生理上忽然不能支持，心脏出了问题，我几乎无法呼吸。

回家后，医生为我做了注射，我并不是躺在床上，因为我只是走到起居室就昏倒了。我醒过来后，看见神父已准备为我做临终祈祷了！

我看到家人脸上哀戚的表情，知道自己气数将尽。后来我得知医生告诉我太太，我可能会在半小时内去世。我的心脏虚弱到医生嘱咐我不要说话，连手指也不要动。

我绝不是圣人，但也早就学会不去跟天主争辩。因此，我闭上双眼："就按你的旨意……如果就是现在，就按照你的旨意吧！"

我一有了这种想法，似乎全身就立刻放松了。我不再惊恐，我自问能发生的最坏状况是什么。也许会有一阵绞痛，然后一切就都过去了。我将回到造物主的怀抱里享受真正的平安。

　　我在起居室里躺了一个钟头，但没有再觉得疼痛。最后，我开始自问如果这次没死，我应该怎么样度过我的人生。我决心做各种努力来找回健康。我绝不再听任紧张烦恼折磨我，我要培养力量。

　　那已是4年前的事，我如今的情况连医生都不敢置信。我不再忧虑。我对人生充满新的热忱。不过，我得坦白承认如果不是曾经面对死亡，并想法努力改善，今天我不可能还活着。如果我不能接受最坏的状况，我相信我会死于自己的惊恐。

　　莱安先生能活到现在，完全是因为他应用了一条魔术方程式：面对最坏的状况。

# 80

## 不再为失眠而忧虑

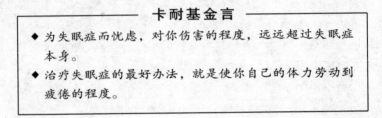

**卡耐基金言**

◆ 为失眠症而忧虑，对你伤害的程度，远远超过失眠症
本身。

◆ 治疗失眠症的最好办法，就是使你自己的体力劳动到
疲倦的程度。

要是你经常睡不好觉的话，你会不会忧虑呢？那么你也许愿意
知道塞缪尔·昂特迈耶——国际知名的大律师——这一辈子从来没
好好睡过一天。

塞缪尔·昂特迈耶上大学的时候，很担心两件事情——气喘病
和失眠症，这两种病似乎都没有办法治好。于是他决定退一步去
想，他要充分利用清醒的时间。他不在床上翻来覆去，不让自己忧
虑到精神崩溃的程度，他下床来读书。结果呢？他在班上每一门功
课都名列前茅，成为纽约市立大学的奇才。

甚至在他开始执行律师业务以后，他的失眠症还是没有治好。
可是昂特迈耶一点也不忧虑，他说："大自然会照顾我的。"事实果
然如此。他虽然每天睡得很少，健康情形却一直很好，而且也能像

纽约法律界所有的年轻律师一样努力工作，甚至超过其他人，因为别人睡觉的时候，他还是清醒的。

昂特迈耶大律师 21 岁的时候，每年的收入已经高达 75000 美元，因此很多其他年轻的律师都到法庭去研究他的方法。1931 年，他在一个诉讼案子上所得到的酬劳，可能是有史以来律师界所得酬劳最高的一次——整整 100 万美元，而且都是现金。

可是他还是有失眠症。晚上他有一半的时间都在看书，然后清早 5 点钟就起床，开始口述信件。当大多数人刚刚开始工作的时候，他一天的工作差不多就已经做完一半了。他一直活到 81 岁，一辈子里却难得有一天晚上睡得很熟。可是如果他一直为失眠症担心忧虑的话，恐怕他这一辈子早就毁了。

我们的生活中，有 1/3 用于睡眠，可是没有一个人知道睡眠究竟是怎么一回事。我们知道这是一种习惯，也是一种休息状态。可是我们不知道每一个人需要几个小时的睡眠，我们甚至不知道我们是否非睡觉不可。

很难想像吗？嗯，在第一次世界大战期间，一个名叫保罗·科恩的匈牙利士兵，脑前叶被枪弹打穿。他的伤养好了，可是奇怪的是，他从此没有办法再睡着。不管医生用什么样的办法——他们使用过各种镇静剂和麻醉药，甚至使用了催眠术——保罗·科恩就是没有办法睡着，甚至不会觉得困倦。

所有的医生都说他活不久了，可是他令所有人吃惊了。他找到一份工作，非常健康地活了好多年。他有时候会躺下来闭上眼睛休息，可是永远也没有办法睡着。他的病例还是医学史上一个未解的谜，也推翻了我们对睡眠的很多看法。

有些人的睡眠时间必须比其他人长。著名指挥家托斯卡尼尼每晚只需要睡 5 个小时，可是柯立芝总统却需要 2 倍的时间。每 24 个小时，柯立芝要睡 11 个小时。换一句话说，托斯卡尼尼一生大概只花了 1/5 的时间在睡眠上，而柯立芝却几乎睡掉了他生命的一半时间。

为失眠症而忧虑，对你伤害的程度，远超过失眠症本身。举个例子来说，我的一个学生——伊拉·桑德勒，就几乎因为严重的失眠症而自杀。下面是他所讲述的故事：

我真的以为我会精神失常，问题是，最初我是个睡得很熟的人，就连闹钟响了也不会醒来，结果每天早上上班都迟到。我因为这件事情而非常忧虑——事实上，我的老板也警告我说，我一定得准时上班。我知道如果再这样睡过头的话，我就会丢了工作。

我把这件事情告诉我的朋友，有一个人建议我，应该在睡觉以前集中我的精神去注意闹钟，就这样造成了我的失眠症。那个该死的闹钟滴答滴答声缠着我不放，让我睡不着，整夜翻来覆去。到了早晨，我几乎病得不能动，又疲劳又忧虑。这样继续了有8个礼拜之久，我所受到的折磨简直无法用语言来形容。我深信自己一定会精神失常的。有时候我会走来走去转上好几个钟点，甚至想从窗口跳出去一了百了。

最后，我去见一个我认得的医生。他说："伊拉，我没有办法帮你的忙，没有一个人能够帮你，因为这种事情是你自己找的。每天晚上上床后，要是你睡不着的话，就不要去理它，对你自己说：我才不在乎我睡得着睡不着哩，就算醒着躺在那里一直到天亮，也没有关系。闭上你的眼睛说：反正我只要躺在这里不动，不去为这件事担忧，就能得到休息。"

我照他的话去做，不到两个礼拜我就能安稳地睡着了。不到一个月，我就能每天睡8个小时，而我的精神也恢复了正常。

使伊拉·桑德勒受到折磨的不是失眠症，而是失眠症引起的忧虑。

在芝加哥大学担任教授的纳撒尼尔·克莱特曼博士，曾对睡眠问题做过很多的研究，他是全世界有关睡眠问题的专家。他说过，从来没有听说哪一个人是因失眠症而死的。实际上，可能有人为失眠而忧虑以致体力减低受到细菌的侵袭，可是这种损害是由忧虑所造成，而不是由于失眠症。

克莱特曼博士也曾说过，那些为失眠症担忧的人，通常所得到的睡眠比他们所想像的要多很多。那些指天誓日地说"我昨天晚上连眼睛都没有闭一下"的人，实际上可能睡了好几个钟点，只是自己不知道而已。举个例子来说，19世纪最有名的思想家赫伯特·斯宾塞，老年的时候还是独身，寄住在一间宿舍里，整天都在谈他的失眠问题，弄得每个人都烦得要命。他甚至在耳朵里带上"耳塞"来避免外面的吵闹声，镇定他的神经，有时候还吃鸦片来催眠。有一天晚上，他和牛津大学的塞斯教授同住在一个旅馆房间里，第二天早上斯宾塞说他昨天晚上整夜没有睡着，实际上却是塞斯教授根本没有睡着，因为斯宾塞的鼾声吵了他一夜。

要想安稳地睡一夜的第一个必要条件，就是要有安全感。我们必须感觉到有一种比我们大得多的力量，一直照顾我们到天明。托马斯·希斯洛普博士在英国医药协会的一次演讲中就特别强调这一点。他说："根据我多年行医的经验发现，使你入睡的最好办法之一就是祈祷。这样说，纯粹是以一个医生的身体来说的。对有祈祷习惯的人来说，祈祷一定是镇定思想和神经最适当也最常用的方法。"

"把自己托付给上帝——然后放松你自己。"

著名的歌唱家兼电影明星珍妮·麦当娜告诉我说，每当她感觉精神颓丧而忧虑得难以入睡的时候，她就重读诗篇第23篇来让她自己得到"一种安全感"。

可是如果你没有宗教信仰，不能这样轻松地解决问题的话，你可以用另外一种方法来学着放松你自己。大卫·哈罗德·芬克博士写过一本《消除神经紧张》，其中提出了一种最好的方法，就是和你自己的身体交谈。芬克博士认为，语言是一切催眠法的关键，如果你一直没有办法入睡，那是因为你自己"说"得使你自己得了失眠症。唯一的解决方法，就是要你从这种失眠状态里面解脱出来——做法是向你身上的肌肉说："放松、放松——放松所有的紧张。"我们已经知道，当肌肉紧张的时候，你的思想和神经就不可能放松

——所以如果我们想要入睡的话，必须先从放松肌肉开始。芬克博士推介的方法——而且在实际上也很有效用——就是把枕头放在我们膝盖下，来减轻两脚的紧张。然后把几个小枕头垫在手臂底下。然后叫自己的下颚、眼睛、两个手臂和两腿放松，我们就会在还不知道是怎么回事之前入睡了。我自己曾经试过，所以我知道有效。如果你有失眠症，想办法去买一本芬克博士的书《消除神经紧张》，这本书我前面也曾经提到过，这是我所知道唯一具有可读性、又能治好失眠症的一本书。

　　另外一种治疗失眠症的最好办法，就是使你自己的体力劳动到疲倦的程度。你可以去种花、游泳、打网球、打高尔夫球、滑雪、或者只是做很多体力劳动的工作。这是名作家西奥多·德莱塞的做法。在他还是一个为生活挣扎的年轻作家时，也曾经为失眠症而忧虑过。于是他到纽约中央铁路去找了一份铁路工人的工作，在做了一天打钉和铲石子的工作之后，就疲倦得甚至于没有办法坐在那里把晚饭吃完。

　　如果我们够疲倦的话，即使我们是在走路，大自然也会逼迫我们入睡。我可以举一件事情来说明：我13岁那年，父亲要运一车猪到密苏里州的圣乔城去，因为他有两张免费的火车票，所以他带着我一起去。在那以前，我从来没有去过任何4000人口以上的小城。当我到了圣乔城——一个人口有6万人的大城市——我简直兴奋得无以复加。我看见6层楼高的摩天楼，还有——再好也不过的是——我看到了一辆电车。我现在闭上眼睛，好像还能看到、还能听到那辆电车。在经过我一生最兴奋的一天之后，父亲带我坐火车回家。到达的时候已经是半夜2点了，我们得走4里路回到农庄上。我当时已经疲倦到一面走一面就睡着了，还做着梦。我也常常骑在马背上就睡着了，这都是我亲身经历过的事。

　　当一个人完全精疲力竭之后，即使在打雷或战争的恐怖与危险之下，也能够安睡。有名的神经科医生佛斯特·肯尼迪博士告诉我说，在1918年，英国第五军撤退的时候，他就看过精疲力竭的士兵随地倒下，睡得就像昏过去一样。虽然他用手撑开他们的眼皮，他们仍不会醒过来。他说他注意到，所有人的眼球都在眼眶里向上翻起。"在那以后，"肯尼迪医生说，"每次我睡不着的时候，我就把我的眼珠翻成那个位置。我发现，不到几秒钟，我就会开始打呵欠，感到瞌睡，这是一种我没有办法控制的自动反应。"

从来没有一个人会用不睡觉来自杀。不论他有多强的意志力，大自然都会强迫一个人入睡。大自然会让我们可以长久不吃东西、不喝水，却不会让我们长久不睡觉。

谈到自杀，就使我想起亨利·林克博士在他那本《人的再发现》一书里所谈到的一个例子。林克博士是心理问题公司的副总裁，他曾经和很多忧虑而颓丧的人谈过。在《消除恐惧与忧虑》那一章里，他谈到一个想要自杀的病人。林克博士知道，如果跟他争论的话，只会使情况更坏，所以他对这个人说："如果你反正都要自杀的话，至少要做得英雄一点。绕着这条街跑到你累死为止吧。"

他果然去试了，不只是一次，而且试了好几次。每一次都让他觉得好过一点，不过那是在心理上而不是在生理上的。到了第三晚，林克博士终于达到他最先想要达到的目的——这个病人由于肉体疲劳而睡得很沉。后来他参加了一个体育俱乐部，参加各种运动项目，不久就觉得开心到想要永远活下去了。

所以，要想不为失眠症而忧虑，请记住下面5条规则：

1. 如果你睡不着，就起来工作或看书，直到你想睡为止。
2. 从来没有人因为缺乏睡眠而死。
3. 试着祈祷。
4. 保持全身放松。
5. 加强运动。

# 排忧解烦一高手

### 欧德威·泰德

忧虑是一种习惯——一种我早已破除了的习惯。我之所以能革除这种习惯，我相信应归功于三件事：

首先，我太忙了，没有时间焦虑。我从事三项主要的工作——每一项都是全职的工作。我在哥伦比亚大学向团体演讲。我也是纽约市高等教育委员会的董事长。我还担任哈泼出版公司经济社会书籍部门负责人。这三种工作让我没有余暇去烦恼。

第二，我很能解除烦忧。当我由一个工作换到另一项角色时，我把刚才的问题完全抛诸脑后。这样才能令我神清气爽地面对下一个工作。这样做令我轻松，保持头脑清楚。

第三，每天工作结束时，我都要提醒自己不要把烦恼带出去，它们是持续不断的，总会有一些有待解决的问题等我去伤脑筋。如果我每天把这些问题带回家，去为它们伤脑筋，我就是在摧毁自己的健康，同时，也是在摧毁我适应这些问题的能力。

欧德威·泰德是运用四个良好工作习惯的高手，你还记得是哪四个习惯吗？